SEULE RONDE ET FAUCHÉE

plus jamais !

SEULE RONDE ET FAUCHÉE

plus jamais !

Cessez de viser la perfection et optez pour le bonheur une fois pour toutes

VICTORIA MORAN

Traduit de l'anglais par
Laurette Therrien

Éditeur : François Doucet
Traduction : Laurette Therrien
Révision linguistique : Caroline Bourgault-Côté
Correction d'épreuves : Nancy Coulombe, Suzanne Turcotte
Montage de la couverture : Tho Quan
Photo de la couverture : © istockphoto
Mise en pages : Sébastien Michaud
ISBN 978-2-89667-081-9
Première impression : 2010
Dépôt légal : 2010
Bibliothèque et Archives nationales du Québec
Bibliothèque Nationale du Canada

Éditions AdA Inc.
1385, boul. Lionel-Boulet
Varennes, Québec, Canada, J3X 1P7
Téléphone : 450-929-0296
Télécopieur : 450-929-0220
www.ada-inc.com
info@ada-inc.com

Diffusion

Canada :	Éditions AdA Inc.
France :	D.G. Diffusion
	Z.I. des Bogues
	31750 Escalquens — France
	Téléphone : 05.61.00.09.99
Suisse :	Transat — 23.42.77.40
Belgique :	D.G. Diffusion — 05.61.00.09.99

Imprimé au Canada

Participation de la SODEC.
Nous reconnaissons l'aide financière du gouvernement du Canada par l'entremise du Programme d'aide au développement de l'industrie de l'édition (PADIÉ) pour nos activités d'édition.
Gouvernement du Québec — Programme de crédit d'impôt pour l'édition de livres — Gestion SODEC.

Catalogage avant publication de Bibliothèque et Archives nationales du Québec et Bibliothèque et Archives Canada

Moran, Victoria, 1950-

Seule, ronde et fauchée — plus jamais !
Traduction de : Fat, broke & lonely no more !.
ISBN 978-2-89667-081-9

1. Succès - Aspect religieux. 2. Actualisation de soi - Aspect religieux. 3. Autodéveloppement. 4. Vie spirituelle. I. Titre.

BL65.S84M6714 2010 204'.4 C2010-940452-1

À mes deux mamans, tout mon amour
et ma reconnaissance.

Dede, qui fut mon premier professeur de spiritualité et
"Tantine Mame" dans la vraie vie.
Je te dois la magie et le merveilleux.
Et je fais de mon mieux pour les transmettre
à mon tour.

Et maman, avec ton courage et ton énergie débordante :
Tu étais tellement près de moi pendant que j'écrivais,
je sais que nous avons créé ce livre ensemble.

TABLE DES MATIÈRES

Deuxième partie

ROMPRE AVEC L'OBÉSITÉ

Il y a en vous un pouvoir qui prend les bonnes décisions, même dans des domaines aussi ordinaires que vos choix d'aliments et de mise en forme.

Troisième partie

ROMPRE AVEC LA PAUVRETÉ

La richesse, financière ou autre, est normale, naturelle et bonne. Vous l'attirez en pensant, parlant et vivant richement.

Quatrième partie

ROMPRE AVEC LA SOLITUDE

Lorsque votre vie est bien remplie et votre esprit éveillé, vous savourez votre compagnie et attirez des gens attentifs et secourables autour de vous.

Cinquième partie

S'ACCROCHER À LA VIE DE SES RÊVES

Vous êtes venue sur cette planète pour être remarquable. Vous y arrivez en étant vous-même, en vous servant de vos talents, et en projetant votre lumière.

INTRODUCTION

En tant que lectrice de ce livre, vous avez le droit de savoir comment il a été conçu. Mon éditeur m'a appelée et m'a dit : « On a pensé à un titre qui nous plaît énormément, mais on ne savait pas qui pourrait l'écrire. Puis, l'idée m'est venue : *toi,* tu pourrais l'écrire ! » J'étais ravie qu'il ait pensé à moi pour ce titre, sans doute quelque chose de charmant, de beau et d'inspirant. *Seule, ronde et fauchée !* a-t-il annoncé sur un ton enthousiaste. Ça a été comme une gifle en pleine figure.

Voyez-vous, j'ai *été* seule, ronde et fauchée, et je n'aime pas ces mots – en particulier le mot *ronde,* car c'est celui qui m'a le plus blessée. Cela fait plus de vingt ans que je n'ai plus de surcharge pondérale, mais je suis toujours parfaitement consciente que le mot ronde n'est pas un simple synonyme de surpoids. Dans notre société, ronde est une épithète, un jugement et une arme en ce qui a trait au corps. Chaque fois que j'apprends que l'on a accolé cette épithète à quelqu'un d'autre, je souffre avec cette personne. Les termes *fauchée* et *seule* sont moins terribles, mais pas vraiment plus attrayants. Mis ensemble, ces trois mots tracent un portrait que personne ne veut voir. Néanmoins, avant que je puisse dire : « Jamais dans cent ans je n'écrirai un livre avec un pareil titre », je me suis rappelé une chose : j'ai peut-être été seule, ronde et fauchée, mais je ne le suis plus, et il y a un bon moment que je ne l'ai pas été.

Voici comment je vois cela aujourd'hui : ce problème compte de nombreux coupables. Nous sommes responsables de nos actes, mais « elles » ne nous facilitent pas les choses ; je parle ici des mégacorporations qui produisent la majeure partie de nos aliments, et des commissions de planification qui décident de construire des infrastructures dépourvues de trottoirs. Il y a aussi les publicistes qui nous persuadent adroitement que nous sommes censées être capables de nous procurer tout ce qu'ils vendent, et néanmoins de trouver l'argent nécessaire à l'achat du prochain symbole de statut social ou du jouet qu'il faut posséder à tout prix. Et la vie dans une société où les grandes familles et les communautés solidaires, sur lesquelles les humains pouvaient compter bien avant que l'homme ne marche debout, est indéniablement une des raisons qui font que nous sommes si nombreux à nous sentir seuls et déconnectés.

Vous avez le droit de prendre une minute (ou tout le temps qu'il vous faudra) pour déplorer cette culture de la consommation où il est si facile d'être seule, ronde et fauchée. Mais, par la suite, il n'en tiendra qu'à vous de trouver le moyen de vous en sortir.

M'en étant moi-même sortie, je me suis dit que mon éditeur n'avait pas tout à fait tort : je dois partager ce que je sais avec les personnes qui le veulent. Je parle de tous ceux et celles qui pourraient se décrire comme étant seuls, ronds ou fauchés, ou tout cela à la fois, et de tous les autres qui ont tellement peur que cela leur arrive qu'ils s'épuisent dans les gymnases, au travail, voire dans leurs relations. Ils fonctionnent suivant l'hypothèse logique qu'une personne parfaite ne pourrait absolument pas être seule, ronde et fauchée et que, par conséquent, la meilleure protection doit forcément être de tout faire à la perfection. Mais, malgré un entraînement physique exténuant, un emploi en or et la rencontre rêvée, la peur de devenir seuls, ronds et fauchés ne les a pas quittés.

Bien évidemment, j'ai répondu que j'écrirais ce livre. Nous avons modifié le titre qui est devenu : *Seule, ronde et fauchée. Plus jamais!* La capacité de dire « plus jamais ! » — et de le penser — a moins à voir avec la nourriture, l'argent ou les personnes qui vous envoient (ou ne vous envoient pas) des messages-textes, qu'avec vous, au dedans... avec vos croyances profondes, vos désirs personnels, votre spiritualité.

Ne repoussez pas cette idée comme s'il s'agissait d'un jargon du nouvel âge ou de la chasse gardée de ceux qui ont été baptisés ou qui ont fêté leur bar-mitsva. Je veux simplement vous faire comprendre que la vie est bien davantage que ce que nos cinq sens peuvent capter, que vous êtes plus remarquable que vous ne l'auriez cru, et que vous avez un certain contrôle, grâce à vos pensées, vos paroles et vos attitudes, sur la vie que vous menez. Par exemple, lorsque vous vous focalisez sur le fait d'être seule, ronde et fauchée, voici ce qui transparaît : « Je suis grosse et moche… Il faut que je mange quelque chose… Je n'aurai jamais assez d'argent… Il faut que j'achète quelque chose… Je ne rencontrerai jamais la bonne personne… Il faut que j'appelle c'est-quoi-son-nom-déjà ? Ben quoi, il a seulement conduit en état d'ébriété et l'alcootest aurait pu être défectueux… »

J'ai écrit *Seule, ronde et fauchée. Plus jamais !* pour vous aider à vaincre ce fléau une fois pour toutes. Pour que cela fonctionne, vous devrez mettre en pratique ce que vous lisez ici. Chaque chapitre se termine avec la recommandation « Posez un geste ». Ce sont vos actions, beaucoup plus que mes mots, qui feront la différence. Vos actions vous permettront de trouver l'ingrédient manquant qui, comme l'étoupe ou le Hamburger Helper, servira à combler les espaces vides. Avec cela, vous en aurez toujours suffisamment, et vous croirez que c'est un banquet. Ou un fonds en fidéicommis. Ou une ovation debout.

Première partie

ROMPRE AVEC LE VIDE INTÉRIEUR

L'impression d'être seule, ronde et fauchée résulte d'un vide intérieur et disparaît en développant une solide vie intérieure.

Bien que soutenues par la culture et le commerce, les personnes seules, rondes et fauchées réagissent essentiellement à leur vide intérieur. Si l'on pouvait cesser d'être seule, ronde et fauchée simplement en mangeant moins, en travaillant plus fort et en étant sympathique, vous l'auriez fait. Tout le monde l'aurait fait. Mais ce n'est pas si simple. Rappelez-vous : les mots seule, ronde et fauchée ont l'air de décrire un état d'être, mais il s'agit plutôt du moyen par lequel on peut contrôler les gens, en utilisant la honte et la peur. Il est essentiel de découvrir et de nourrir votre *moi* intérieur pour bien reconnaître les mensonges que seule, ronde et fauchée racontent à celle que vous êtes vraiment : un être qui a du pouvoir et des objectifs, une personne qui a une raison d'être et une œuvre importante à accomplir.

Les dix chapitres qui suivent vous donneront des outils pour développer et approfondir cette part intime de vous-même. Vous y trouverez la force de rester où vous êtes, hors d'atteinte de la menace de devenir seule, ronde et fauchée, et de tout ce qui pourrait vous empêcher d'avoir une vie formidable.

Chapitre 1

L'ANATOMIE DE LA PERSONNE SEULE, RONDE ET FAUCHÉE

Seule, ronde et fauchée. Ces mots n'ont pas été systématiquement regroupés telles des voix de choristes ; néanmoins, ce trio représente la principale crainte personnelle de notre époque. Bien sûr, les attaques terroristes et la fonte des calottes glaciaires nous inquiètent, mais on se sent tellement impuissants devant ces phénomènes que cela ne donne rien d'en faire une obsession. Par contre, l'idée d'être seule, ronde et fauchée peut occuper le devant et le centre de la scène. Soit on s'y laisse prendre en mangeant trop, en dépensant sans compter, en cherchant l'amour dans tous les mauvais endroits, soit on y fait face grâce à une détermination inflexible : « Peu importe ce qui arrivera, bon sang, je peux être belle, posséder tout ce qui me fait envie et rencontrer la bonne personne. »

Ce n'est pas que ce soit mal de vouloir tout posséder. En termes d'évolution, tout ceci est inextricablement lié à nos instincts primaux de survie et de reproduction. Cependant, lorsque le désir devient insatiable, notre envie irrépressible se transforme en invitation à devenir seule, ronde et fauchée.

J'ai observé que les femmes sont particulièrement inquiètes à l'idée de se retrouver rondes, ou seules. Dans l'esprit de bien des femmes, ce sont les deux faces de la même médaille. Être grosse ou sans attrait (un bouton ou une mauvaise mise en plis peuvent être aussi catastrophiques que deux kilos de trop sur les hanches), représente la menace de ne pas être aimée physiquement et même platoniquement. Et si la laissée pour compte vient en premier, la ronde peut suivre de près. Par exemple, lorsqu'il y a une rupture dans une série télévisée, la femme se mettra à s'empiffrer de glace à même le contenant, avant la prochaine pause publicitaire.

Pour un homme, le fait d'*être fauché* est souvent plus effrayant que celui d'être rond et seul en même temps. Même si, en ce qui a trait à la beauté du corps, les hommes sont de plus en plus sollicités par les mêmes messages impossibles avec lesquels on bombarde les femmes, l'obésité n'est pas nécessairement fatale pour l'image de soi masculine, en autant que l'homme réussisse bien, ait du pouvoir et soit à l'aise financièrement. La souffrance due à la solitude n'est pas spécifique au sexe, mais les hommes ont appris à vivre de façon plus autonome en société et, pendant longtemps, la plupart des cultures ont permis aux hommes célibataires d'aller chercher leur réconfort dans les rencontres occasionnelles, alors que pour les femmes, ces comportements étaient fortement réprouvés. Toutefois, un homme qui manque de moyens se sent incapable d'attirer les femmes, d'impressionner les autres hommes et d'accomplir son mandat évolutionniste de soutien familial. (Lorsque le salaire de sa femme peut faire vivre la famille, peut-être même se sent-il encore plus incapable dans ces circonstances.)

En dépit des interprétations individuelles et sexuelles qui les divisent, chacun de ces mots (seule, ronde et fauchée) est chargé de sens. Quelle que soit la vérité qu'ils sont censés communiquer, elle est éclipsée par les demi-vérités, insinuations et mensonges éhontés qu'ils véhiculent aussi. Certes, il y a l'obésité qui met la santé en danger, puis il y a le « Est-ce que j'ai l'air grosse dans ces jeans ? » que l'on pose dans l'espoir d'entendre « Tu veux rire ? Tu es tellement mince que tout te va à ravir. »

Habituellement, *fauché* ne veut pas non plus dire « sans le sou ». Tout récemment, j'étais choquée d'entendre mon mari se plaindre de notre situation (second mariage pour chacun de nous, nous ne sommes plus des enfants...) : « On est tellement fauchés que je ne mange pas à l'heure du lunch ! » Nous gagnions dans les six chiffres, et grâce à l'hypothèque contractée à la banque, nous possédions une maison de pierre cossue de l'époque art déco. Par contre, les travaux majeurs et coûteux que nous devions entreprendre pour la rénover, faisaient en sorte que William voyait un sandwich comme un luxe, et le terme *fauché* comme un adjectif s'appliquant à notre situation.

De même, le mot *seul* ne veut habituellement pas dire « tout fin seul ». Il veut plutôt dire « sans douce moitié » (ou mal accompagné) ; ou que nous n'avons pas autant d'amis et de connaissances que nous croyons devoir en avoir, ou que nous nous imaginons avoir déjà eus. « J'avais des tas d'amis à l'université (ou lorsque je vivais à Minneapolis, ou avant d'être toujours sur la route), mais je n'arrive plus à me lier d'amitié aujourd'hui. »

Pris en tandem, toutefois, les mots seule, ronde et fauchée ne veulent pas simplement dire que l'on a quelques kilos en trop, qu'on est à court d'argent ce mois-ci et que c'est la deuxième soirée de suite qu'on mange seule au restaurant. Fondamentalement, l'impression d'être seule, ronde et fauchée, que ce soit un fait ou une simple appréhension, est l'expression de notre vide intérieur, d'un trou dans l'âme. Trop manger (ou être obsédée par la nourriture), dépenser sans compter (ou attendre trop de l'argent), et trop dépendre des autres (ou les faire fuir), tout cela résulte d'un vide profond. Ce livre aurait pu s'intituler : *Soûle, clocharde & inquiète. Plus jamais !* ou *Frustrée, épuisée et ridiculisée. Plus jamais !* ou encore *Me priver, me faire peur à mort & coucher à droite et à gauche. Plus jamais !* N'importe lequel de ces choix (sans le « plus jamais ») peut nous priver du meilleur : le moment présent, notre prochaine idée de génie, les gens qui pensent que nous sommes fabuleuse.

Le secret pour ne plus jamais vous sentir seule, ronde et fauchée, c'est de prendre conscience que *vous êtes vraiment très bien,* que vous pouvez vous sentir intérieurement comblée, puisqu'il ne vous manque rien. C'est ce qu'il vous faut pour vous sentir nourrie (et belle), prospère (et en sécurité), aimée (et aimante), et, dans l'ici et maintenant être solide comme le roc, bien manger et être en forme, gagner plus d'argent, investir intelligemment, et attirer des gens qui seront là pour vous, quoi qu'il vous arrive.

Pour abandonner cette image de seule, ronde et fauchée, vous devrez affronter votre vide intérieur tête première. Mais avant d'allonger la liste de vos malheurs («Oh ! mon Dieu, je suis seule, ronde et fauchée, et vide par-dessus le marché ! »), retenez ceci : vous n'êtes pas la seule. C'est-à-dire que ce n'est pas parce que vous êtes atteinte d'une maladie que votre apparence, vos avoirs et vos relations vous bouleversent. (Je m'étonne que le moindre défi humain soit aujourd'hui devenu une maladie que l'on peut traiter à l'aide d'une médication tout à fait remarquable – si toutefois vous ne craignez pas les effets secondaires, tels la mélancolie, l'apparition de poils dans le dos ou l'herpès de l'œil.) Cette angoisse de la seule, ronde et fauchée ne vient pas que de vous ; elle vient aussi de votre culture, une culture particulièrement intéressée à nourrir votre sensation de manque, réel autant qu'imaginaire.

On a besoin que vous souteniez l'industrie des beignes en même temps que celle des aliments minceur. On s'attend à ce que vous disiez oui aux cartes de crédit, avec leurs irrésistibles taux de départ, et que vous assistiez au séminaire où l'on tentera de vous convaincre que vous pourriez faire fortune dans l'immobilier. Le statu quo tient à ce que vous dépenserez pour la dernière mode et la plus récente gamme de cosmétiques, de sorte que les hommes se traîneront à vos pieds et que les femmes vous admireront et rechercheront votre compagnie.

Bon sang, si vous, moi et toutes nos connaissances n'étions pas aussi occupées à nous battre avec cette image de seules, rondes et fauchées, nous pourrions mettre un terme à la faim dans le monde, éradiquer le sida, et faire de la « paix sur la Terre » davantage qu'un vœu pieux sur une carte de Noël. Nous pourrions même avoir du plaisir rien que pour le plaisir d'en avoir, et non parce que cela nous permet de brûler des calories ou de nous bâtir un réseau social.

Pour aller d'ici à là, il faut régulièrement vous brancher sur votre sagesse intérieure qui, à chaque fois que vous l'avez écoutée, a été reconnue pour instiller des idées qui ont fait bonne impression à l'extérieur. En clarifiant ces idées et en vous branchant sur votre sagesse intérieure, vous équilibrez vos différents besoins, envies et instincts, et les remettez en perspective. Vous devenez plus autonome, de sorte que celle que l'on dit que vous devriez être n'exerce plus d'autorité sur celle que vous savez être. Vos mensurations, votre solde bancaire et vos projets pour dimanche soir ne vous définissent plus : vous savez que le pouvoir de changer n'importe quelle situation est en vous. Il a toujours été en vous, et il n'ira nulle part ailleurs.

Posez un geste

Notez toutes les fois où l'impression d'être seule, ronde et fauchée affecte votre vie. Combien de fois par jour pensez-vous à un ou plusieurs de ces états ? Vous en inquiétez-vous ? Vous dénigrez-vous par rapport à cela ? Pensez-vous moins aux autres vivant aussi ces états ? Enviez-vous les personnes qui semblent invulnérables à tout cela ?

Chapitre 2

L'ÉPIDÉMIE DE VIDE INTÉRIEUR

Lorsque Peggy Lee chantait « Is That All There Is ? »[1], sa réponse à cette impression de vide intérieur était : « Let's keep dancing[2] ». La majorité d'entre nous réagit toutefois à ce sentiment de ne pas suffisamment posséder, accomplir ou être, par des comportements de colmatage qui sont beaucoup plus insidieux que ce fantasme de légèreté. En réaction au mal-être qui fait que l'on se sent seule, ronde et fauchée, nos exutoires favoris consistent à manger, à dépenser et à nous isoler. On peut aussi boire trop d'alcool (la chanson de Peggy Lee suggérait de « prendre un coup »), se tuer à l'ouvrage et même donner sans compter. On s'en fait trop, on se fâche et on a peur ; on change d'emploi, d'adresse, d'objet d'affection, mais aucun de tous ces faux-fuyants ne fonctionne vraiment bien ou pendant très longtemps.

L'ère de l'information correspond à une épidémie de vide intérieur, comme le montrent les statistiques : 62 %

1. Est-ce tout ce qu'il y a ?

2. Continuons à danser.

des Américains adultes ont une surcharge pondérale, en comptant les 31 % qui sont obèses. (L'envers de l'obésité, l'anorexie, va aussi en s'accentuant. L'anorexie affecte maintenant les garçons, les hommes et les femmes d'âge moyen, aussi bien que les adolescentes qui déjà se laissent mourir de faim.) Avant que la faillite personnelle ne soit rendue plus difficile par une récente législation, 100 000 Américains déclaraient faillite mensuellement, ce qui laisse supposer qu'une grande quantité d'individus, malgré les cartes de crédit, étaient ruinés. Avec 52 % des mariages qui se soldent par un divorce, 85 millions d'enfants qui ont quitté le nid familial et le reste de la population qui se désole du nombre de familles dysfonctionnelles qui en résultent, la solitude est tout aussi endémique. Et l'appréhension qui en découle nous fait tous nous sentir seuls, ronds et fauchés à certains moments, ou à tout le moins, en danger imminent de correspondre à l'une de ces descriptions.

La peur a créé la réalité. On nous dit de lutter pour rester mince, réussir et susciter l'admiration de nos semblables afin de justifier toute notre existence, mais c'est souvent le contraire qui se produit devant notre désespoir d'y arriver ou de simplement nous y maintenir. Tout le monde connaît la valse des régimes et des excès de table : si vous vous imposez un régime draconien, vous perdez du poids, mais vous le reprenez à la vitesse de la lumière parce que le besoin qu'a le corps de maintenir l'homéostasie et l'équilibre prend le relais pour tâcher de ramener les choses à la normale. (Bien sûr, lorsque la télé nous montre des obèses qui acceptent de se laisser torturer afin de devenir minces, nous applaudissons celui qui perd le plus de poids, même si des montagnes de preuves nous disent qu'une perte de poids rapide s'accompagne d'une garantie virtuelle d'en reprendre autant, sinon plus.)

En ce qui a trait à l'argent, on est censée en avoir beaucoup, et si on n'en a pas, il faut avoir l'air d'en avoir. Tomber dans le rouge pour s'acheter les fringues dans lesquelles on veut être vue en compagnie des bonnes personnes et aux bons endroits, ce serait soi-disant investir dans l'avenir, même si cela nous enfonce un peu plus. Tandis que nous cherchons des amis et des compagnons sur la foi de leur apparence, de leur richesse et de ce qu'ils peuvent faire pour nous, notre solitude s'aggrave. Lorsqu'ils ne font pas partie de notre entourage, ce sont des gens que l'on voit à la télé, ceux avec qui on peut clavarder dans le cyberespace, et ceux qui roucoulent dans nos oreilles à longueur de journée. Nous *connaissons* généralement beaucoup plus de gens qu'il y a de gens qui nous connaissent. Voilà un phénomène historique récent auquel nos natures émotionnelles n'ont pas eu le temps de s'adapter.

Dans cette épidémie de vide, nous sommes prisonnières des extrêmes. En dehors des cercles de libération des personnes rondes, vous auriez du mal à trouver quelqu'un, dans cette culture, qui a envie d'être gros. Le problème ressurgit lorsque les médias clament que quiconque présente une surcharge pondérale de plus de 19 %, vient de pénétrer dans une zone de non-retour. Vous êtes censée travailler sans relâche pour vous débarrasser de cette tare, être obsédée par ce problème pour le reste de votre vie, et comprendre que tant que votre corps n'aura pas été déclaré acceptable, vous ne mériterez pas de vivre une vie pleine et épanouissante.

Les choses ne sont pas tellement différentes en ce qui a trait à l'argent et à l'acceptation sociale. Mises à part les sectes religieuses qui prônent la pauvreté, personne n'a envie d'être sans le sou. Mais la société célèbre-t-elle la femme qui a remboursé ses emprunts étudiants et ses dettes de cartes de crédit ? Qui vit fièrement avec l'argent comptant dont elle dispose et qui économise une portion de son chèque de paye ? On en doute. Nous sommes trop occupées à chercher les héritiers et les nababs qui possèdent des sociétés de relations publiques hyperactives. Et l'ascète occasionnel, le reclus heureux et Greta Garbo mis à part, personne ne s'engage à vivre une existence sans amis. Mais là encore, on nous présente un idéal à peu près inatteignable : devenir la femme ou l'homme parfait (un corps de déesse, un gros compte en banque, une liste de connaissances nec plus ultra), entouré d'une foule d'amis parfaits (quoique certains pourraient être un peu moins parfaits que vous, de manière à vous faire paraître meilleur).

On vous donne des objectifs inaccessibles, doublés du message que si vous ne les atteignez pas tout à fait, vous serez reléguée dans la catégorie des seules, rondes et fauchées, et qu'il n'y a rien de pire. Par contre, le principe métaphysique le plus fondamental est sans doute celui-ci : *vous attirez les choses sur lesquelles vous vous focalisez.* J'en conclus que l'obésité, la pauvreté et la solitude ne peuvent pas vous toucher si vous visez leurs contraires légitimes : une saine mise en forme, le bien-être financier et des relations satisfaisantes. Toutefois, d'après les médias, les contraires de seule, ronde et fauchée seraient l'admiration des foules, l'impossible minceur et une santé extraordinaire.

Une part de vous-même sait qu'il est impossible de vous focaliser sur un fantasme aussi factice ; vous reportez alors votre attention sur la seule chose possible : la seule, ronde et fauchée. Soit cette visualisation minutieuse, même inconsciente, fait que les trois cavaliers du vide traversent votre expérience au galop, soit elle vous enfonce dans la crainte de les voir apparaître. Paradoxalement, dès que vous abandonnerez la croyance que seule, ronde et fauchée est le pire sort qui puisse être réservé à une personne, vous serez plus heureuse, plus en forme, plus riche.

C'est un grand pas à franchir car nous parlons de questions fondamentales : la perception que les autres ont de vous et votre propre perception, votre santé, votre sécurité financière, votre vie sexuelle, votre famille, vos amis et votre avenir. Ma suggestion peut être terrifiante : vous attaquer au vide sous-jacent plutôt que de lutter contre ses symptômes. Vous vous dites peut-être : « Bon sang ! Si je suis aussi grosse en me privant, je vais me transformer en montgolfière si j'arrête. » ou encore : « Mon horloge biologique a perdu le nord : il faut que je sorte avec tous les hommes qui m'invitent. » Il faut également travailler très fort pour faire taire les images imprimées et électroniques de personnes nées avec une résistance naturelle à l'obésité, à la pauvreté et à la solitude, ou qui font des efforts si précis et constants, qu'elles font tomber la barrière de la personne seule, ronde et fauchée, pour devenir une de ces personnes bénies, dignes d'adoration et d'émulation.

Mais retenez ceci : chaque être humain vient au monde pourvu du *vide fondamental*. Au XVIIe siècle, Blaise Pascal écrivait : « Il y a en chaque homme un trou en forme de Dieu, que seul Dieu peut combler. » Si vous n'aimez pas le mot dieu (ou le mot homme dans ce cas), utilisez-en un autre (vous trouverez une longue liste de synonymes du mot dieu au chapitre 8), mais l'idée est la même. Ce vide fondamental est implanté dans chaque être humain afin de le pousser à chercher un sens à la vie. L'épidémie de vide intérieur qui affecte tant de gens en ce moment, est une exagération et une perversion de ce vide existentiel. C'est la différence entre sentir la faim parce que c'est l'heure du repas, et engloutir deux sacs de chips et trois pâtisseries au beau milieu de l'avant-midi.

Donc, pour commencer, votre mission est double. Premièrement, vous devrez faire la paix avec ce vide fondamental et le laisser vous éperonner vers des choses merveilleuses : poser des questions, réfléchir à de grandes idées, lire ce livre et de nombreux autres, afin de trouver ce qui est important, satisfaisant et vrai. Deuxièmement, vous devrez vous réconcilier avec l'épidémie de vide intérieur : elle ne disparaîtra pas et, à moins que vous ne déménagiez sur une île déserte, vous en aurez la preuve devant les yeux à chaque jour. L'épidémie pourrait *accoster* même sur votre île déserte, le jour où une émission de téléréalité décidera d'aller y tourner quelques plans. L'idée est de vivre en plein centre de l'épidémie, mais de vous immuniser contre ses aspects les plus débilitants.

Vous pourriez commencer par différencier votre envie naturelle d'une vie plus épanouissante (vide fondamental) de celle, irrépressible, d'un truc qui vous remplira instantanément. Ce pourrait être de bouffer tous les hors-d'œuvre ou d'engloutir tous les cocktails, de dépenser jusqu'au dernier sou ou d'empiler les économies, de faire l'amour dès le premier soir (ou en guise de premier soir), ou d'être de nouveau l'employée du mois, parce qu'une fois ne suffit jamais. Je ne vous demande pas de vous juger, ni même de vous arrêter, mais seulement de prendre bonne note de votre comportement. Lorsque vous vous voyez en train de poser des gestes qui vous laissent plus vide encore, vous observez la preuve de l'épidémie dans une simple vie humaine, la vôtre. Ne vous faites pas de souci : ce n'est pas fatal. Vous amassez de l'information. En fait, vous êtes en train d'accueillir la vérité ; et c'est ce qui vous libérera.

Posez un geste

Dressez une liste de toutes les bonnes choses, petites et grandes, qui comblent votre vide intérieur. Voici comment elle pourrait s'amorcer : voir mes meilleurs amis, être avec mes enfants, écouter un concert en direct, suivre des leçons de danse, lire tout Jane Austin… Choisissez ensuite un des items de votre liste, et réalisez-le environ à la même heure demain.

Chapitre 3

POUR ALLER LÀ OÙ LES AUTRES NE FONT QUE RÊVER D'ALLER, FAITES CE QU'ELLES REFUSENT DE FAIRE

Si vous pouviez suivre l'itinéraire de la personne seule, ronde et fauchée, il vous dirait : « Prenez la rue de la Facilité et rendez-vous aussi loin que possible. », parce que vous trouverez la personne seule, ronde et fauchée au bout du chemin du moindre effort.

Un soir, mon mari et moi étions en train de dîner dans une trattoria de quartier, à New York. Nous étions assis près d'une fenêtre, et seul un mur de vitre nous séparait du trottoir. Parmi la foule des passants, il y avait un homme, apparemment indigent et sans doute en état d'ébriété. En fait, il avançait en titubant, et à un moment donné un autre passant l'a attrapé, avant qu'il ne s'écrase au beau milieu de la circulation.

J'ai pensé à cette pauvre âme perdue pendant un long moment après. Il vivait à une extrémité de l'échelle de la vie. À l'autre, il y a ceux et celles que nous admirons : le jeune athlète qui brise des records et abat des barrières pour ceux qui suivront ; le scientifique qui fait une découverte importante et utile ; le rarissime leader mondial dont l'intégrité et les idées font que son pays et le reste du monde seront plus libres et plus sûrs.

Au centre se trouvent tous les autres. Certains luttent pour survivre ; d'autres s'efforcent de faire une différence. Il va sans dire que la chance et les circonstances ont un rôle à jouer dans ce grand tout, et dans certains cas, ce rôle est crucial ; mais une fois que vous avez mis tout cela dans la balance, la volonté, la persévérance et le contrôle de soi sont des facteurs à ne pas négliger. Avec ces atouts, l'homme que j'ai vu ce soir-là aurait aussi bien pu se dessoûler, trouver un emploi et contribuer de façon positive à la société. Ils sont des milliers à l'avoir fait avant lui. Ces individus font aussi les conférenciers et les motivateurs les plus convaincants que j'aie jamais entendus. D'un autre côté, des individus au sommet de leur carrière peuvent retomber et atteindre le fond du baril à la suite d'un mauvais choix d'affaires ou d'une liaison douteuse. Pour rester où vous êtes, il faut faire quelques efforts. Pour vous élever au-dessus de la mêlée, il faut en faire beaucoup.

Nous n'avons pas instinctivement envie de nous lever à l'heure des poules, de méditer ou d'écrire un journal, de faire du jogging, de concocter un petit-déjeuner santé, et de tout de même partir travailler assez tôt pour éviter le stress d'arriver en retard. Rares sont ceux qui veulent courir ce kilomètre de plus, accepter que l'autre ait raison, étudier un programme informatique complexe, demander une augmentation de salaire. Après une journée épuisante, qui donc choisirait d'instinct de se laver, de se tonifier et de se crémer le visage, de faire un peu de yoga et d'utiliser la soie dentaire avant de se mettre au lit sans préliminaires. Mais la vie appartient à ceux qui utilisent la soie.

Bien sûr, nous aimons tous l'aisance et le confort. Néanmoins, lorsque vous les désirez plus que vous ne désirez une vie de qualité, vous finissez seule, ronde et fauchée. En règle générale, ceux que nous trouvons extraordinaires ne sont pas plus intelligents, mieux placés ou plus chanceux qu'un tas d'autres personnes. Par contre, ils sont plus disciplinés. Alors que ceux qui les entourent font un minimum d'efforts pour maintenir les affaires dans leur état actuel, les personnes qui ont des vies extraordinaires en font beaucoup plus, lorsqu'elles en ont envie et même lorsqu'elles n'en ont pas envie, jour après jour, sans relâche.

Les autres vont de résolutions en recommencements. On a soudain une terrible « envie d'aller au gym » ; on traverse une « phase culturelle ». Au bout d'un moment, d'attrayants souvenirs du statu quo nous ramènent dans la chaise longue et devant la télé. Pour éviter de retomber dans les habitudes de la personne seule, ronde et fauchée, il faut sauter dans la mêlée aussitôt que vous vous rendez compte que vous en êtes sortie. Les rages et les phases ne donnent pas de résultats. Vous y arriverez en insérant, un à la fois, des éléments de la vie que vous désirez, dans votre vie quotidienne. Lorsque vous prenez conscience que vous êtes retombée dans une vieille habitude, revenez tout de suite à votre nouvelle habitude. Sinon, vous tournerez dans un feuilleton avec une seule intrigue.

Remarquez comme vous, moi et toutes celles qui ont tendance à engraisser et à se retrouver seules et fauchées, possèdent un dictionnaire d'excuses plus épais que les *Pages jaunes*. « Je suis fatiguée… Je ne me sens pas bien… Il pleut… Elle m'a blessée… Personne ne le saura… Ce n'est pas si important… Je recommencerai dès demain… Ce n'est pas mon travail… Le chien a mangé mon devoir… » Eh bien ! il y a peut-être belle lurette que nous n'avons pas invoqué cette dernière excuse, mais vous voyez ce que je veux dire. Ce qui est diabolique dans les excuses, c'est qu'on dirait vraiment qu'elles sont nos alliées, qu'elles nous aident à nous en sortir, qu'elles allègent nos fardeaux, alors qu'en fait elles les créent ; l'image de la personne seule, ronde et fauchée fait partie de ces fardeaux. Méfiez-vous des excuses que vous trouvez régulièrement pour faire des choses dont il serait préférable de vous abstenir, et de celles qui servent à dissimuler le fait que vous ne vous acquittez pas des tâches assommantes, difficiles, humiliantes ou ennuyeuses qui s'imposent.

Il y a quelques années, une amie m'a dit avoir lu un article au sujet d'un nouveau trouble psychiatrique. Elle a mentionné un ensemble de lettres qui n'était pas le TDA ou TDAH, ni aucun autre de ma connaissance. Selon elle, ce sigle signifiait « savoir ce que vous avez à faire, mais faire autre chose ». J'ai aussitôt pensé que le sigle de ce travers était plutôt Ê-T-R-E H-U-M-A-I-N. Je le lui ai dit en m'appuyant sur une confession de saint Paul, datant de deux mille ans : « Ce que je devrais faire, je ne le fais pas, et ce que je ne devrais pas faire, je le fais tous les jours. » Mon amie en a conclu qu' « il devait en être atteint lui aussi ».

Peu importe comment on le voit et comment on l'épelle, nous aimons ce qui est facile et nous détestons ce qui ne l'est pas. Quoi qu'il en soit, pour goûter à la vie que vous recherchez, vous devrez faire ce qu'il faut, que cela vous plaise ou non. Vous déciderez peut-être de prendre le temps d'y réfléchir, de lire plus de livres, de chercher conseil, et c'est votre affaire, mais pour vous défaire le plus tôt possible de l'image de la personne seule, ronde et fauchée, l'action devance l'analyse à tout coup.

Nous sommes tous des créatures d'habitudes. Même mon chat se lève à 6 heures du matin (mon réveille-matin est un *miaou*), s'attend à un rituel de frottement de museau (une affaire de chats), puis court à la cuisine prendre son petit-déjeuner. Cela se passe toujours à la même heure et toujours dans cet ordre. C'est ce penchant quasi universel pour les habitudes routinières qui fait que les mauvaises habitudes sont si difficiles à briser, mais on peut s'en servir pour changer de nouvelles façons d'être en nouvelles habitudes. Commencez par quelque chose d'assez facile : mangez au petit-déjeuner si vous n'en aviez pas l'habitude, cherchez les mots dont vous ne connaissez pas la définition lorsque vous lisez, ou rangez votre surface de travail à la fin de la journée. Faites cette chose très simple pendant un mois, pour permettre à la nouvelle habitude de s'ancrer en vous. Cela ne signifie pas que vous êtes libérée de l'ancienne : votre vieille façon de faire vous semblera normale pendant bien plus de trente jours. Mais c'est un début. Vous en ferez une habitude permanente à force de vigilance.

Le fait de douter de soi est le pire ennemi de toute nouvelle bonne habitude. S'il arrivait que l'opinion que vous avez de vous-même tombe si bas que vous ne croyez même plus mériter de manger un bol de céréales ou de découvrir ce que signifie le terme *incisif,* vous ne le ferez pas. Vous ne renoncez pas à faire ce que vous devriez faire parce que vous êtes paresseuse, stupide, ou même destinée à être seule, ronde et fauchée. *Vous renoncez à faire ce que vous devriez faire, parce que vous oubliez que vous en valez la peine.*

C'est la raison pour laquelle la plupart des gens ne mènent pas des vies exemplaires. C'est la raison pour laquelle les personnes seules, rondes et fauchées sont moins l'exception que la norme. Vous devez croire suffisamment en vous pour vouloir accomplir ce qui prend du temps, est malaisé, inopportun et qui, à l'occasion, peut sembler impossible. Lorsque vous ne croyez pas en vous, faites semblant. Vous méritez vraiment un corps superbe, un emploi extraordinaire et une belle relation. Durant les périodes où l'une de ces trois choses vous manque, profitez des deux autres, et vivez si bien que l'élément manquant ne puisse que vous inciter à compléter le tableau.

Si vous avez du mal à vous convaincre que vous en avez le droit, prenez des leçons de la classe dirigeante. Si vous avez l'impression que c'est une phrase tirée d'un livre d'histoire, réveillez-vous et flairez le Dom Pérignon : la classe dirigeante est encore ici et, pour une très grande part, elle dirige toujours. Je ne prétends pas que ces gens soient des modèles de santé mentale – dans certains cas, bien au contraire – mais on leur a donné, plus tôt dans leur vie, des outils qui pourraient très bien nous servir à nous aussi.

Le concept de privilège, l'idée que l'on a le droit d'avoir des attentes, est la clé pour former un individu dans cette population. C'est un droit que nous avons tous ; il suffit d'apprendre à l'exercer. John Taylor Gatto, philosophe de l'éducation, a mené des recherches avancées sur le programme des écoles privées réservées à l'élite, le long de la côte Est. Ces institutions sont celles qui préparent les étudiants, non seulement pour qu'ils fassent partie des ligues universitaires, mais pour qu'ils occupent des positions de pouvoir dans le monde des affaires et dans les sphères politique et diplomatique. Alors que les écoles publiques cherchent à donner aux jeunes des outils pour devenir de bons citoyens et des travailleurs ou professionnels compétents, les meilleures écoles privées entraînent leurs étudiants à exercer le pouvoir. D'après Gatto, « Ces écoles insistent tout particulièrement sur l'accès, l'accès à n'importe quel aspect de la société auquel l'individu désire participer. Le reste de la population a appris à mémoriser les points, mais jamais, jamais à les relier entre eux. »

Vous n'aspirez peut-être pas à diriger une corporation ou un pays, mais vous avez besoin de relier suffisamment de points pour vous mettre dans une position de pouvoir face à l'obésité, à la pauvreté et à la solitude. La question n'est pas de vous croire meilleure ou plus méritante que votre voisine, mais plutôt de savoir que vous êtes suffisamment bonne et parfaitement méritante, simplement parce que *vous êtes* une personne. De plus, avoir le droit ne signifie pas que tout vous sera présenté sur un plateau, qu'il soit en argent ou autrement. Cela signifie que vous avez le droit de faire le travail qui vous empêchera d'être en proie à l'obésité, à la pauvreté et à la solitude, et que ce travail pourrait fort bien vous mettre nez à nez avec la vie que vous étiez destinée à vivre depuis le début.

Posez un geste

Eleanor Roosevelt disait : « Il faut toujours faire ce que l'on ne croit pas pouvoir faire. » C'est ce que vous devez faire aujourd'hui. Ce qui vous paraît difficile, voire impossible ? Traverser une journée entière sans critiquer une seule personne, même à voix basse ou en pensée ? Commencer à écrire vos mémoires, même si quelqu'un vous a dit que n'étant pas célèbre, cela n'intéressera personne ? Rompre avec le mauvais compagnon, et ne pas chercher le bon tant que vous n'aurez pas eu le temps d'apprendre à connaître votre moi glorieux ? Aujourd'hui, cessez de débattre et plongez. Est-ce que je vous demande d'accomplir un exploit ? Bien sûr que je vous le demande. Mais lorsque vous l'aurez accompli, vous pourrez faire n'importe quoi.

Chapitre 4

ATTELEZ-VOUS À VOTRE MISSION DÈS MAINTENANT

Tout le monde est occupé. Le seul moment où j'entends le mot *ennui* ces temps-ci, c'est lorsqu'un camarade du club de santé se tape 40 minutes de jogging sur le tapis. Tous les autres ou presque se disent épuisés, crevés. Une telle fatigue peut être due au fait que l'on jongle avec trop de balles, ou que l'on porte trop de chapeaux en même temps. Elle peut être due au fait que vous essayez d'en faire assez, afin de sentir que vous *êtes* assez, alors qu'en réalité, le faire, aussi vital soit-il, n'égalera jamais l'être, malgré tout le zèle que vous y mettrez. Ce sentiment d'épuisement, d'être prise au piège sans trop comprendre comment cela a pu se produire, tient en grande partie au fait que vous faites tout sur la Terre, sauf ce pour quoi vous êtes sur la terre : votre mission.

Vous en avez bel et bien une. Elle est imprimée sur votre âme comme un timbre sur votre passeport. Bien que cela puisse vous prendre un moment pour découvrir en quoi consiste votre mission, une fois que vous l'aurez trouvé, vous pourrez y travailler avec tout ce qui est en vous et vous lever le lendemain, impatiente de recommencer. Lorsque vous faites le travail qui vous convient, que ce soit pour de l'argent ou par passion, il vous donne un sentiment durable de nouveauté. Et de fébrilité. Vous êtes venue au monde avec les aptitudes à réaliser votre mission, et quand vous vous y attellerez, vous vous rendrez compte que vous disposez aussi de l'énergie qu'il faut pour aller très loin. En outre, vous vous rendrez compte que vous débordez d'idées relativement à ce travail, comme cela n'a jamais été le cas pour d'autres projets.

Si vous ne savez pas quelle est votre mission, cela est sans importance. La plupart des gens l'ignorent. Maintenant que vous savez que vous en avez une, vous pouvez amorcer votre quête. Demandez-vous : qu'est-ce que je voulais faire de ma vie quand j'étais enfant (sept ans et moins, si vous arrivez à vous en souvenir) ? L'anthroposophe Rudolf Steiner a avancé une théorie sur le développement de l'enfant selon laquelle, jusqu'à l'âge de sept ans, ou jusqu'à l'apparition des premières dents permanentes, on peut dire qu'un enfant a un pied sur la terre, et l'autre dans le ciel. L'imagination, le monde de la nature, les contes de fées et les fantasmes réussissent bien à l'homme nouveau. Si vous pouvez vous rappeler comment vous vous voyiez lorsque vous étiez enfant, et vous remémorer la sorte de personne que vous croyiez être, cela vous aidera à découvrir votre mission, votre appel.

Qu'aimiez-vous faire lorsque vous étiez petite ? Est-ce que vous dessiniez tout le temps ? Montiez-vous des spectacles ou éleviez-vous toute une famille de poupées ? Construisiez-vous des villes en carton-pâte ? Rapportiez-vous des animaux perdus à la maison ? Ou encore, vous déguisiez-vous chaque fois que vous en aviez la chance ? Même si depuis vous avez étudié, pris de l'expérience et avez mangé assez pour grandir, cette enfant incroyable, cet être tout frais tombé des étoiles, c'est toujours vous. Cette mission que vous pressentiez, alors que vous étiez trop jeune pour la nommer, c'est celle qui est toujours en vous.

Vous pouvez en apprendre davantage sur votre mission en essayant de voir où va votre énergie vitale, lorsque rien ne lui barre la route. Répondez à ces questions, de préférence par écrit :

- Quels endroits vous semblent si agréables que vous pourriez y vivre pour toujours ? Écrivez tous les lieux qui vous viennent en tête. Même s'ils peuvent être aussi différents que « la plage en Jamaïque » et « la bibliothèque municipale », demandez-vous en quoi ils sont similaires.

- Quel genre de films aimez-vous ? Quelles sont les émissions de télé que vous ne ratez jamais ? Quel genre de livres lisez-vous sans pouvoir les refermer ? Existe-il un lien entre vos trois réponses ?

- Qu'est-ce qui vous procure ce merveilleux sentiment d'élévation, de légèreté, qui vous donne l'impression que vous pourriez vous mettre à voler ?

- Quels types de tristesses et de souffrances vous affectent le plus : celles des enfants, des animaux, des pauvres, des gens privés de leurs droits fondamentaux, des vieux, des malades ?

- Si vous pouviez faire quelque chose en ce moment, qu'est-ce que ce serait ?

- S'il n'y avait pas de limites à vos moyens financiers, au nombre d'employés ou à vos relations ; si vous n'étiez ni trop vieille, ni trop jeune, ni trop expérimentée, ou trop ce que vous voudrez, dans quel domaine aimeriez-vous travailler pour gagner votre vie ?

- Si vous pouviez changer une seule chose pour améliorer la vie sur cette planète, qu'est-ce que ce serait ?

- Lorsque vous réfléchissez à l'expression « laisser sa marque », quelle marque aimeriez-vous laisser ?

Vos réponses à ces questions, combinées à vos souvenirs d'enfance, vous mettront sur la piste de votre mission. Je vous suggère de prendre ces questions au sérieux et d'écrire vos réponses à la main, plutôt qu'à l'ordinateur. En écrivant à la main sur du papier, plutôt qu'à l'aide d'un clavier rapide, vous accéderez à des zones plus profondes en vous.

De plus, observez les gens qui sont déjà engagés dans leur mission. Ce sont peut-être des personnes que vous connaissez personnellement et d'autres dont vous avez entendu parler dans les journaux ou dans les livres. L'histoire est remplie de personnages investis de missions extraordinaires, et les journaux vous parlent d'hommes et de femmes qui poursuivent une mission en ce moment, tout près de vous. Il y a cette femme qui travaille pour sortir les jeunes prostitués de la rue ; ce couple d'entrepreneurs qui a défié les géants et qui dirige une entreprise indépendante prospère ; ces retraités qui s'occupent d'un sanctuaire de fleurs en plein centre-ville.

Le fait de vous attaquer à votre mission ne signifie pas nécessairement que vous verrez votre nom dans les livres d'histoire ou les journaux. En fait, en cette période de téléréalité dépourvue de censure et de retenue, il y a quelque chose de particulièrement noble à demeurer anonyme, tout en changeant tranquillement un coin de cette planète, sans couverture médiatique et sans cérémonie de remise de prix. En gardant autant que faire se peut votre gloire personnelle hors de portée, vous négocierez l'équilibre public-privé de votre mission, et ce d'agréable façon. Si votre mission exige de crier sur les toits (ou d'y aller de quelques phrases à la télé), criez ou discutez autant que nécessaire. Vous renforcerez votre mission en vous focalisant davantage sur son objectif plutôt que sur le chic que vous donne cette couleur bleue, mais, ma foi, si vous pouvez bien faire et bien paraître en même temps, cela est fantastique.

D'autant plus que même à petite échelle, une mission peut avoir un impact phénoménal, car lorsque vous l'accomplissez, d'autres individus y prennent part. C'est ce que j'ai ressenti lorsque j'ai eu la chance de donner une allocution à Sundance, la retraite de Robert Redford, dans l'Utah. Aujourd'hui, Sundance, qui a d'abord été une maison de campagne pour l'acteur et sa famille, permet à ses nombreux visiteurs de vivre harmonieusement avec la nature et de faire un travail créatif, dans un décor inspirant. Lorsque j'y étais, tout en savourant la beauté de l'endroit, je me suis rappelée qu'enfant, je me demandais toujours pourquoi ma mère ou mon amie n'arrivaient pas à se souvenir du rôle qu'elles avaient joué dans mon rêve de la veille. À Sundance, j'ai eu l'impression d'avoir été admise dans le rêve de Robert Redford ; pas un rêve nocturne, un autre genre de rêve, une vision ! Lorsque vous faites de votre mission une réalité, vous donnez forme à une vision à laquelle les autres peuvent accéder, contribuer, et dont ils peuvent bénéficier.

Vous pouvez certainement avoir plus d'une mission dans la vie. Élever des enfants est une mission des plus nobles. Néanmoins, ceux qui vivent des vies épanouissantes finissent par se découvrir d'autres missions lorsque leurs enfants peuvent voler de leurs propres ailes. Il arrive parfois qu'une mission nourrisse la prochaine. Ma première agente littéraire, par exemple, avait passé sa vie professionnelle à s'assurer que des livres utiles soient disponibles partout dans le monde. Cela lui a permis de prendre sa retraite dans la quarantaine, et de devenir activiste et philanthrope à temps plein. Comme toute chose qui grandit, votre mission n'est pas une entité statique. C'est un travail en progression, qui évolue sans cesse.

Lorsque vous êtes engagée dans votre mission – ou même lorsque vous cherchez activement à découvrir de quoi elle retourne –, vous êtes en feu. Les inquiétudes égoïstes que nous connaissons tous disparaissent de bonne grâce lorsque vous êtes plongée dans un projet qui vous passionne. Dans cet état, vous n'avez besoin de rien, sinon de vous y accrocher. Alors, vous ne devez être nulle part ailleurs que dans le moment présent, et vous ne pouvez vous sentir autrement que complète.

Chapitre 5

PEU IMPORTE COMMENT VOUS GAGNEZ VOTRE VIE, CELLE-CI DEVRAIT ÊTRE UN ART

La vie est dure pour les artistes, en particulier aux États-Unis, où nous célébrons les vedettes et ne nous intéressons pas vraiment à ceux qui ont autant de talent, sans avoir été découverts, et qui cumulent trois emplois pour se payer des cours. Un jour où je cherchais une adjointe administrative à temps partiel, j'ai fait paraître une annonce et j'ai reçu plus de deux cents réponses en un week-end. La majorité des postulants étaient des artistes : peintres, cinéastes, acteurs, danseurs, écrivains, musiciens. Ils étaient diplômés des beaux-arts et des arts de la scène. Certains avaient remporté des honneurs et des prix. Leurs pièces avaient été produites, leurs photographies étaient accrochées aux murs des galeries, mais ils cherchaient toujours un moyen de gagner un peu d'argent avec un travail de second plan (ce n'est pas de l'art, mais ça peut aller…) ou un petit boulot (c'est presque intolérable, mais il faut payer le loyer…).

Pour un regard extérieur, s'accrocher à son art malgré tous les sacrifices que cela peut exiger n'est pas si différent que de rester dans une relation impossible, et espérer que quelque chose changera alors que rien n'a jamais changé jusque-là. Mais ce n'est pas la même chose. L'art peut vous insuffler de l'énergie jusqu'à la racine de votre être. Il vous met en relation intime avec la beauté, alors que la laideur vous entoure. Durant le processus créatif, vous vous retrouvez par moment devant votre Moi supérieur, même si vous n'avez pas médité ce matin-là (bien que la méditation – voir chapitre 9 – nourrisse la créativité de la même manière que les féculents soutiennent les coureurs de marathon). Les artistes ont tendance à rester fidèles à leur art, beau temps mauvais temps, parce qu'en sculptant, en chantant ou en pratiquant toute forme d'art, ils sont plus vivants que jamais.

Ma mère faisait un dessert à la noix de coco qu'elle avait surnommé son gâteau « meilleur que le sexe ». L'art est ainsi : meilleur que le sexe ou le chocolat ; et l'art vaut mieux que de gagner à la loterie, parce qu'il vous soutient, qu'il se suffit à lui-même, qu'il ne vous fait jamais vous sentir grosse et que vous ne vous demandez jamais s'il finira par téléphoner.

C'est un fait que de nombreux artistes se servent de l'alcool, de la drogue, du sexe, de la nourriture et de l'argent de façon destructrice, et c'est parce qu'ils sont nombreux à ne pas encore avoir fait le lien entre l'art et la vie. La lumière ne s'est pas allumée dans leur tête ; ils n'ont pas compris que le moteur de la créativité – et le secret pour arracher la moindre parcelle de satisfaction à la vie – est de faire de chaque jour de sa vie une œuvre d'art.

Les vrais génies créatifs sont ceux qui comprennent qu'une scène ou un pinceau n'est pas absolument indispensable pour créer l'art le plus raffiné qui soit. Leur medium est la journée de 24 heures, et leur vie est leur chef-d'œuvre. Ce sont ceux qui utilisent la vaisselle de la troupe lorsqu'il n'y a pas de troupe. Ils mélangent les carreaux et les rayures, ou le vert avec la lavande, de manière à ce qu'ils se marient bien. Ils achètent des fleurs fraîches, même si cela les oblige à laver à la main la chemise qu'ils auraient préféré envoyer chez le nettoyeur. « Les vrais artistes savent qu'ils peuvent se développer dans tous les sens », dit l'une de mes mentors, Necia Gamby, qui est aussi une aînée visionnaire (c'est-à-dire qu'elle a mon âge) dans le monde du hip-hop. « Le plus important, pour un artiste, est d'avoir la possibilité de s'exprimer, peu importe quel mode d'expression il privilégie. »

De même, vous vous sentirez pleine et épanouie lorsque toute votre vie sera une œuvre d'art. Je ne vous parle pas de perfectionnisme – veiller à ne jamais se la couler douce, à ne jamais prendre congé, à ne jamais se salir, à ne jamais faire d'erreurs ou à ne jamais s'accrocher à son aura. La vie en tant qu'art est surtout *intéressante.* Elle a de la texture, elle est fascinante, unique, et elle vaut la peine qu'on y jette un coup d'œil. Comme dans le cas d'un film ou d'une chanson, votre vie en tant qu'artiste ne fera pas l'unanimité. Certaines personnes (sans doute certains parents et des collègues envieux) vous désapprouveront de tout cœur. C'est le risque que prennent tous les artistes. Lorsqu'un peintre ou un poète modère ses ardeurs uniquement pour s'attirer un plus large public, on dit qu'il s'est trahi lui-même. Nous nous trahissons aussi, vous et moi, lorsque nous colorons nos vies en prenant garde de ne pas dépasser les lignes déjà tracées.

Vivez de façon créative, si vous ne le faites déjà et, si vous le faites, repoussez vos limites. Voyez votre journée comme une toile à peindre ou un bloc de glaise à sculpter, afin d'en faire quelque chose de beau et d'utile. Pour commencer, répondez à ces questions artistiques :

- Qu'utilisez-vous pour vous laver le visage ? Est-ce simplement un produit que vous avez pris quelque part, ou vous êtes-vous demandé, avant de l'acheter, s'il était doux, s'il sentait bon et s'il convenait à votre peau ? A-t-il été testé sur les animaux ? Les ingrédients qui le composent sont-ils aussi sûrs et naturels que ceux que vous recherchez dans votre alimentation ?

- Et qu'en est-il de votre dentifrice ? S'agit-il du même vieux tube au goût de menthe que votre mère avait l'habitude d'acheter pour vous, ou avez-vous découvert des pâtes dentifrices importées, de spécialité et de fabrication artisanale ?

- Lorsque vous ouvrez votre penderie pour choisir ce que vous porterez aujourd'hui, que voyez-vous ? Une collection de vos vêtements favoris suspendus sur des cintres rembourrés, ou un tas de fringues froissées qui vous donnent envie de dire : « Je n'ai rien à me mettre sur le dos. » ?

- Pour le petit déjeuner, avalez-vous un truc facile, ou prenez-vous le temps de vous préparer une boisson nutritive au mélangeur, ou de faire cuire du gruau à l'autocuiseur ?

- Prenez-vous toujours le même chemin pour aller travailler, ou y ajoutez-vous parfois un peu de piquant, en traversant une partie de la ville qui est particulièrement belle, ou à tout le moins différente ?

En portant attention à ce genre de questions, vous ferez de votre journée une œuvre d'art avant 9 heures du matin. Pensez à tout ce que vous pouvez faire dans 16 heures de vie productive ! Lorsque vous êtes sciemment engagée dans la création de quelque chose, il est presque impossible d'éprouver la sensation de vide qui vous pousse à manger n'importe comment, ou à dépenser sans compter. Vous êtes tout le temps en train de créer quelque chose : votre héritage.

Attendez-vous à ce que les choses soient beaucoup plus intéressantes le jour où vous commencerez à traiter chaque journée, même les lundis, comme un lieu d'expression créatrice. Peu de choses peuvent vous paraître ordinaires lorsque le moindre de vos choix — des chaussures que vous portez au sandwich que vous commandez — constitue une occasion de vous inventer une vie qui sera, petit à petit, toujours plus fascinante.

Posez un geste

Soyez créative dès aujourd'hui dans les vêtements que vous choisissez, votre façon de dresser la table, d'envelopper un colis, etc. Aucun aspect de la vie n'est trop insignifiant pour ne pas être considéré comme de l'art.

Chapitre 6

OUI, VOUS ÊTES IMPARFAITE, ET VOUS ÊTES PARFAITE : PENSEZ-Y BIEN !

De manière à nous sentir plein au-dedans et à vivre notre vie active aussi efficacement que possible, chacun de nous doit se confronter à qui il est. C'est pourquoi nous avons entendu ces phrases de l'oracle de Delphes : « Homme, connais-toi toi-même. » ; et de Shakespeare : « Ici et partout ailleurs, sois honnête envers toi-même. » ; enfin de notre meilleur ami de huitième : « Sois toi-même. »

La plupart d'entre nous ne prétendent pas être en haut de la liste de ceux qui se connaissent eux-mêmes. Nous avons peur de ce que nous pourrions découvrir et préférons nous bercer d'illusions. Au fil des âges cependant, il y a eu des femmes et des hommes qui, tout en vaquant à leurs occupations, se sont heurtés à la connaissance de soi (et à quelques idées sur la vie en général). Nous appelons *mystiques* celles et ceux qui ont reçu la connaissance directe de cette manière.

Le terme *mystique* sert parfois à définir l'individu marginal qui vous dit : « Pour 20 $, je vais te tirer les cartes, et pour 2000 $, je vais guérir ta maladie. » Ce n'est pas un mystique ; c'est un arnaqueur. Les authentiques mystiques sont des individus qui ont fait l'*expérience* de la vérité. Ils entrent dans un état où tout ce qu'ils ont tenu pour vrai est mis de côté assez longtemps pour qu'ils accèdent à un autre genre de savoir, un savoir plus réel que le livre que vous tenez entre vos mains et votre capacité à le lire.

Vous avez entendu parler de certains d'entre eux : Jakob Boehme, le Baal Shem Tov, Catherine de Sienne. D'autres ont écrit des poèmes que vous avez lus pour votre plaisir ou parce que votre professeur d'anglais était un amoureux de Wordsworth ou de Rumi, de Whitman ou de Blake. Certains se sont servis de leur expérience pour changer la société. Bill Wilson, par exemple, était un buveur invétéré jusqu'à ce qu'il vive une parfaite expérience mystique dans les années 1930. Après cela, il n'a plus jamais pris un seul verre d'alcool et a cofondé les Alcooliques anonymes.

La plupart des mystiques toutefois ne sont pas connus en dehors de leur époque et de leur ville. Ce sont des gens qui tombent dans la magnificence et, par la suite, rien n'est plus jamais pareil. Ils proviennent à la fois de toutes les traditions religieuses et d'en dehors de celles-ci. Sexe, nationalité, statut social et quotient intellectuel (ou quotient de dévotion, dans le cas qui nous intéresse) n'ont rien à voir. Ce que ces individus ont en commun, c'est d'avoir été quelque part où la plupart d'entre nous n'iront jamais ; tout comme vous pourriez ressentir une étrange parenté avec quelqu'un qui est allé au Malawi ou en Bulgarie, si vous y êtes allé aussi.

Ce que les mystiques disent du monde, c'est qu'il n'accuse aucun retard. Même les parties atroces ont leur place dans le grand plan, bien que nous soyons toujours censés travailler de toutes nos forces pour améliorer les choses. Ils nous implorent de nous entendre, pas seulement parce que c'est une bonne idée, mais parce qu'ils savent *que nous sommes seuls ici de toute façon*. Oui, nous faisons tous partie d'un tout. Et comme si cela n'était pas assez étrange, ils disent que tout est fait d'Amour, de Lumière (des synonymes que ces gens utilisent à profusion), et que cet Amour et cette Lumière sont ce dont nous sommes faits aussi. Nous n'avons pas toujours l'air de petits rayons de soleil affectueux parce que nous (notre âme, pour utiliser un terme populaire, en opposition à notre ego ou à notre persona) avons opté pour faire l'expérience d'un lieu d'existence où nos faiblesses servent à nous révéler nos forces, et où l'on se forme le caractère en maîtrisant les unes et les autres. C'est la planète Terre. Le Disneyland du cosmos. L'endroit pour rouler sa boule, mes amis !

Pour commencer, on vous donne un corps. Les anciens textes védiques de l'Inde affirment que même les anges envient le corps des humains, parce qu'il peut faire tellement de choses et que grâce à lui nous connaissons de nombreux plaisirs physiques, émotionnels et mentaux. Il y a tout un vocabulaire à la clé : divertissement, excitation sexuelle, mode, beauté, félicité, liaisons, sang-froid, gaieté, cunnilingus, oups ! je m'arrête ici, mais vous voyez ce que je veux dire.

Il y a toutefois un prix à payer pour jouir des avantages de la vie sur Terre ; ainsi apposer sa signature pour vivre signifie venir dans un monde de contraires : jour et nuit, chaud et froid, heureux et triste... vous savez, ils sont légion. Dans un monde de contraires, il est difficile de ne pas perdre de vue l'ultime réalité de l'existence d'un seul Pouvoir dans l'Univers, le Bienfaisant à qui nous devons d'être ici. Telle est (roulements de tambour, je vous prie...) la vérité en ce qui vous concerne : vous êtes imparfait ! En tant qu'être humain, vous arrivez armé des mêmes paires de contraires que tout ce qu'il y a sur cette planète. Vous êtes gentil... et grincheux. Vous êtes généreux... et égoïste. Vous avez eu des A en mathématiques et en histoire, mais avez eu besoin d'un tuteur en espagnol. Vos défauts font partie de la texture de votre personnalité. Vous pouvez les travailler et en améliorer certaines parties, pour la peine. Le reste, vous l'emporterez dans votre tombe. D'autres individus (tout aussi imparfaits, pour tout dire) vous aimeront quand même, et la vie est définitivement plus agréable si vous pouvez vous aimer aussi.

Même si votre *moi* humain (votre persona) est imparfait, vous êtes également parfaite. Je ne vous parle pas des cheveux parfaits, du teint parfait, des parfaits abdominaux, ou encore de l'emploi parfait, du mari parfait, des enfants parfaits. Je parle de votre nature, de la réalité de la personne que vous êtes, qui est sous-jacente et va bien au-delà de vos cheveux, de votre teint, de vos abdos, de votre mari, de vos enfants, de vos attentes, de vos aspirations et de tout le reste. Vous êtes parfaite parce que vous êtes une expression du divin. Pour que cela soit vrai, vous n'avez rien à faire et vous n'êtes pas tenue de croire en quelque chose. Il n'est même pas nécessaire d'en être consciente, mais si vous l'êtes, vous sentirez moins de vide et plus de pouvoir.

Si l'idée que vous êtes une expression divine parfaite est nouvelle pour vous, ou si elle heurte une autre de vos croyances, ne vous en faites pas pour le moment. Vous finirez bien par trouver à quel endroit l'insérer parmi tous les concepts que vous avez explorés dans la vie, en en adoptant certains, et en en rejetant d'autres.

En ce qui me concerne, l'exploration s'est amorcée très tôt. Cela n'a étonné personne que j'étudie les religions comparées à l'université, puisque j'avais grandi dans une sorte de nations unies de systèmes de croyances. Mon père voulait que je sois catholique, alors j'allais à la messe les dimanches et au catéchisme tous les samedis matins. Ma mère voulait que je connaisse d'autres églises, des synagogues, des temples, et alors nous allions dans tous ces lieux, à tout le moins dans tous ceux qu'il y avait à Kansas City, à l'époque. Dédé, la femme qui vivait avec nous pour prendre soin de moi et qui était, je le vois maintenant, mon premier professeur spirituel, m'emmenait à son Église unie et m'enchantait avec les contes d'Emerson, de Mary Baker Eddy et de la Bhagavad-gita. Les religieuses n'ont pas tellement apprécié que je parle de réincarnation dans la classe de catéchisme, et je me rappelle la réprimande que j'ai reçue pour avoir partagé ce que je croyais des enseignements édifiants, soit que Krishna et Zarathoustra avaient eux aussi été mis au monde par une vierge !

Même si je peux troquer les histoires de sœur-Marie-Joséphine-était-méchante avec les meilleures d'entre elles, elle a semé dans ma conscience des idées qui me sont restées jusqu'à ce jour. Parmi elles, cette question : « À partir de quoi Dieu nous a-t-il créés ? » Bonne réponse : « Dieu nous a créés à partir de Lui-même. » Il n'y avait pas d'autre choix parce que Dieu, quels que soient son nom ou sa conception, était tout ce qui existait. Et l'est toujours.

Et c'est ainsi que vous, et nous tous, sommes des êtres parfaits. Avec tous nos défauts. Nous avons renoncé à être tout à fait parfaits et avons accepté d'être seulement à la limite de l'excellence, afin de faire l'expérience de cette vie. De cette manière, nous pouvons grandir et apprendre et, dans le sens de l'âme, lutter pour retourner où nous avons commencé en tant qu'êtres consciemment parfaits, plutôt qu'inconsciemment.

Le fait de savoir que vous êtes imparfaite (parce que c'est seulement ainsi que naissent les humains) et parfaite à la fois (parce que votre essence ne peut être rien de moins), vous autorise à expirer à fond. Vous pouvez vous pencher sur la notion que vous faites partie de quelque chose de grand et de bon. Idéalement, ce savoir vous donnera envie d'aller plus loin, avec la conviction que vous avez une place et un but qui vous appartiennent en propre. Il n'est pas nécessaire d'avoir les cheveux, le teint, les abdos et le mari parfait, car vous êtes déjà parfaite de la seule manière qu'il vous faut l'être et de la seule manière que vous le pouvez. Parce que c'est la vérité sur vous, vous êtes pleinement autorisée à avoir les plus beaux cheveux, teint, abdos, emploi, mari et enfants *imparfaits* qui soient, ou quelque chose d'encore mieux.

Que faire avec ce concept d'imparfait-parfait ? Pensez-y bien. Retournez-le dans votre tête. Qui vous êtes vraiment est une idée éternelle, aussi parfaite que l'Esprit qui l'a conçue. Votre corps, votre cerveau et vos expériences de vie ne seront jamais aussi fabuleux que cela – c'est la terre, bon sang – mais plus vous arriverez à comprendre qui est votre *moi* authentique, plus vous serez un être absolument étonnant, dans tous les aspects de votre vie, à chaque jour de votre vie.

Posez un geste

Réfléchissez sérieusement à ce que cela pourrait signifier, dans votre vie, de vraiment accepter que vous ne pouvez pas devenir parfaite, puisque vous l'êtes déjà, et que vous ne serez jamais parfaite avec un système de jugement du genre *est-ce-possible-de-ressembler-un-peu-plus-à-Nicole-Kidman*? Ceci devrait vous éclairer pour la peine.

Chapitre 7

VOTRE VIE CROIT TOUT CE QUE VOUS DITES

Maman n'avait pas tout à fait tort lorsqu'elle disait : « Si tu n'as rien de gentil à dire, alors tais-toi. » La plupart d'entre nous suivons son conseil, lorsque nous nous adressons à nos semblables. Rares et impopulaires sont les individus qui diront à un ami ou à un étranger : « Tu es stupide », « Tu est tellement bête » ou « Tu as l'air d'un mur gris dans ce pantalon ». Cependant, nous sommes peu avares de ce genre de commentaires (ou de pensées, ce qui revient au même) lorsqu'il s'agit de nous-mêmes, ce qui nous garantit pratiquement de connaître l'obésité, la pauvreté et la solitude. C'est dommage, en particulier si l'on songe que les bons mots peuvent nous aider à rompre avec cela, une fois pour toutes.

Vous avez entendu ces histoires de sorciers de tribus, qui donnent un « bâton de la mort », et tous croient qu'il apportera la mort à celui qui le reçoit. C'est un fait bien documenté que des individus meurent bel et bien à cause de ce genre de transfert de pensée. Même dans notre société moderne, il y a des chances statistiques qu'une personne à qui on a donné, disons, six mois à vivre, finira par mourir plus ou moins au bout de ces six mois. Les mots, et les croyances qu'ils engendrent, sont puissants. Nous pouvons nous en servir à notre avantage ou à notre détriment.

Portez attention à ce que vous dites et remarquez quand cela diminue votre valeur ou vos espoirs. Si vous doutez du pouvoir des mots, rappelez-vous votre enfance et le commentaire négatif qu'un parent ou une autre figure d'autorité a pu vous faire, et voyez combien ce commentaire peut vous désarçonner aujourd'hui encore. Tous ceux que j'ai sondés à ce sujet ont une phrase dans le genre : « Tu ne seras jamais aussi jolie que ta sœur… Les filles ne sont pas censées être bonnes en maths… Tu n'es pas assez bonne pour l'université… Tu ne peux pas t'attendre à ce qu'un homme s'attache à toi… Bien sûr, tu vas faire ton droit… »

Lorsque l'on est jeune et impressionnable, on peut rester accrochée à ce genre de phrase et en faire une sentence à vie, un destin inaltérable. Les mots nous affectent aussi lorsque nous sommes plus âgées, en particulier ceux qui sortent de notre propre bouche. Chaque fois que vous prêtez foi à une situation indésirable en répétant : « Je déteste avoir engraissé à ce point… Je n'aurai jamais un emploi assez bien rémunéré… On ne m'aimera plus jamais. », c'est comme si vous souligniez cet unique aspect de votre être à multiples facettes avec un marqueur indélébile. Sur la page de votre vie, c'est la seule ligne que l'on voit. Cela confère à ce qui était une réalité gérable et changeable, un statut de vérité immuable.

Vous changez ce modèle en changeant de vocabulaire. Soyez consciente de ce que vous dites, et prenez l'habitude de reformuler vos phrases chaque fois que vous exprimez quelque chose que vous auriez préféré taire. Écoutez tout spécialement vos phrases habituelles : « C'est une vraie teigne... J'ai cru que j'allais faire une crise de cœur... Si ce n'est pas telle chose, c'en est une autre... Je savais que c'était trop beau pour être vrai. » Ce *n'est pas* trop beau pour être vrai. Vous choisissez les limites du beau dans votre vie, et si vous êtes comme la majorité, vous vous imposez beaucoup trop de limites. Laissez plutôt vos mots ouvrir davantage la voie à ce que vous désirez, et moins à ce que vous ne voulez pas.

Lorsque quelqu'un dit : « Comment ça va ? », essayez de répondre : « Génial... ça n'a jamais été mieux... fabuleux ; n'est-ce pas une journée magnifique ? » Maintenant, vous avez peut-être envie d'aboyer, et vous me soupçonnez d'être Pollyanna écrivant sous un pseudonyme, mais regardez autour de vous : les personnes positives ont des vies meilleures. S'il ne vous est pas naturel d'être positive, je comprends ce que vous ressentez : cela ne me vient pas naturellement non plus, et c'est pareil pour les autres bonnes habitudes qui m'ont aidée à ne plus être seule, ronde et fauchée. D'autant plus que vous pouvez changer votre nature. Faire une chose pendant assez longtemps – que ce soit vous lever tôt le matin ou répondre à un « comment ça va ? » sur un ton joyeux –, c'est faire une incursion dans votre psyché, et constater que ce que vous perceviez autrefois comme une pression, vous apparaisse maintenant comme la normalité.

Lorsque vous commencerez à utiliser un vocabulaire plus affirmatif, n'allez surtout pas croire que vous n'êtes pas honnête en pensant positivement. Vous pourriez rester sur votre position si les mots se contentaient de rapporter les circonstances, mais ils font bien plus : ils créent les circonstances. Ainsi, « Tout va pour le mieux. » est aussi vrai que « J'ai mal à la tête. », « Je suis très en retard pour le rapport que je dois fournir à mon patron. », et « Le gars qui m'a coupé les cheveux la dernière fois n'aurait jamais dû obtenir son diplôme de l'école de coiffure. »

Certaines personnes, en particulier les femmes, hésitent aussi à parler positivement, parce qu'elles sentent qu'en faisant cela, elles se donnent trop d'importance. Malgré notre courageuse histoire marquée par les suffragettes et les féministes qui brûlaient leurs soutiens-gorge, le message de « la bonne fille » perdure. Décidez aujourd'hui d'occuper la place de femme admirable qui vous revient, plutôt que la place de la bonne fille. Revendiquez votre pouvoir, votre réussite et votre place en ce monde, en prenant la parole, forte des gains extraordinaires que vous avez déjà générés, pour permettre à d'autres gains de se concrétiser.

Une mise en garde (la confiture jetée aux pourceaux) : lorsque vous côtoyez des hommes et des femmes qui adorent la négativité, qui se plaisent à amplifier et à ressasser les échecs et malchances des membres de leur famille, de leurs collègues et des gens riches et célèbres, parlez-leur le moins possible. Ce sont des individus comme eux qui répondront à des déclarations comme « Je compte démarrer ma propre entreprise. », avec des « Bonne chance, la majorité des nouvelles entreprises déclarent faillite au bout d'un an. » Refusez de prendre part à la conversation déprimante de ces rabat-joie, et ne leur donnez pas l'occasion d'infecter vos bonnes intentions avec le virus de la négativité. Il y a des moments où le silence est plus éloquent que tout.

Posez un geste

Commencez à parler de façon positive, même si cela vous donne l'impression de mentir, ou de parler une langue étrangère dans laquelle vous êtes loin de vous sentir à l'aise. Lorsque vous vous entendez dire des choses négatives, prenez le temps de vous arrêter et de reformuler votre phrase, que ce soit à haute voix ou seulement en pensée. Soyez particulièrement attentive aux phrases récurrentes telles : « Mon travail me rend malade. » ou encore « Je suis à bout de nerfs. »

Chapitre 8

DIEU* EST-IL AVEC VOUS ?

J'ai mis un astérisque au mot Dieu, parce que de nombreuses personnes ont des problèmes avec ce mot. Si tel est votre cas, pensez à des synonymes. Voici quelques-uns des noms que l'on peut donner à Dieu :

- Vie
- Lumière
- Amour
- Pouvoir suprême
- Divin
- Créateur
- Source
- Déesse
- Esprit
- Énergie universelle
- Présence
- Tao
- Infini

- Force (de la *Guerre des étoiles*)
- Ordre divin

Si ces termes, comme le mot Dieu lui-même, vous semblent plus *chargés* que le nom de votre dernier petit ami, rappelez-vous que le *poids de Dieu* est affaire d'idéologies, de religions et du besoin qu'ont de nombreuses gens d'imposer leurs vues au reste du monde. Combler votre vide intérieur n'a rien à voir avec l'idéologie ; et si cela a trait à la religion, c'est uniquement dans le sens le plus large du terme, suivant sa racine latine, *religare,* c'est-à-dire « relier ». Vous voulez être *reliée* à la connaissance que Dieu (Allah, le Tao, ou n'importe quel autre nom qui vous convienne) est en vous. C'est votre essence. C'est l'étincelle qui vous anime et vous inspire vos meilleures intentions. Elle est toujours là. Sachant cela, vous vous sentez en sécurité, et comblée.

En règle générale, les gens parlent de Dieu dans le contexte de la foi. Cependant, pour mettre un terme à la tyrannie du poids, de la pauvreté et de la solitude, ce en quoi vous croyez ne regarde que vous. C'est ce que vous savez qui compte, et ce que vous finirez par apprendre, c'est que cette force est avec vous à chaque nanoseconde de votre vie.

Néanmoins, le mot Dieu peut causer un blocage. J'ai déjà donné à des employés municipaux d'une banlieue prospère de Kansas City, une formation d'une journée sur la santé holistique et les soins personnels. Le jour précédant cet événement, l'organisatrice de la réunion m'a envoyé un courriel qui, à première vue, avait l'air d'un test de vocabulaire de cinquième année. C'était une liste des mots que je ne devais pas prononcer (première colonne) et de ceux qui étaient acceptables (deuxième colonne). Par exemple, je pouvais, dire *frais*, mais pas *biologique*; je pouvais dire *légume*, mais pas *végétarien*. Pour ce qui est de *Dieu*, je ne pouvais rien dire. En prononçant le mot *Dieu*, m'a-t-elle expliqué, j'aurais pu offenser les non religieux, mais des termes comme *Univers* ou *pouvoir suprême* risquaient d'offenser les religieux. J'ai donné la formation, bien que sous un drôle d'ordre théiste (et agricole).

Peut-être êtes-vous comme elle. Vous pourriez penser : « Je ne crois pas en Dieu. Ce livre se présente comme un livre laïc, et vous m'avez bien eue. » Ou, tout au contraire, vous pourriez dire : « Ne me parlez pas de Dieu. Je connais bien Dieu. Et je peux déjà vous dire que vous êtes une espèce bizarre de hippie païenne, alors... »

Écoutez, nous avons tous une idée du Tout-Puissant. Certains pensent qu'il n'y en a pas. On vit une fois. On fait de notre mieux. Nos enfants, leurs enfants et le bien que vous avez pu faire en ce monde vous survivront, et c'est suffisant. Et puis, on peut dire que 80 années sur la Terre est le mieux qu'on puisse espérer.

D'autres adhèrent à notre compréhension d'une religion en particulier, celle qui nous vient de nos parents, ou celle que nous avons découverte nous-même. On pourrait dire : « Je suis un nouveau chrétien. » ou, comme je l'ai vu un jour sur un t-shirt, « Je suis bouddhiste – plusieurs fois réincarné… » Mais on peut aussi interpréter la pensée du fondateur d'une religion d'innombrables façons.

Par exemple, une de mes petites bêtes noires est le mot « chrétien » qui, par définition, devrait s'appliquer à quiconque cherche à suivre les enseignements de Jésus, mais qui devient rapidement l'unique domaine d'une seule sorte de christianisme, le christianisme évangéliste, laissant pour compte des millions d'autres chrétiens. J'ai été choquée d'entendre l'amie d'une de mes filles dire : « Les catholiques ne sont pas censés utiliser la contraception, mais c'est correct pour les chrétiens. » Je n'ai pu m'empêcher de répliquer, sarcastique : « Bon sang, on devrait aller informer le pape qu'il n'est pas chrétien. Je parierais ma chemise qu'il l'ignore. »

Certains trouvent un sens à la vie en se construisant une vision du monde bien à eux, à partir de petits riens puisés dans les philosophies, les religions et leurs révélations personnelles. D'autres ajoutent une voie auxiliaire à leur croyance principale. Par exemple, il y a tellement de juifs qui pratiquent le bouddhisme, que l'on a inventé le terme *jew-bu* pour les décrire. Ces mélanges et ces mariages auxquels on n'aurait pas prêté foi autrefois, qui auraient même été vus comme blasphématoires, ne sont pas seulement possibles aujourd'hui : ils sont indispensables. Si les enseignements du judaïsme, du christianisme et du soufisme, le bras mystique de l'islam, peuvent existter en harmonie dans la vie d'un seul individu, cela nous donne une image microcosmique de ces trois croyances existant en harmonie sur une planète.

De toute évidence, vous n'avez pas à vous sentir responsable de la paix au Moyen-Orient, uniquement parce que vous ne voulez pas être seule, ronde et fauchée. Néanmoins, étant donné que tout est lié, le seul fait de savoir que le divin est propriétaire de votre cœur et de votre âme, élève votre vie à un niveau supérieur. Cela élève toute forme de vie, ne serait-ce qu'un peu. Et lorsque vous savez, sans l'ombre d'un doute, que le divin est en vous, vous ne pouvez faire autrement que de constater qu'il est également dans tous vos semblables, même lorsque cela ne se voit pas beaucoup.

Voici comment cela fonctionne : si le fait de vivre sur votre propre pouvoir ne vous mène là où vous désirez aller, connectez-vous à un Pouvoir qui peut vous mener loin ; un Pouvoir qui est plus grand que votre ego et qui pourtant réside en vous comme l'essence authentique de votre être. Inutile de signer quoi que ce soit, ou d'adhérer à quoi que ce soit. Vous pourriez simplement dire quelque chose comme : « OK, ma vie est foutue, et je ne sais même pas à qui je m'adresse, mais s'il y a en moi davantage que je ne l'ai cru jusqu'ici, et si cela peut me remplir aujourd'hui, je l'accepte. Et merci. »

Cela devrait faire l'affaire. Prenez bien note du mot *aujourd'hui*. C'est important. Dieu fonctionne au présent. C'est « Donnez-nous aujourd'hui notre pain quotidien. », et non « Je t'en prie, fais que j'aie deux pains pumpernickel par semaine à partir de jeudi. » Il est indispensable de prendre contact avec Lui quotidiennement, et parfois davantage. Vous pourriez demander, le matin, de vous sentir solide et satisfaite et savoir que vous l'êtes suffisamment ; néanmoins, arrivée à midi, sentir que le vide vous dévore encore. Si cela se produit, recommencez. Si c'est nouveau pour vous, il vous faudra un peu de temps. Revenez sans cesse à l'idée que vous pouvez vous sentir solide. Et pleine. Et que même lorsque vous ne vous sentez pas ainsi, vous l'êtes suffisamment.

Posez un geste

Si vous n'êtes pas bien renseignée, rapprochez-vous de Dieu de manière à vous sentir à l'aise et à être vous-même. Si vous vivez une relation qui est loin d'être idyllique, soyez honnête avec Dieu. Peut-être devrez-vous imaginer une figure plus aimante, plus amicale et accessible que celle que l'on vous a donnée de vous il y a longtemps. Si cette idée de Dieu ne vous convient pas, inventez un autre concept de pouvoir qui dépasse votre ego, sur lequel vous pourrez vous brancher et dans lequel vous pourrez puiser la force dont vous avez besoin. Il peut s'agir de la nature, du courant vital, du lien affectif, bref, de ce qui fonctionne pour vous.

Chapitre 9

QUAND NE RIEN FAIRE PEUT TOUT VOUS APPORTER

Il y a un bon moment, j'ai fait l'inventaire de ma vie professionnelle. Sur la page de gauche, j'ai écrit toutes les réussites notables que j'avais connues jusque-là. Sur la page de droite, j'ai noté ce que j'avais fait pour provoquer chacun de ces événements mémorables. La colonne de droite était des plus éclairantes : chaque entrée disait soit « rien », soit « je me suis pointée ».

Ce n'était pas que j'étais restée assise devant la télé, et que j'avais attendu que les miracles se produisent. J'avais vaqué à mes occupations journalières. Lorsque j'écrivais un livre ou un article, ou lorsque je donnais une conférence, j'y mettais tout ce que j'avais, mais chaque changement majeur était arrivé d'un nulle part toujours très accommodant. Pas besoin de manipulation, de stratégie ou de tour de passe-passe. En fait, presque tous les plans et manipulations que j'avais pu inventer étaient tombés à plat, si bien que j'ai fini par y renoncer.

J'en déduis donc que l'on ne peut rien forcer. Notre travail consiste plutôt à garder le chemin libre de tout obstacle, afin que les bonnes affaires puissent y circuler. Comme dans un exercice isométrique, on peut avoir l'impression de ne rien faire. Par contre, ce *rien* exige que l'on garde la vision de ce que l'on veut, que l'on reste confiante (même lorsque cette chose est à mille lieues), que l'on fasse ce qu'il faut au bon moment, et que l'on écoute cette petite voix intérieure quasi imperceptible, pour entendre ce qu'elle a à nous dire. Cette dernière exigence ne fait rien *avec mention*.

La gloire suprême de l'inactivité productive, de la méditation ou de la contemplation peut dissiper le vide intérieur plus efficacement que toute autre méthode. Si vous rechargez votre téléphone cellulaire, que vous programmez votre machine à café et que vous remplissez votre réservoir à essence, vous savez déjà que la pile chargée, les grains de Colombien noir et l'essence sans plomb régulière sont indispensables à votre style de vie. La concentration inactive – rester assise en silence dans un fauteuil ou par terre, semble être, oh ! horreur, une *perte de temps* – fait pour vous, en tant qu'entité humaine, ce que vous faites automatiquement pour les différentes machines dont vous vous servez : elle vous donne du pouvoir.

Voici donc ce que vous devez faire : rien ! Hum... presque rien ! Vous vous levez le matin et allumez une petite chandelle sur votre table de chevet, pour vous rappeler que vous n'allez pas attaquer votre journée sans recharger votre âme. Pour ce faire, vous vous assoyez soit sur le lit, adossée à la tête de lit, ou sur le plancher, jambes croisées, adossée contre le lit ou au mur, ou dans un fauteuil, deux pieds sur le plancher et mains reposant confortablement sur vos genoux. Fermez les yeux et voyez ce fait remarquable que vous continuez à respirer, ce qui est, en soi, une preuve que vous avez une raison d'être là ; sinon, pourquoi ne cesseriez-vous pas tout simplement de respirer ?

Lorsque vous aurez pris le rythme de votre respiration, ajoutez-y une affirmation silencieuse. Inspirez « je suis… » et expirez « … assez ». Ou encore, inspirez « Dieu… » et expirez « … m'aime ». Ou inspirez (l'affirmation que j'utilise) « Tout est… » et expirez « … bien. » Vous pouvez utiliser n'importe quelle phrase courte qui vous plaît, à condition qu'elle soit positive et soit une affirmation avec laquelle vous désirez vraiment programmer votre esprit. Restez assise et faites ceci pendant 10, 15 ou 20 minutes. Vingt est un peu mieux que dix, et dix est cent fois mieux que de laisser tomber.

Vous serez assaillie par toutes sortes de pensées extérieures : « Est-ce que j'ai démarré l'arroseur ? », « Est-ce que j'ai des chaussettes propres ? », « C'est ennuyeux, pourquoi est-ce que je fais cela ? ». Ne résistez pas à ces pensées, mais ne les entretenez pas non plus. Contentez-vous d'acquiescer de la tête à chacune d'elles, et de les laisser s'envoler au loin, comme un léger nuage blanc dans un ciel clair. Revenez ensuite à votre phrase et à votre respiration.

Faites-le chaque matin. Si vous l'oubliez un matin, ne manquez pas le suivant. Pour en retirer encore plus de bienfaits, méditez encore en début de soirée, soit en vous attardant un peu au travail, si vous disposez d'un coin privé au bureau, ou en faisant un autre 10, 15 ou 20 minutes de méditation en rentrant à la maison. Ce peut être un moyen agréable de marquer la césure entre votre journée de travail et votre vie privée. Conclusion : méditer deux fois par jour est génial, mais méditer une fois par jour est indispensable.

Voici ce que cela vous rapporte :

- *La plénitude :* Quand vous aurez fait cela pendant un moment et que vous en aurez pris l'habitude, le besoin d'obtenir ce dont vous croyiez avoir besoin se fera moins sentir.

- *La tranquillité* : Quelqu'un comme moi (Bélier et à moitié Italienne) ne pourra jamais être parfaitement placide, mais notre degré de calme augmente grâce à la méditation régulière.

- *La perspicacité :* Puisque vous ouvrez les canaux à ce qu'il y a de meilleur en vous (ce que l'on sur-

> nomme parfois votre Moi supérieur), vous aurez des éclairs d'intelligence tels que jamais auparavant. Ils se présenteront sous forme de solutions à vos problèmes ou d'idées créatives. Certains de ces éclairs d'intelligence vous procureront simplement une meilleure journée. Un ou deux de ces éclairs pourraient nous valoir, à chacun de nous, un monde meilleur.

La méditation régulière apporte aussi de nombreux bienfaits sur la santé : une diminution de la tension artérielle et du taux de cholestérol, moins de jours de maladie, et un ralentissement du processus de vieillissement. Bien sûr, on n'obtient ces avantages que si on fait l'exercice. Il faut de la volonté et de la discipline. Si vous n'en avez jamais eu beaucoup, le moment est bien choisi pour en acquérir. Bien sûr, si vous préférez apprendre à la dure, vous le pouvez. Je suggère de vous faciliter les choses et de commencer l'art immémorial de la concentration inactive cet après-midi, ou en vous levant demain matin. Persévérez, et l'obésité, la pauvreté et la solitude n'auront plus de prise sur vous.

Posez un geste

Assoyez-vous en silence, pendant au moins 10 minutes, au cours des 24 prochaines heures. Prenez la résolution de répéter cet exercice quotidiennement, jusqu'à ce que vous soyez plus âgée que vous n'aviez jamais cru le devenir. Si, au début, cela vous ennuie ou que cet exercice ne semble donner aucun résultat, c'est correct. Vous faites exactement ce qu'il faut.

Chapitre 10

EN FORME, NANTIE, EN COUPLE ET TOUJOURS VIDE : RIEN D'AUTRE QUE LA PERSONNE SEULE, RONDE ET FAUCHÉE... DÉGUISÉE

Afin de rompre avec l'image de la personne seule, ronde et fauchée, il est impératif d'approfondir votre vie intérieure. Vous n'avez pas traversé toutes les difficultés que présuppose une vie sur Terre, dont l'accouchement de votre mère, l'entraînement à la propreté, les tables de multiplication et l'école secondaire, pour passer votre vie adulte à lutter contre la solitude, l'obésité et la pauvreté, ou même contre un seul de ces trois états.

Vous avez été créée pour être heureuse, en santé et fière de vous. Vous êtes censée avoir tout ce dont vous avez besoin, en plus de la motivation à travailler pour obtenir davantage – pour vous et votre famille d'abord, puis pour ceux qui ont besoin d'un coup de main. Vous êtes censée être appréciée, aimée et respectée, et être entourée de gens à aimer et à respecter. Lorsque vous savez cela, et que vous vivez chaque jour en vous rappelant que vous le savez, vous êtes libre.

Et c'est tout ce qui compte : la liberté. La libération. Ne pas perdre du poids (encore!) ou rembourser vos dettes de manière à pouvoir dépenser un peu plus. La liberté. Vous savez, comme dans « Nous donnons… nos vies, nos fortunes et notre honneur sacré (…) et libres enfin ! Merci, Dieu tout-puissant, nous sommes libres enfin ! » Je n'utilise pas cette citation irrespectueusement ou à la légère : je pense vraiment qu'atteindre ce degré de liberté, c'est cela, rompre avec l'obésité, la pauvreté et la solitude.

Il y a des années, dans un groupe de soutien pour personnes aux prises avec un trouble de l'alimentation, j'ai eu un mentor, Ellen, qui était beaucoup plus âgée que moi. Elle maintenait son poids depuis fort longtemps et réussissait immanquablement à parler de mon état, en se servant d'une maxime de son cru : « La peur fait grossir. » ou encore, « Lorsque tu changes une facette de ta vie, cela touche toutes les autres facettes. »

Nous vivions aux deux extrémités de la ville et je ne voyais pas Ellen souvent, mais nous nous parlions une ou deux fois la semaine, sauf lorsque son mari répondait pour me dire que son arthrite la faisait trop souffrir pour qu'elle puisse venir au téléphone. Je n'avais pas vu Ellen depuis presque six mois, lorsque je la rencontrai par hasard à l'occasion d'une conférence, et je constatai qu'elle avait pris près de treize kilos. J'ai été choquée et je me suis sentie trahie. Comment cette femme, avec toutes ses brillantes paroles, avait-elle pu avoir une liaison clandestine avec Dairy Queen sans m'en parler ?

Après quelques échanges conventionnels, je me suis excusée et suis allée rejoindre quelqu'un qui connaissait Ellen, afin de pouvoir exprimer ma consternation et médire à ma guise. J'ai choisi, pour être ma complice dans la destruction d'autrui, une femme nommée Donna, mais elle m'a reprise : « Vicki (je vous avais dit qu'il y avait un bon moment de cela), Ellen prend d'énormes doses de stéroïdes pour calmer son arthrite. De là son embonpoint. Elle a seulement l'air grosse. Elle est vraiment libre. »

Tout comme l'apparente dépendance d'Ellen était trompeuse, il est aussi possible et courant d'afficher une apparence de liberté, tout en demeurant asservie. Vous pouvez être mince parce que vous êtes boulimique. Ou accro aux régimes et à l'exercice excessif. Ou même souffrir d'une maladie si terrible que vous seriez prête à donner n'importe quoi pour vous en débarrasser, sans vous soucier de ce que vous pourriez peser, si ce n'était de cette maladie. Vous pouvez avoir de l'argent parce que vous l'avez volé. Ou parce que vous l'empilez comme un Ebenezer Scrooge ou un Séraphin Poudrier des temps modernes. Vous pourriez être la fille la plus populaire en ville, mais entourée d'amis des beaux jours qui disparaîtraient dans les moments difficiles. Vous pourriez vivre une relation qui semble tout à fait charmante, parce que personne ne sait que votre amoureux est jaloux, autoritaire, voire violent.

Autrement dit, vous pouvez être en forme, nantie et en couple, et néanmoins vide intérieurement. Effrayée. Rejetée. Abattue. Faisant tourner vos roues pour préserver les apparences parce qu'ainsi, au moins, vous surnagez. Peut-être avez-vous déjà été dans cette situation. Peut-être y êtes-vous en ce moment. Si oui, vous avez de la compagnie. Trop de gens s'efforcent de tout contrôler pour sauver les apparences, mais il leur manque le fondement d'un esprit intact.

Nous sommes invariablement décontenancés lorsque quelqu'un avec une « vie parfaite » s'écroule, fait une dépression ou traverse une crise, que ce soit celle de la quarantaine ou une autre. C'est parce que nous croyons à ce que nous voyons. Lorsqu'on regarde une personne seule, ronde et fauchée, on devine qu'elle aimerait que les choses soient différentes ; mais lorsqu'une personne en couple, en pleine forme et nantie s'écroule, on a l'impression que cela défie toute logique. Rappelez-vous cependant que le vide intérieur peut être apparent… ou non. En fait, il peut être beaucoup plus insidieux lorsqu'il se cache sous une belle apparence, la réussite professionnelle, une famille adorable et un statut social enviable. Il ne devrait pas exister. Mais il est bien là.

Ce qui, au dehors, ressemble à une vie exemplaire, peut résulter du fait que l'on a rempli les espaces vides grâce à la connaissance de soi et à une vie d'intégrité.

Mais cette apparence pourrait aussi résulter du fait que l'on a masqué les espaces vides et que, dans le déni, on les a creusés. Autrement dit, on peut être témoins d'une vie attrayante et authentique, d'une vie qui a un bon fondement, ou d'une vie qui n'est pas réelle, bâtie sur les sables mouvants et l'imposture. Tous les morceaux sont là, mais rien ne vient les consolider. La moindre rafale pourrait faire tout s'écrouler.

C'est là que réside le danger, comme on dit, de comparer votre dedans au dehors de quelqu'un d'autre. Le vide, qu'il soit visible ou caché, demande à être rempli. Avoir l'air d'être en forme, nantie et bien accompagnée, c'est bien tant que ça dure, mais ce pourrait être une ruse : c'est peut-être la personne seule, ronde et fauchée qui s'est déguisée. N'importe qui peut prendre du poids, perdre de l'argent, mettre fin à une relation, ne plus avoir la cote. Et c'est souvent parce que l'on n'arrive plus à pédaler assez vite pour sauver les apparences. Parfois, comme dans le cas d'Ellen, l'apparence change parce que la vie prend des détours indépendants de notre volonté.

D'une manière ou d'une autre, vous irez plus loin si vous refusez de gaspiller votre énergie à envier celle qui semble tout avoir, ou à vous sentir supérieure à celle qui n'a pas tout. C'est bien d'apprendre des personnes que vous admirez, mais ne les mettez pas sur un piédestal. Les piédestaux sont bons pour les statues, pas pour des êtres humains entiers qui sont des mélanges complexes de ciel et de terre, d'altruisme et d'égoïsme, d'intentions inattaquables et, parfois, de choix malheureux. Restez focalisée sur votre vie et sur la tâche à accomplir : rester fidèle à vous-même, du plus profond de l'âme, jusqu'au dehors. Désirer des choses superficielles, comme un corps athlétique ou les jolies babioles que l'argent peut acheter, cela a bel et bien une valeur émotionnelle. C'est correct, tant que vous ne confondez pas l'extérieur avec l'éternel.

Avant d'aller plus loin dans ce livre et dans les stratégies qui permettent de faire face à vos problèmes de poids, de pauvreté et de solitude, et avant de faire ce qu'il faut pour donner à votre vie plus de profondeur, d'ampleur et de raisons d'être, assurez-vous d'avoir pris un assez bon départ pour développer ou renforcer votre vie intérieure. Jetez un nouveau coup d'œil aux actions proposées dans cette section. Si vous n'êtes pas encore passée à l'action, faites-le. Et incorporez sciemment les actions entreprises dans votre façon de penser et d'être. Êtes-vous confrontée à ce vide fondamental ? Portez-vous attention aux mots que vous choisissez ? Avez-vous commencé à méditer ? Ces actions peuvent ne pas vous sembler assez dynamiques pour faire face à l'embonpoint, à la pauvreté et à la solitude, mais elles constituent votre ligne de front. Sans elles, soit vous ne ferez pas de progrès du tout, soit vous finirez par être en couple, en forme et nantie, mais tout cela sera happé par votre vide intérieur sans fond et dévorant.

Bien que *tout avoir* puisse prendre l'allure d'un restant de cupidité de l'ère dot.com, vous devriez, dans ce contexte, vous attendre à tout avoir. Non seulement vous serez en forme, nantie, en couple et populaire, mais vous aurez également une vie riche de sens, capable de soutenir et de maintenir un corps sain, un compte en banque bien garni, et des relations saines. Ne lésinez pas sur les fondations. Il ne s'agit pas d'une robe de plus petite taille achetée dans une boutique plus chic. Il s'agit de développer une façon de vivre qui, comme dans le cours naturel des choses, vous amènera à habiller la taille que vous voulez, à magasiner dans les boutiques que vous choisissez, et à porter ce que vous y avez acheté en compagnie des personnes dont vous souhaitez vous entourer. Lorsque vous avez la base, il est impossible que cet heureux scénario ne soit qu'une aberration temporaire : « Profitons-en maintenant, car ça ne peut pas durer. », c'est tout bonnement la façon dont fonctionne votre vie. En couple, en forme et nantie et en couple ? Plus que probable. Peur de tout gâcher et de tout perdre ? Pas le moins du monde.

Deuxième partie

ROMPRE AVEC L'OBÉSITÉ

Il y a en vous un pouvoir qui prend les bonnes décisions, même dans des domaines aussi ordinaires que vos choix d'aliments et de mise en forme.

Un trouble de l'alimentation ou un problème de poids est une occasion d'entrer en contact avec la sagesse et le pouvoir qui sont en vous. Vous aurez besoin de cette sagesse et de ce pouvoir pour faire les bons choix au petit-déjeuner, au lunch et au dîner, et pour résister à la tentation en passant devant une pâtisserie ou en regardant une publicité de *mégaburger.*

La nourriture est censée être délectable (que vous soyez mince ou grosse, ou que vous pensiez l'être). Votre corps doit être pulpeux, que vous soyez naturellement anguleuse, musclée ou ronde. Le mouvement doit apparaître tel un jeu, comme il l'est pour les enfants et les chiots. Votre ego peut ne pas toujours voir les choses de cette façon, mais c'est ainsi que les voit votre *moi* supérieur. Il suffit de vous faire à cette idée, d'aimer manger, bouger et vivre dans votre corps.

Certains des chapitres suivants s'intéressent aux gras que l'on trouve dans le commerce – ce genre que produisent les aliments riches et le travail sédentaire – alors que d'autres s'intéressent au vide intérieur que certains d'entre nous ont essayé de remplir avec de la nourriture (ce qui est fort compréhensible, à bien y penser). Lisez-les tous. Appliquez dans votre vie ceux qui la concernent.

Chapitre 11

LA *PHOBIE* DE L'OBÉSITÉ PEUT AUSSI NUIRE À VOTRE SANTÉ

Tout le monde sait qu'être gros est mauvais pour la santé. Mais ce l'est aussi que d'être terrorisé à l'idée de prendre du poids. Cela nous rend schizophrènes. D'un autre côté, nous avons contribué, avec nos voitures, nos téléviseurs, nos ordinateurs, la nourriture rapide et les aliments préparés à portée de main en tout temps, à devenir une nation dans laquelle la majorité souffre d'embonpoint. Mais, en tant que nation démocratique où la majorité est censée diriger, nous avons également diabolisé le gras et les gens enrobés. Nous voyons l'obésité comme quelque chose de honteux, voire de dégoûtant. Quelle belle occasion, pour ceux et celles qui se haïssent, de se réconforter avec un bon lait fouetté au chocolat !

Si vous voulez la vérité sur le gras, la voici : cette question est davantage une construction culturelle qu'une réalité anatomique. Votre gras corporel est de l'énergie, du carburant emmagasiné. Dans le sens de l'évolution, ceux qui ont reçu la capacité d'emmagasiner les graisses efficacement ont eu de la chance : nous survivons aux famines pour nous extasier sur les mannequins et les ballerines aux corps graciles qui n'ont su se faire de réserves.

Mais tout aussi réelle que les poignées d'amour qui vous entourent la taille, est notre perception de ces poignées d'amour, à différentes époques et dans différentes sociétés. Il y a plusieurs années, j'ai vu sur une station satellitaire nationale, un lecteur de nouvelles de Tahiti qui pesait au moins 180 kilos ; il dépassait de beaucoup le poids maximal acceptable pour être lecteur de nouvelles aux États-Unis. Les camps d'engraissement existent encore en Mauritanie. On y envoie les jeunes filles dans le but de les gaver d'aliments riches, de manière à ce qu'elles deviennent assez rondes pour convenir au commerce du mariage. L'idéal de la Renaissance était la femme qui s'habille chez Addition Elle aujourd'hui. Les baigneuses du début du XXe siècle étaient petites et rondes (« oh ! que peut faire une femme d'un mètre soixante... »), alors que l'idéal de la mode des années soixante était d'être maigre et plate. Cet idéal est toujours passablement mince mais, grâce au miracle de la chirurgie plastique, la femme d'aujourd'hui est maigre, avec de gros seins.

Donc, la question n'est pas seulement de connaître votre indice de gras corporel, mais quand et où votre corps est exposé. Je sais que vous désirez perdre vos kilos en trop, et j'applaudis, mais un pas crucial vers votre objectif consiste à établir clairement le fait que quelque part, votre type de corps – même si vous le détestez – est considéré beau et désirable. Il y a une femme quelque part, qui donnerait n'importe quoi pour avoir votre corps (ou celui que vous avez terriblement peur d'avoir un jour). Une de mes amies qui habille la taille plus, a quasi été poursuivie dans la campagne indienne, par des femmes qui voulaient connaître le secret de sa merveilleuse rondeur. Elles se plaignaient parce qu'elles avaient tout essayé, sans jamais accomplir ce qu'elle avait accompli.

Pour vous libérer de la grosseur (ou de l'obsession de la grosseur), vous devez vous désensibiliser à ce sujet et atteindre la neutralité émotionnelle. Ceci ne signifie pas renoncer ou vous laisser aller, mais plutôt vous détacher des opinions bien arrêtées que nous avons presque toutes concernant le poids. Pour atteindre cet état de neutralité, menez une étude sur l'embonpoint, comme le ferait un scientifique qui étudierait un phénomène qui le ne touche pas personnellement. Faites-le en regardant les peintures, les gens, et en observant la façon dont les gens perçoivent l'obésité dans les cultures du monde entier. La grosseur ou la minceur devraient être comme la turquoise ou l'aigue-marine, le Pepsi ou le Coca-Cola : vous pouvez préférer l'un à l'autre, mais la différence est mince.

Le but de cette désensibilisation est de vous débarrasser de votre anxiété à l'idée de prendre du poids, ou de ne pas perdre les kilos que vous avez pris, ou une variation sur ce thème. La peur est comme du ciment à joints : elle vous fige dans vos peurs. De plus, la graisse a la curieuse tendance de s'accrocher à celles et ceux qui en ont peur.

Lorsque vous aurez jeté par-dessus bord les mille et un jugements que vous portez sur les personnes grosses (laides, paresseuses, sales, asexuées, dévergondées, grotesques, etc.), vous pourrez observer sans passion votre propre corps et les phénomènes que sont l'embonpoint et l'obésité dans notre société d'abondance. Si vous voulez perdre du poids et le remplacer par des muscles, acquis au prix d'efforts soutenus, vous perdrez du poids mais pas la laideur, la paresse, la saleté et tout le reste, parce qu'initialement vous n'aviez pas besoin de perdre tout cela.

Ensuite, vous pourrez aller au-delà de votre corps pour voir qui vous êtes vraiment : vous n'êtes pas votre corps. Vous êtes l'essence qui l'anime, ces 21 grammes que vous perdrez le jour où vous quitterez cette Terre pour aller vers votre prochaine aventure. J. Krishnamurti décrivait cela à merveille dans son petit classique de vie spirituelle *Aux pieds du Maître*. Il écrivait : « Votre corps est votre animal, le cheval que vous montez. Par conséquent, il faut le bien traiter, ne pas trop le faire travailler ; vous devez le bien nourrir, lui donner à manger et à boire uniquement des produits purs… Mais ce doit toujours être vous qui contrôlez ce corps, et non lui qui vous contrôle. »

Pour moi, cela rend toute la question du poids moins personnelle et conséquemment, moins intimidante. Je suis parfaite et vous aussi (vous vous rappelez le chapitre 6, où il était question d'être imparfait et parfait à la fois ?). Les agents de l'obésité, de la pauvreté et de la solitude – ces individus et ces industries qui cherchent à tirer profit soit de la consommation exigée pour que vous restiez grosse, soit des dépenses inhérentes à la quête répétée de la minceur –, font le pari que vous ne pourrez jamais abandonner la croyance que vous n'êtes bonne à rien. Sinon, la nourriture rapide ne vous paraîtrait pas aussi délicieuse, les produits pour régimes ne seraient pas aussi attirants, et vous ne seriez pas aussi friande d'aliments transformés, de programmes de perte de poids, de pilules et de provisions, d'une garde-robe où l'on trouve cinq tailles et des exerciseurs abandonnés, et qui vous avaient semblé si extraordinaires dans la publicité. (Si vous voulez vraiment un exerciseur, achetez-le sur eBay ou dans une vente de débarras. Vous en trouverez des tonnes, et vous économiserez une fortune.)

Au chapitre 2, je vous ai donné un principe métaphysique de base : ce sur quoi vous vous focalisez, c'est ce qui se produira dans votre vie. Maintenant, vous pouvez appliquer ce principe de façon pratique. Vous devez cesser d'être obsédée par l'embonpoint, cesser de le détester, de le craindre et de le combattre. Focalisez plutôt sur votre propre valeur, sur votre beauté et sur le pouvoir qui est en vous, car il peut accomplir ce que votre volonté épuisée est incapable d'accomplir. Cependant, le premier pas à faire n'est pas de changer votre corps : c'est de l'apprécier.

Posez un geste

Dépassez votre peur d'être grosse. Regardez les corps voluptueux dans les œuvres picturales des maîtres anciens, les photographies des déesses aux formes généreuses du grand écran des années 1940 et 1950. Admirez le travail des chanteuses et des actrices qui ne sont pas minces sans penser : « Si seulement elle avait perdu quelques kilos... » Admirez-vous, admirez votre corps et votre être, dès aujourd'hui, sans vous dire : « Si seulement j'avais perdu quelques kilos... »

Chapitre 12

COMMENCEZ À VOUS VOIR COMME UNE FEMME MAGNIFIQUE. MAINTENANT

J'étais enfant lorsque Muhammad Ali, alias Casius Clay, s'est mis à dire : « Je suis le plus grand. » C'était révolutionnaire à l'époque. Personne ne disait de telles choses, et il y en avait que cela rendait mal à l'aise. J'ai entendu des adultes marmonner : « Il ne peut pas vraiment le penser. » Eh bien ! il le pensait. Et il l'a prouvé. Je vous encourage à en faire autant.

Commencez tout de suite, immédiatement, à vous trouver magnifique, à trouver votre corps fabuleux, que vous vouliez le garder tel quel ou bien l'élever à un plus haut degré de vigueur et de santé, en modifiant légèrement les soins que vous lui apportez et la nourriture que vous lui donnez. En attendant, si quelqu'un vous dit que vous n'êtes pas magnifique, il est complètement à côté de la plaque. Ce que j'essaie de vous dire, c'est que la personne qui ne vous trouve pas splendide telle que vous êtes, n'est pas celle dont vous avez besoin dans votre vie. Si c'est un homme, il est un pauvre type. Quittez-le !

Dans quelques années, il aura une panse bien à lui pour se faire du souci. Si c'est le père de vos enfants et que vous n'avez pas l'intention de le quitter, essayez à tout le moins de ne pas intérioriser ses critiques ; de même s'il s'agit de votre mari, de votre amoureux, de votre sœur, de votre mère ou de n'importe qui d'autre.

Peut-être pensez-vous : « Mais, je suis vraiment grosse. Ce n'est pas bon pour la santé. Je pourrais mourir. Ceux qui m'aiment vraiment me le diront. » Non. C'est vous qui vous dites cela, et sans doute vous le répétez-vous plusieurs fois par jour. Vous connaissez déjà votre poids, vos mensurations, et sans doute avez-vous aussi une petite idée de votre IMC (indice de masse corporelle, soit le pourcentage de graisse dans votre corps). Ces chiffres peuvent être durs à accepter, mais ce ne sont que des chiffres, et dans presque tous les cas, ils peuvent changer, avec votre coopération. Vous ne coopérerez pas à cause des remarques désobligeantes de votre entourage. Vous le ferez lorsque votre propre estime de vous-même s'élèvera au point d'atteindre l'estime d'une personne prête à changer les choses. Le premier changement à apporter : vous trouver magnifique !

Pour en arriver à croire que vous êtes magnifique *dès aujourd'hui*, vous pouvez faire des exercices mentaux tels réciter des affirmations (« Je suis superbe telle que je suis. »), vous entourer de petits objets qui vous serviront de pense-bêtes (« Tu le vaux bien : ne l'oublie pas. »), ou faire jouer des enregistrements audio d'autohypnose qui vous répéteront ces phrases pendant quarante minutes. Que vous soyez du genre autohypnose ou non, vous devez faire le pas très pragmatique qui consiste à vous traiter comme quelqu'un d'extraordinaire. C'est sans importance si vous n'y croyez pas encore ; il suffit de faire comme si vous y croyiez. Ne me dites pas que vous en êtes incapable : vous avez léché les bottes de patrons que vous ne respectiez pas vraiment, et battu des paupières devant des gars qui ne vous intéressaient pas du tout. Le fait de faire semblant ne servira qu'à renvoyer un peu de respect et d'admiration dans votre direction.

Voici quelques façons d'amorcer l'exercice :

- Achetez-vous une nouvelle robe ou un nouveau complet, avant de perdre un centigramme.

- Procurez-vous un nouvel ensemble de sport ; vous n'êtes même pas obligée de faire de l'exercice tout de suite, il suffit d'avoir les vêtements qu'il faut.

- Faites-vous maquiller par une professionnelle de la beauté (un changement de maquillage est important).

- Faites-vous faire les ongles et soigner les pieds dans un salon de beauté, seule ou avec une amie.

- Jetez les vieilles fringues qui traînent dans votre tiroir à lingerie et remplacez-en quelques-unes par de jolis morceaux tout neufs.

La lingerie est quelque chose d'important : soutiens-gorge, slips, caracos, nuisettes et autres froufrous. Vous croyez que personne ne voit vos dessous (quoique ces derniers temps, on en voit de plus en plus), mais même si vous êtes seule et célibataire et que vous n'avez jamais laissé entrevoir un string ou une bretelle de soutien-gorge à un public innocent, il y a une personne qui voit vos dessous tous les jours : vous.

Durant la grande dépression, on a dit : « C'est honorable de porter des vêtements rapiécés. » C'est possible, mais rapiécez plutôt vestons et jeans, et faites en sorte que vos dessous soient irréprochables. L'état de vos nuisettes affecte votre attitude au réveil. La condition des vêtements que vous portez près du corps influence subtilement la manière dont vous vous traitez tout au long du jour (dont vos choix de nourriture et d'exercices). Les vêtements griffés ne sont pas indispensables. Il suffit que vos dessous soient beaux. À quel point ? Suffisamment beaux pour vous sentir belle et sûre de vous, advenant que le gars ordinaire se métamorphoserait en l'une de vos idoles de cinéma.

Bien que l'armoire à lingerie soit de la première importance, faites le ménage dans vos tiroirs et vos placards, vos classeurs et vos fichiers ; pas tous en même temps (il n'est pas question de purge), mais un peu à la fois. *Vous êtes magnifique* et vous ne méritez que le meilleur dans tous les domaines. Tout ce que vous regardez et toutes vos interactions sur une base régulière : votre garde-robe, votre maison ou appartement, votre bureau au travail, votre voiture, il faut que tout cela soit attirant et fonctionnel. Quand votre milieu de vie conviendra à une personne de valeur et de mérite, cela vous aidera à vous voir sous les traits de cette personne.

Faites-vous la fête. N'attendez pas qu'un homme vous envoie des fleurs. Achetez-vous-en. (Cela pourrait même informer le gars qu'en effet, vous adorez les fleurs. Qui l'eut cru ?) Utilisez de la belle vaisselle même lorsque vous mangez en tête-à-tête avec vous-même. Vous vous sentirez mieux. (L'assiette peut affecter ce que vous y déposez : c'est tout de même bizarre de mettre de la pizza froide ou deux hot-dogs dans la porcelaine de votre grand-mère.) Changez les tâches les plus banales en occasions de prendre soin de vous : vous faites le lit parce que vous méritez de rentrer dans un nid douillet ; vous lavez les fenêtres pour laisser le soleil pénétrer à l'intérieur et parce que c'est très feng shui.

Vous voyez, chère lectrice (je n'avais jamais pensé que j'écrirais « chère lectrice » un jour, mais c'est venu tout seul), vous êtes venue au monde parce que la vie avait envie de s'exprimer, et qu'elle a pris la divine décision de s'exprimer à travers vous. Vous ! Donc, vous souhaitez peut-être perdre quelques kilos. D'accord. Vous pourriez fort bien vous sentir plus heureuse après cela, voire en meilleure santé, mais *votre perte de poids n'altérera en rien votre valeur.*

Nous savons toutes que la beauté est dans l'œil de celui qui regarde. Si la beauté n'est pas ce que vous retenez lorsque vous vous regardez, vous pouvez faire en sorte de changer votre image : manger différemment, faire de l'exercice, investir dans des vêtements flatteurs, voire opter pour un petit remodelage chirurgical si vous en avez envie. Mais, commencez dès maintenant à changer cet œil qui vous regarde. Car, sans ce remodelage intérieur, sans ce changement d'attitude, les autres transformations ne feront pas beaucoup de différence.

Posez un geste

Décidez que vous êtes absolument magnifique, telle que vous êtes, et appuyez votre décision par des soins personnels. Si vous préférez vivre avec 500 calories et mastiquer 500 fois chaque bouchée, c'est signe que vous êtes une habituée de l'autoflagellation et non de l'appréciation de soi. Quoi qu'il en soit, au cours des soixante-douze prochaines heures, posez au moins deux de ces gestes : achetez-vous un nouveau vêtement ; faites le ménage de votre tiroir à lingerie ; rangez un autre tiroir, placard ou classeur ; payez-vous un bon massage ou une séance au salon de beauté ; offrez-vous des fleurs ou faites quelque chose, juste pour le plaisir, soit un tour de bateau, une marche sur la plage, un bon film, ou ce qui vous rend heureuse.

Chapitre 13

CE QUE VOUS CHERCHEZ N'EST PAS DANS LE FRIGO

Mes recherches pour écrire ce chapitre ont duré 32 ans. C'est le temps que j'ai passé soit à manger pour me réconforter, soit à me priver par vengeance, traînant mes kilos en trop, ou consciente que je les reprendrais dès que je serais lassée du régime du jour, ce qui arrivait à tout coup. Heureusement, je peux affirmer qu'il y a plus de 20 ans que je ne me suis pas laissée aller à de tels excès. Cela me donne suffisamment de crédit pour faire cette déclaration : si vous vous servez de la nourriture comme je le faisais autrefois, ce que vous cherchez n'est pas dans le frigo. C'est une impression que vous avez, car grignoter vous permet de vous sentir mieux pendant un court instant. Comme le crack, si l'on veut. C'est à la longue que cela se retourne contre vous.

Dans un vieil album de famille, sur une photographie en noir et blanc, je me revois à mon premier anniversaire de naissance, fixant le gâteau avec convoitise. Je ne m'étirais pas et ne battais pas l'air comme un bébé ravi, heureux d'avoir quelque chose de nouveau et d'intéressant à explorer. Je savais que c'était du gâteau. J'étais plutôt précoce en ce qui a trait au dessert. De toute façon, j'adorais les gâteaux avant même de pouvoir me tenir debout, et pendant les trente années qui ont suivi, entre deux régimes, je continuais à avoir envie de sucré, de salé ou de n'importe quel truc comestible.

Ce qui rendait l'histoire encore plus fascinante à partager avec les différents experts auprès desquels j'ai cherché de l'aide, c'est le fait que mon père était un médecin qui avait cessé de soigner les oreilles, les nez et les gorges, pour se tourner vers les injections, les pilules et les régimes. À l'adolescence, je n'ai pas eu besoin d'essayer toutes sortes de drogues ; on m'en prescrivait par intermittence depuis que j'avais 10 ans. Pendant un bon moment, ma mère travaillait elle aussi dans l'industrie de l'antiobésité. Elle travaillait dans des salons de réduction pondérale, dans des établissements et des clubs de santé qui offraient des machines munies de ceintures et de tapis roulants qui portent à rire de nos jours, mais qui se voulaient tout à fait sérieux à l'époque. J'avais cinq ans environ, lorsque ma mère et mon père ont ouvert leur propre entreprise d'amaigrissement. Ils n'ont jamais dit : « Cache-toi ! Tu nuis aux affaires. », mais les parents n'ont pas besoin de tout dire à haute voix pour que les enfants comprennent le message.

Les régimes que mes parents m'ont fait suivre à l'époque, et ceux que j'ai suivis plus tard, conféraient aux aliments riches, dégoulinants et lourds une allure qui dépassait de loin leurs mérites. C'était le grand espoir blanc (ou parfois, le grand espoir chocolaté), qui promettait de m'apporter la paix lorsque j'étais agitée, le réconfort lorsque j'avais peur et, des années plus tard, le moyen de survivre à un après-midi ennuyeux ou à une nuit lancinante dans mon appartement solitaire. Mais tout ce que cela me donnait, c'était un truc sur lequel me focaliser pendant que je le mangeais. La petite boule qui remplissait mon ventre n'effaçait pas le nœud d'inconfort qui y était déjà. Elle ne faisait que le déplacer. Après, j'étais face à un dilemme, à mon obsession personnelle, juste sous la ceinture de mes jeans.

Voici ce qui s'est passé : j'étais tellement fatiguée de lutter que ma fatigue est devenue pire que mes envies. J'étais littéralement écœurée. À 33 ans, pendant un moment incroyable, je me foutais bien d'être grosse ou mince. Il fallait absolument que je sorte la tête de l'eau. Je l'ai dit à Dieu, et sans doute parce que je le pensais vraiment, j'ai eu l'impression que Dieu me répondait : « OK. Je t'attendais. » J'ai décidé de donner au Pouvoir qui m'avait soutenue pendant tout ce temps, la chance de m'aider à me rendre du lunch au dîner sans engouffrer une tablette de chocolat.

J'ai trouvé des gens qui s'étaient libérés avant moi, et ils m'ont aidée. Je ne m'empiffrais pas et je ne faisais pas de régime : je faisais seulement attention du matin au soir, parce que c'était tout ce dont j'étais capable. Je me suis inscrite à la gym, mais j'ai refusé de me fixer un poids idéal, parce que pour la première fois, je comprenais que mon objectif était d'être en forme et en santé, et de vivre une vie riche et épanouissante. Tout le reste pourrait venir me heurter par derrière. Avec une brioche à la cannelle géante!

Aujourd'hui, je suis à une autre étape de ma vie, mais ce qui a fonctionné à ce moment-là fonctionne toujours. La ménopause – critère suprême entre la femme, qui vient tout juste d'apprendre à se connaître, et la nature, qui en a fini avec elle – a légèrement modifié la forme de mon corps, mais mon poids reste stable. Je n'ai plus d'envies comme j'en avais plus jeune. De temps en temps, je mange trop à un repas. Cela ne ruine pas tout et ne fout pas tout en l'air. Ces jours-ci, le fait de trop manger, comme celui d'arriver en retard à un rendez-vous ou de retourner un article avec la mauvaise typo, est une preuve de mon humanité. La perfection n'est pas un préalable pour maintenir le poids que j'aime, manger la nourriture que j'aime et ne pas être obsédée par l'un ou l'autre.

Peut-être n'êtes-vous pas aux prises avec le trouble compulsif de l'alimentation que j'avais transformé en forme d'art tordu. Mais quand même, s'il vous arrive de manger d'une manière qui vous donne des remords (ou une indigestion), si vous salivez devant la nourriture (ou que vous l'évitez par crainte de succomber), si vous regardez un fruit ou une salade et que vous pensez : « Ouais !... mais quand est-ce que je vais manger de la vraie nourriture ? » vous feriez bien d'intérioriser le fait que ce que vous cherchez n'est pas dans le frigo. Ou sur le menu. Ou au supermarché. Même si les hommes et les femmes ont une myriade de comportements de compensation pour combler leur grand vide intérieur, manger est encore le moyen le plus facile. Vous vous sentez vide. Vous essayez de remplir ce vide avec quelque chose qui descend bien, et qui est substantiel une fois dans l'estomac. Mais contrairement à une envie physique, ce vide est dans votre âme et ne fait pas partie du système digestif.

Ce que vous cherchez n'est pas dans le frigo. C'est en vous, profondément enfoui, dans votre relation avec un Pouvoir supérieur et un objectif supérieur. Lorsque vous le trouvez, vous commencez à sentir que votre vie est douce et colorée, passionnée et engagée. Tout devient plus goûteux, la nourriture aussi, parce que vous prenez le temps et que vous la savourez comme l'un des avantages de la vie sur Terre, mais un avantage parmi tellement d'autres, que vous ne pourriez les épuiser, même si vous deviez vivre jusqu'à 110 ans.

Faites ceci :

- *Rentrez-vous bien cela dans la tête :* « Ce que vous cherchez ne se trouve pas dans le frigo », comme si c'était la seule et unique vérité susceptible de vous faire passer un examen crucial haut la main.

- *Entendez-vous avec votre Pouvoir supérieur.* Dites quelque chose comme : « Tu sais, cette affaire de nourriture m'a pris suffisamment de temps. Pourrais-tu t'en occuper aujourd'hui, et me laisser vivre ma vie ? Merci. Je l'apprécie. »

- *Pensez à vous d'abord.* Cela peut vous paraître aux antipodes d'être une personne spirituelle mais, bon sang, vous êtes *cette* personne. Veillez à ce que votre souci de répondre aux besoins de tout le monde ne vous empêche pas de combler vos propres besoins.

- *Tenez-vous avec des gens qui peuvent vraiment vous aider.* Je recommande les Overeaters Anonymous (outremangeurs anonymes) Cela ne coûte rien et tout le monde y est bienvenu, que vous soyez trop gros, trop maigre ou trop n'importe quoi. Ces organisations n'ont ni pèse-personnes, ni régimes ; elles ont un programme en 12 étapes pour combattre les dépendances, comme l'ail et les crucifix combattent les vampires.

- *Débarrassez-vous de votre pèse-personne.* Cela fait beaucoup trop longtemps que vous êtes obsédée par votre corps. Concentrez-vous sur votre vie, dont votre corps est le reflet. Apportez-y des changements. Les changements physiques suivront ; peut-être pas à temps pour vos retrouvailles du collège ou pour la prochaine saison des bikinis mais, pour de bon.

C'est sans doute une façon différente de faire face aux problèmes de poids que ce à quoi vous êtes habituée. Bon. Les autres approches n'ont pas fonctionné. Le temps est venu d'être radicale. Et déterminée. Et courageuse. Et prête à déployer vos ailes. Je veux dire : n'est-ce pas pour cette raison que vous êtes là ?

Posez un geste

Si vous avez un problème alimentaire, suivez chacune des étapes de ce chapitre, sans oublier de contacter les Overeaters Anonymous (outremangeurs anonymes) de votre région. Vous pensez sans doute avoir toutes sortes de raisons convaincantes de ne pas le faire, mais vous n'en avez vraiment qu'une seule : vous ne voulez pas arrêter de manger pour compenser. Avouez-vous-le et participez à une réunion, de toute façon. Faites ce que les gens des Overeaters Anonymous (outremangeurs anonymes) vous disent de faire. Débarrassez-vous de ce singe qui est sur votre dos, afin de pouvoir aider quelqu'un d'autre à en faire autant. Si vous n'avez pas de problème avec la nourriture, faites preuve de compassion envers les personnes qui en ont un.

Chapitre 14

REMPLISSEZ VOTRE VIE, PUIS REMPLISSEZ VOTRE ASSIETTE

Manger trop est la conséquence directe de ne pas vivre suffisamment. Oh! je sais qu'il y a un tas de raisons pour lesquelles les gens grossissent : la restauration rapide, la malbouffe, le grignotage, les sodas; aussi le fait de rester assise toute la journée, d'aller partout en voiture, de passer de longues soirées avec l'hypnotiseur HD, et de s'enliser dans un cycle de régimes et d'excès qui brouille les signaux du corps et complique encore plus la perte de poids. Cependant, malgré ces causes disparates, une portion considérable de la solution réside dans le fait de vivre une vie riche, en établissant clairement vos priorités, en mettant vos talents à profit et en poursuivant vos passions. Lorsque votre vie sera remplie de sens et d'objectifs, de plaisirs et de jeux (en particulier le genre qui vous fait transpirer), vous ne serez peut-être pas maigre – qui a besoin d'être maigre de toute façon? – mais vous ne devriez plus craindre de grossir.

On pourrait penser que pour qui n'est pas confronté à la guerre, à la pauvreté ou à une maladie débilitante, la norme serait de vivre une bonne grosse vie croustillante à souhait. Pourtant, des vies comme celle-là sont l'exception. Les médias à sensation, bien connus pour grossir et embellir certains faits, en rajoutent pour que ces vies aient l'air plus riches et passionnantes qu'elles ne le sont vraiment, pour la simple raison que nous sommes friands de ce genre d'histoires. Le mythe veut qu'une grosse vie juteuse soit le fait de superhumains plus beaux, plus intelligents et à la musculature plus élancée que ce qu'un simple mortel pourrait jamais espérer. Bien voyons ! Il y a une belle vie riche et palpitante qui porte votre nom. Réclamez-la en disant oui aux occasions, en vous engageant à obtenir davantage de la vie en avril que vous n'en avez obtenu en mars, et en vivant en couleurs plutôt qu'en noir et blanc (à l'exception des expositions de photographies et des classiques du cinéma, en noir et blanc évidemment).

Il y a un film (en couleur celui-là) que je loue de temps en temps pour me rappeler de vivre joyeusement : c'est *Auntie Mame*, la version de 1958, avec Rosalind Russell. Mame est un fabuleux modèle pour apprendre à vivre une vie excitante, aux perspectives illimitées. Elle dit à son neveu : « Ta tante Mame va t'ouvrir les portes, Patrick, des portes dont tu n'as jamais même rêvé qu'elles puissent exister. », et elle le fait. Elle lui enseigne que la « vie est un banquet, et que la plupart des pauvres sangsues meurent de faim ». Goûtez à ce banquet et vous pourrez remplir votre assiette au pique-nique, à toutes les fêtes et au dîner de l'Action de grâces, discrètement, mais sans vous priver.

Ce principe est au cœur de l'industrie de l'obésité : lorsque vous vivez pleinement, vous prenez part au banquet, ce qui inclut la nourriture. L'ennemi, ce n'est pas la nourriture, mais son utilisation comme drogue. S'attendre à ce qu'elle comble le vide de l'âme, c'est une faute. Manger des aliments qui n'ont pas la qualité que vous méritez, c'est mal. Trop d'une bonne chose c'est... eh bien ! c'est trop d'une bonne chose ; mais cela ne signifie pas que la nourriture est un piège que l'on vous tend. Cela signifie seulement que vous n'êtes pas sûre qu'il y aura ensuite une chose aussi plaisante que de finir de manger un énorme morceau de gâteau. En vivant pleinement entre les repas, vous vous assurez qu'une autre occasion ou sensation merveilleuse vous attend. Lorsque vous vivrez ainsi, il vous sera plus facile de vous arrêter lorsque vous aurez assez mangé, même si cela vous semblait impossible il n'y a pas si longtemps.

Voici un moyen facile de vivre pleinement : commencez à dire oui aux invitations et aux occasions, en particulier à celles que vous auriez refusées auparavant. Menez ensuite vos propres petites aventures, en prenant des cours dans un domaine qui vous intéresse, en essayant une nouvelle cuisine, en invitant une connaissance à prendre le thé, puis en comptant le nombre de tasses qu'il vous faut afin de devenir de grandes amies. Vous voudrez sans doute insérer quelques grandes expériences dans ce mélange : un grand voyage, un projet d'envergure, un geste charitable bon pour l'épanouissement de votre âme.

Des amis ou des membres de votre famille pourraient tenter de vous décourager parce qu'ils sont eux-mêmes craintifs. Ces individus ont besoin de leur peur afin que leur vision du monde soit toujours bien ordonnée. Ils sont comme des poissons dans un aquarium divisé en deux par une paroi de verre. Le poisson apprend à nager dans l'espace dont il dispose. Lorsqu'on enlève la paroi de verre, il continue à nager dans le même espace. Ils peuvent disposer d'un plus gros aquarium – d'un monde plus grand – mais ils sont incapables de s'y aventurer. Les gens qui ont peur à la seule pensée de vivre pleinement font de même. C'est leur affaire, tant qu'ils n'essaient pas de vous convaincre de faire comme eux.

Mais vous pouvez vous laisser piéger par ce qui ne fait pas peur. Le grignotage n'intimide personne. Pas plus que de regarder la télé. Ou de vous asseoir au cinéma avec un grand verre de soda et un baril de maïs soufflé. Cela ne vous dérange pas d'aller au travail en voiture et de la laisser dans le garage, mais vous regimbez à l'idée de prendre votre bicyclette et de chercher une place où vous pourriez la verrouiller. Vous pouvez trouver difficile de dire à votre copain que vous aimeriez manger au bistrot où l'on sert de la soupe et de la salade, plutôt que d'opter encore une fois pour le buffet à volonté. Entendre votre meilleure amie dire : «Je te trouve insupportable depuis que tu es maigre. » (même si elle prétend que c'est une blague et que de toute façon, vous n'êtes pas *maigre*) pourrait faire en sorte que vous vous sentirez mal à l'aise tout l'après-midi.

Le seul choix positif consiste à suivre votre chemin et à rester concentrée. Vous êtes déterminée à vivre pleinement. Vous allez prendre soin de vous, peu importe qui laisse entendre que vous êtes égoïste ou imbue de vous-même. Le fait de bien vivre vous donnera l'énergie émotionnelle dont vous avez besoin pour accomplir votre destin. Prendre soin de vous vous donnera l'énergie physique pour dépasser l'image de la personne seule, ronde et fauchée, et pour vivre la vie que vous considérez la vraie vie à vivre. Restez sur vos positions. Ceux qui sont près de vous se rapprocheront ou reculeront, et les autres, les gens qui vivent pleinement, sauront comment vous rejoindre.

Posez un geste

Posez une action concrète afin de vivre pleinement dès aujourd'hui. Peut-être cela signifie-t-il verser votre jus d'orange du matin dans une coupe à champagne, ou porter le nouvel ensemble que vous réserviez pour une occasion spéciale. C'est une occasion spéciale : c'est une journée de votre vie. Chaque fois que vous ratez une occasion, c'est la personne seule, ronde et fauchée qui l'emporte, et c'est une honte.

Chapitre 15

LA NOURRITURE SAINE EST UNE BONNE CHOSE

On croit généralement que bien manger fait grossir. C'est possible, bien sûr, mais dans la pratique, il y a beaucoup plus de gens qui ingurgitent trop de calories dans des aliments qui n'étaient pas très bons dès le départ. J'ai entendu une entrevue où deux Françaises parlaient des Américains. Ces femmes disaient combien nous sommes accueillants et curieux d'essayer de nouvelles choses, et qu'historiquement, nous avons toujours été un peuple très innovateur. Mais une chose les laissait perplexes à notre sujet : « Pourquoi y a-t-il autant d'Américains obèses, demandait l'une d'elles, alors que la nourriture est si mauvaise ? » Résistant à la tentation de donner libre cours à nos chamailleries transatlantiques, force nous est d'admettre que la question est fondée. Peu d'Américains ont engraissé parce que leur dada était la fine cuisine.

Logiquement, c'est chez les gourmets, chefs, stylistes et critiques alimentaires que l'obésité devrait être le plus répandue. Bien que certains succombent, mes observations laissent à penser que ces gastronomes invétérés risquent moins de souffrir d'embonpoint que le reste de la population. Comme les professionnels de la mode sont connus pour leur style épuré, les vrais gastronomes mangent avec discernement. Les *ultra-mangeurs* ont beau prétendre aimer désespérément la nourriture en tant que genre, en y regardant de près, on s'aperçoit qu'ils se servent de certains aliments comme de drogues. Les miennes étaient les petites douceurs, les fruits secs (c'est naturel, non ?), les gros morceaux de fromage bien gras, les barres au beurre d'arachides, le babeurre (je sais, c'est cochon), et un gâteau très spécial fait de trois biscuits glacés en forme de triangle, au lieu de l'habituel paquet de deux.

Parmi tout ce qui s'offrait à moi, j'avais choisi sept produits qui, à part le fromage, étaient de la dernière qualité. Pas mal pour quelqu'un qui affirmait aimer la nourriture autant qu'Iseult pouvait aimer Tristan ! C'est embarrassant, mais j'aimerais que vous réfléchissiez à ceci : élargir vos horizons gastronomiques et en arriver à savourer la nourriture autant que vous croyez déjà la savourer, ne vous rendra pas obèse. Cela devrait vous aider à mincir.

On peut le constater même chez les personnes qui ont une surcharge pondérale sans être des goinfres. Pour une grande majorité, les mets favoris sont des recettes américaines familières et réconfortantes : hamburgers, frites et tartes aux cerises... poulet frit et côtes levées barbecue... tacos et pizzas (pas originaires des États-Unis, mais naturalisés depuis belle lurette)... glaces et biscuits... croustilles et trempettes... soda sucré (au fait, c'est la principale source de calories provenant du sucre) et les produits de régime qui contiennent à peine quelques calories, mais qui vous donnent une folle envie d'autre chose.

Je vous le dis, tous ces individus ne sont pas absorbés dans la lecture de *Gourmet* et de *Cuisine illustrée*. Ils ne goûtent pas des plats et des boissons délectables provenant des quatre coins du monde. Ils ne sont pas gros à cause de leur insatiable envie de jouir des plaisirs de la table, ou simplement parce que leur nourriture est gorgée de gras et de calories (bien qu'elle le soit). Ils sont gros en grande partie parce que la nourriture est inintéressante, inadéquate, autant d'un point de vue nutritionnel qu'esthétique. Il en résulte que dans une vaine tentative de trouver un peu de satisfaction, ils mangent de plus en plus de ces aliments creux mais, comme vous pouvez le deviner, c'est peine perdue.

Eh bien! tout n'est pas perdu, mais vous devrez opérer une révolution personnelle qui affectera votre façon de manger ainsi que votre style de vie. Vous devrez avoir la volonté de renoncer à ce qui vous semble normal. Cela s'entend dans votre langage de tous les jours : « On n'a pas de lait normal, seulement du lait de soya. » « Doisje acheter de la laitue régulière ou de la bio ? » « Je vais en Californie. J'espère y trouver à manger des trucs pas trop bizarres. » Optez pour le bizarre ! C'est la nourriture dite normale qui nous a rendus anormalement gros.

Notre entraînement à cette « normalité qui n'a rien de normal » s'est amorcé dès l'enfance. Nous avons subi différentes influences familiales. Il y avait des mères qui cuisinaient des spécialités ethniques avec à peu près rien, alors que d'autres servaient des repas de régime sortis tout droit du congélateur, mais nous subissions tous l'influence de l'alimentation commerciale. Comme hors-d'œuvre, vous avez l'industrie de la restauration rapide qui flatte adroitement les hyperactifs, avec ses produits qui exacerbent, en leur fournissant sur place des terrains de jeux et des jouets coloriés en plastique. Leur message est : « Éclatez-vous, les enfants. On accorde trop de mérite à la civilisation, de toute façon. »

Et même dans les restaurants où l'on peut s'asseoir, jetez un œil aux menus pour enfants : pépites de poulet pané, à grande friture par définition ; fromage grillé (transformé) sur pain blanc ; pâtes de farine blanche avec boulettes de viande ou macaroni au fromage (transformé) ; et peut-être un hamburger sur petit pain blanc, accompagné des frites obligatoires. Ces menus sont étrangement similaires dans les deux grandes chaînes les plus connues et dans d'autres lieux semblables aux quatre coins du pays. C'est comme si un sous-comité de la Commission trilatérale à l'alimentation des enfants conspirait pour rendre une autre génération accro au sucre, au sel et aux graisses, et pour enseigner aux enfants, à l'âge où ils sont le plus réceptifs, que les légumes, fruits frais et grains entiers – les aliments riches en fibres que privilégient ceux qui restent en forme sans faire de régime – sont dégoûtants !

D'accord, vous subissez un lavage de cerveau depuis l'âge de deux ans. Mais vous pouvez vous reprogrammer et trouver cela amusant. Concentrez-vous sur les aliments qui poussent dans le sol. Explorez la section des produits maraîchers d'un mégasupermarché. Savourez un kaki bien mûr ou une tomate des champs. Allez dans un restaurant d'aliments naturels. Apprenez, dans un livre ou en suivant des cours, à préparer la cuisine santé, des plats délicieux qui utilisent moins d'huile, moins de sucre et moins de sel. Offrez-vous parfois une entrée composée de légumineuses (haricots et pois séchés), les champions protéiniques du monde végétal. Troquez votre régime pour la découverte des cadeaux de la nature.

Les aliments qui nourriront votre corps et raviront vos sens ne sont pas vos ennemis. Si vous avez l'impression que tel produit pourrait être dangereux pour vous, n'en gardez pas chez vous. Sinon, honorez Dieu et la nature, les chefs, les agriculteurs et les vers de terre, en choisissant des produits de la terre qui ont peu ou prou été transformés par les fabricants et marchands de tout acabit. Ces produits sont beaux à voir et délicieux à goûter. Ce sont des aliments qui vous procurent les nutriments dont vous avez besoin et qui vous invitent à prendre place à table avec les gens qui vous sont chers, ou seule, en écoutant les plus grands succès de Sinatra.

Manger – dîner – doit être un réel plaisir. Tout comme se lever et se mettre au lit. Comme faire l'amour et écouter de la musique. Comme sentir le vent sur votre visage et faire le salut au soleil dans une classe de yoga. Comme parler à une amie et écouter votre intuition. Du plaisir. Du bonheur. Tout cela. Prenez votre part et profitez-en.

Posez un geste

Pour dîner, dès ce soir, mangez quelque chose qui vous donne envie de rendre grâces à Dieu, car vous êtes réellement reconnaissante que votre nourriture soit aussi savoureuse.

Chapitre 16

TROUVEZ DES GENS QUI NE SONT PAS GROS ET FAITES COMME EUX

Après 60 ans de régimes, les Américains sont plus gros que jamais, et nous exportons notre obésité dans le monde entier. Plutôt que d'inventer un autre régime infaillible, si nous observions le comportement de ceux qui ne sont pas gros, pour ensuite les imiter ? Donc, qui n'est pas gros ? Eh bien ! il y a ceux qui sont toujours au régime et ceux qui font de l'exercice physique de façon compulsive ; les anorexiques, de nombreux boulimiques, et les rares merveilles génétiques pourvues d'une capacité alchimique à métaboliser les gras purs en muscles et en énergie utilisable sur-le-champ. Mis à part ces spécimens qui sortent de l'ordinaire (et qu'il ne faut surtout pas imiter), on peut chercher qui, en règle générale, évite d'engraisser, et voir ce que ces gens ont en commun. Voici ma liste, par ordre alphabétique :

- *Les Asiatiques :* Malgré le fait que l'obésité est en train d'envahir l'Asie en même temps que les franchises de restauration rapide, la Chine continentale, la nation la plus populeuse de la planète, est encore largement à l'abri de ce problème. Même chose au Japon, en Corée, en Thaïlande et au Vietnam. L'Asie devrait être le laboratoire où nous regardons pour découvrir ce qu'il faut bien faire dans la cuisine. Pensez-y : il y a cet énorme continent où des milliards d'individus ne meurent pas jeunes de famine ou d'indigestion. Ils doivent faire la bonne chose, et cette chose est l'alimentation traditionnelle asiatique, qui comprend un féculent de base (le plus souvent le riz, le blé dans certaines régions), beaucoup de légumes frais, quelques fruits, du poisson, de la volaille ou du porc, lorsqu'ils sont disponibles et abordables.

- *Les athlètes et les danseurs :* J'ai assisté à un événement en l'honneur de l'écrivain Toni Morrison. Au programme : le vétéran danseur Bill T. Jones. Son corps est tellement bien sculpté (des abdos taillés au couteau), que lorsqu'il est apparu sur la scène, il y a eu un murmure d'admiration collectif dans la salle. Cet homme a 54 ans, mais il a un corps pour lequel des hommes qui ont la moitié de son âge donneraient leur chemise. Pour les danseurs et les athlètes qui continuent de bouger même lorsqu'ils ont abandonné la compétition, l'âge est une simple formalité. Leurs mouvements énergiques leur procurent un corps situé au 99 percentile, alors que les sédentaires que nous sommes se préparent à faire de l'embonpoint. Quoique, de nos jours, l'embonpoint commence souvent à la puberté pour ne plus jamais s'arrêter.

- *Les personnes inscrites au National Weight Control Registry :* le *National Weight Control Registry* (www) suit des personnes qui ont perdu plus de treize kilos et demi sans les reprendre, pendant un an ou plus. Presque tous les membres inscrits au registre rapportent avoir évité de reprendre les kilos perdus, grâce à un régime faible en calories de tous genres, et relativement plus faible en gras et plus élevé en glucides que ceux qui ont aujourd'hui la faveur de nombreuses personnes suivant un régime. Près de 80 % affirment prendre leur petit déjeuner quotidiennement. La majorité fait aussi de l'exercice physique assidûment.

- *Nous, il y a 30 ans :* L'obésité a doublé aux États-Unis entre 1980 et 2000, malgré (ou en partie à cause) les régimes faibles en gras des années 1980, et les régimes faibles en féculents des années 1990. L'obésité s'est insinuée tandis que les clubs de santé poussaient comme des champignons et que nous cessions de confondre yoga et yogourt. Alors que certains se lançaient dans la marche à pied, le cardiovélo et les programmes *Pilates*, d'autres se lançaient à corps perdu dans les buffets à volonté.

Pendant ce temps, le sirop de maïs riche en fructose, qui coûte moins cher à produire que le sucre, son cousin chimique, faisait baisser le prix des boissons gazeuses et augmenter leur taille. Les machines distributrices entraient dans les écoles. Nous mangions plus souvent à l'extérieur. Les restos se disputaient notre clientèle et nous gavaient de portions plus grosses, de sel, de sucre et de gras, qui accrochaient les dîneurs dans une version culinaire de *Dites-le à vos enfants* (*Reefer Madness*). Les bouibouis de restauration rapide, déjà aux quatre coins du pays, obtenaient le statut de restaurants, et leur nourriture hautement transformée et calorifique s'est mise à ressembler à de la vraie nourriture. Les experts de la perte de poids ont échangé le vieux dicton qui disait : « ne mangez pas entre les repas », par : « mangez plusieurs petits repas par jour », que n'importe qui pouvait traduire, à ses risques et périls, par : « allez-y, grignotez sans arrêt ».

De plus, on est passés de quatre chaînes de télévision à des centaines, de sorte qu'il y a toujours quelque chose à regarder. Lorsque les ordinateurs personnels ont fait leur apparition, on est restés assis encore plus longtemps, mais sans la culpabilité du mollasson, vu que cette léthargie nouvelle nous semblait tellement active : nous travaillions, communiquions, apprenions des tas de choses, et nous nous faisions des amis; nous pouvions même magasiner! Bien sûr, seuls nos doigts étaient occupés, alors nous sommes devenus plus gros (plus fauchés et plus seuls aussi, nous y reviendrons dans un autre chapitre).

- *Les adeptes du végétarisme :* Les végétariens (ceux qui ne mangent ni viande ni poisson) sont en moyenne de 3 à 20 % plus minces que les carnivores; et les végétaliens (les purs et durs qui évitent aussi les produits laitiers et les œufs) ont, selon les statistiques, des IMC plus bas que leur cohorte plus libérale dans le monde du végétarisme. Le biochimiste de la nutrition, T. Colin Campbell, Ph.D (il a mené la *China Health Study*, l'enquête alimentaire la plus importante jamais menée), affirme ceci : « S'ils sont sous forme d'aliments entiers, la consommation d'aliments à base de plantes entraînera une diminution importante des cas d'obésité. »

Ce régime est fait d'aliments entiers à base de plantes, à haute teneur en glucides complexes (légumes et grains entiers), contenant du sucre en quantité raisonnable (provenant de fruits frais et séchés), et suffisamment du type de protéines qui ne fournit pas trop de gras saturés (les protéines végétales des légumineuses, produits du soya, grains entiers), et ayant un apport adéquat de gras importants (noix, graines, huile d'olive, lin). Ce genre de menu incorpore salades croquantes et crudités, légumes cuits à la vapeur et sautés, soupes, ragoûts et sautés, pâtes et burgers végétariens, pommes de terre au four, patates douces et courges, riz brun, millet et quinoa, haricots noirs, haricots rouges, pois chiches et tofu, fruits et baies et tout ce qu'ils servent au Paradis, sans oublier les pommes.

- *Les animaux sauvages :* À moins que vous ne parliez d'une espèce qui hiberne et emmagasine le gras comme carburant pour traverser la saison de dormance, les animaux sauvages ne font pas d'embonpoint. Qu'ils soient carnivores, omnivores, herbivores ou frugivores, les créatures ne deviennent pas grosses lorsqu'elles mangent la nourriture que la nature procure à leur espèce.

De toute évidence, les humains peuvent fonctionner comme les omnivores, se développer, se reproduire et assujettir tout le monde mais, d'un point de vue anatomique, nos plus proches parents sont les primates à prédominance frugivores. Comme eux, nous possédons un appareil intestinal de frugivores, des molaires qui broient et des mains capables de cueillir des fruits. Lorsque nous mangeons les aliments qui conviennent à notre physiologie : racines, fruits, feuilles et graines, nous n'engraissons pas.

Apparemment, chaque animal vivant, à l'exception de celui qui est supposé être doté d'intelligence, sait quoi manger et quand s'arrêter. Seuls les Occidentaux modernes – et nos animaux de compagnie, qui vivent plus ou moins comme nous – sont menacés par l'obésité. (Entendu dans le *Upper East Side* : « Winston va au gymnase pour chiens pour faire de l'exercice. L'entraîneur du chat vient à l'appartement. » Oui, cela ressemble au commentaire que l'on pourrait faire juste avant l'effondrement d'une civilisation mais, à tout le moins, Winston et son frère félin gardent la forme !)

Il y a un thème commun à ces observations : pour maintenir un poids santé, il n'est pas nécessaire de tout foutre en l'air. Cela n'a pas à être compliqué, torturant ou pénible. Dans la grande majorité des cas, cela n'exige pas un régime strict, des médicaments ou de la chirurgie, une totale compréhension de la nutrition, ou un entraîneur qui soit également sergent instructeur et dominateur.

Si vous voulez arrêter d'être gros ou cesser d'avoir peur de le devenir, mangez de vrais aliments provenant surtout du monde végétal. Si vous ne savez pas ce que sont ces « vrais aliments, provenant surtout du monde végétal », ou comment les préparer, consultez les livres de cuisine végétarienne et naturelle à la bibliothèque ou en librairie. (Vous trouverez mes favoris dans la bibliographie.) Passez une heure dans un magasin d'aliments naturels bien garni. Liez-vous d'amitié avec le maraîcher du quartier. Demandez aux gens qui les produisent quoi faire avec le chou frisé (couper les tiges dures et faire cuire les feuilles à la vapeur, avec un peu d'huile d'olive et beaucoup d'ail) ou avec une courge musquée (couper en deux, enlever les graines à la cuiller, enduire légèrement d'huile d'olive, saupoudrer de nectar d'agave – un édulcorant naturel semblable au miel, avec un index glycémique très bas – et cuire au four jusqu'à tendreté).

Regarnissez votre frigo et vos armoires en débarrassant votre cuisine de tout ce qui est très sucré, très salé et de tous les aliments transformés. Lorsque vous sortez, tenez-vous loin de la restauration rapide et prenez suffisamment soin de vous pour manger dans un endroit où il y a de la vaisselle et des serveurs aux tables. À la place du soda, buvez de l'eau (plate ou pétillante), du thé glacé ou un mélange moitié-moitié de jus et d'eau de Seltz. À l'heure de la collation, optez pour une cuillerée plutôt que trois. À moins que votre médecin ne vous dise qu'il faut faire autrement, prenez un petit déjeuner, un lunch et un dîner, et passez votre temps à *vivre*, plutôt qu'à grignoter entre les repas.

Incorporez l'exercice physique dans votre journée et ajoutez-y des exercices aléatoires : marcher jusqu'à votre destination, monter les escaliers, accomplir la tâche de prendre soin de vous. Trouvez des façons de profiter de l'activité : vous pouvez prendre des leçons de tango, faire du vélo de montagne, joindre un groupe de cyclistes, essayer le patin à roues alignées. Voyez cela comme une récréation, plutôt que comme un exercice obligatoire. Sinon, cela pourrait ressembler à une fête de bureau : vous êtes censé vous amuser à plein, mais pour dire la vérité, vous êtes toujours en train de travailler.

Posez un geste

Adoptez dès aujourd'hui une habitude empruntée à ceux qui ne souffrent pas d'embonpoint. Tenez-vous-en à cette unique habitude, jusqu'à ce que vous l'ayez intégrée pour de bon. Lorsque ce sera fait, apportez d'autres petits changements, ne serait-ce qu'un à la fois, si c'est ce qu'il vous faut pour en prendre l'habitude.

Chapitre 17

DANS LE DOUTE, SUIVEZ LA *MAP* (MODÉRATION, ACTIVITÉ, PERSÉVÉRANCE)

Les personnes qui ne sont pas grosses ont des règles de discipline très simples :

1. Elles consomment avec modération.
2. Elles sont physiquement actives.
3. Elles font preuve de persévérance et s'efforcent de garder la maîtrise d'elles-mêmes, tout en gardant la forme.

Des millions d'hommes et de femmes le font inconsciemment. C'est ainsi qu'ils ont été éduqués, ainsi qu'ils ont toujours été. D'autres, un nombre important de ceux qui ont déjà fait de l'embonpoint, pratiquent la modération, font de l'activité physique et sont persévérants, jusqu'à ce que cela leur semble aller de soi, ou même si ce n'est jamais tout à fait le cas. La modération, l'activité physique et la persévérance tracent la carte (la MAP) qui vous permettra de sortir de l'obésité. (Cela peut également aider à vous sortir de la pauvreté et de la solitude, puisque l'habitude de la discipline est transmissible à d'autres domaines de la vie.)

La modération : la modération, c'est de savoir quand assez c'est assez. En ce qui a trait à la nourriture, elle consiste à vous arrêter juste avant de penser que vous êtes rassasiée, car dans un monde d'opulence, il est facile de confondre gavé et rassasié. Ne soyez pas naïve : si toutes ces publicités de produits contre les brûlures d'estomac et les indigestions passent aux heures de grande écoute, c'est parce que nous ne savons pas quand nous arrêter. Si vous ne savez pas bien ce qu'est la modération, consultez cette courte liste d'exemples :

- Une belle grosse salade (comme les légumes crus sont constitués à 80 % d'eau, une salade peut paraître énorme et être modérée, à condition de ne pas y ajouter plus de 2 cuillerées à soupe de vinaigrette.)

- Une assiette de pâtes de taille moyenne (c'est ce que l'on sert dans un restaurant de fine cuisine italienne, où les portions sont d'environ la moitié de celles que l'on sert dans n'importe quel boui-boui typique.)

- La portion entière de riz brun dans un restaurant chinois et la moitié de l'entrée (le riz, sans gras et riche en fibres, est un aliment rassasiant ; le poulet du général Tao sera riche et fort en huile. Si vous optez pour une entrée cuite à la vapeur, vous pourrez en manger une plus grande quantité, tout en demeurant modérée.)

- Un morceau de viande (si vous mangez de la viande) est de grosseur moyenne lorsqu'il a la taille d'un jeu de cartes.

- Deux enveloppes de gruau instantané (une seule égale une portion, mais deux restent raisonnables et modérées, si vous avez faim le matin).

- Une demi-tasse – et non la moitié d'un contenant d'un litre ou plus – de jus d'orange (si vous le pressez vous-même, vous saurez combien d'oranges il faut pour remplir un petit verre).

- La moitié d'un dessert au restaurant, voire un tiers ou un quart de portion (un peu de sucre peut être agréable après un repas ; un dessert au complet est un choc sucré dont personne n'a besoin).

- Une assiette de taille standard garnie de tout ce qui constitue un repas, en laissant un peu de porcelaine percer sur les contours. Pas de deuxième portion. (Si vous mangez lentement, votre cerveau aura les 20 minutes qu'il lui faut pour recevoir le message de satiété.)

- Une barre nutritive qui contient réellement des éléments nutritifs. J'ai adopté la barre Luna, mais il existe de nombreuses bonnes marques dans le commerce. Pour le petit-déjeuner (lorsque vous n'avez vraiment pas le temps), comme dessert à la fin d'un repas, ou comme collation d'après-midi (lorsque vous savez que vous ne dînerez pas avant la fin du film), choisissez une barre qui contient moins de 200 calories, sans sucres raffinés ou sirop de maïs riche en fructose, sans huiles hydrogénées, et contenant une quantité respectable de protéines (de 7 à 10 grammes).

- Une bouteille de soda classique. Si vous buvez ce genre de boisson (ce que je réprouve en principe : cela ne vous apporte rien et vous valez beaucoup mieux), achetez ces mignonnes bouteilles de six ou huit onces, à la mode d'autrefois, vous savez, du temps où nous n'étions pas gros.

L'activité physique : La majorité d'entre nous a appris, en première année du primaire, que toute vie est soit animale, soit végétale, soit minérale. Les deux derniers types ne bougent pas. Les animaux et les humains sont ainsi nommés parce qu'ils sont animés. Faites-vous à l'idée : vous n'êtes ni un bégonia, ni un rocher; vous êtes censée bouger.

La simple discipline de l'activité reconnaît qu'à moins que vous ne soyez débardeur ou que votre travail n'exige un usage rigoureux et soutenu de vos muscles, il faut que vous fassiez de l'exercice physique.

Faites-le le matin, même si vous détestez les matins; ce sera réglé pour la journée. Et si vous faites vos exercices avant le petit-déjeuner, vous épuiserez vos réserves de glycogène en cinq minutes environ, plutôt que vingt; vous brûlerez donc plus rapidement les graisses. Si vous avez plus de quarante ans, demandez l'avis de votre médecin; ensuite, au moins trois jours par semaine, entraînez-vous au point de transpirer abondamment. Idéalement, vous finirez par faire de l'exercice tous les jours de la semaine, sauf un. Voici à quoi pourrait ressembler cette routine : trente minutes de cardio (course, danse, tapis de jogging, marche rapide) et dix minutes d'étirements, quatre jours par semaine; et deux jours de musculation, des séances d'une durée de quarante minutes, couvrant le haut et le bas du corps. (Prévoyez au moins un jour, voire deux, entre vos séances de musculation.)

Si vous êtes malade, restez tranquille jusqu'à ce que vous soyez remise, puis reprenez vos exercices comme si vous vous rapportiez à un contrôleur judiciaire. Si vous êtes blessée, faites faire de l'exercice à vos membres qui n'ont pas subi de blessures. Et intégrez des activités additionnelles chaque fois que vous le pouvez. Garez-vous le plus loin possible de votre destination, plutôt que tout près. Conduisez une voiture manuelle. Allez promener le chien. Refusez d'aller vivre dans un endroit où il n'y a pas de trottoirs.

La persévérance : La persévérance est une condition *sine qua non*. On ne peut pas manger bien une fois et croire que le problème est réglé, ou prendre un cours de danse de six semaines et rayer la case « exercice physique » de notre liste de choses à faire. Si vous êtes persévérante, vous refusez de prendre congé de bichonnage, même durant les vacances. Le fait de ne pouvoir atteindre la perfection ne doit pas vous empêcher d'être vraiment bonne. Avec de la persévérance, un recul n'est rien de plus qu'un dos d'âne pour ralentir votre course ; sans persévérance, vous vous préparez à un gros carambolage.

C'est pour la vie et c'est la vie ! Chaque jour, traitez-vous comme une personne qui vaut la peine qu'on prenne soin d'elle et qu'on la préserve. Chaque jour, méfiez-vous des excuses qui vous ramèneraient à vos façons de faire comme autrefois, qui encourageraient la prise de poids. Et chaque jour, invitez, espérez et acceptez l'aide de votre Pouvoir supérieur. Il n'est jamais hors d'atteinte, mais vous devez renouveler ce lien quotidiennement.

La persévérance est nécessaire, parce que votre mécanisme défectueux pourrait avoir été réglé il y a longtemps, soit à « grosse », soit à « peur d'être grosse ». Laisser aller les choses pourrait signifier perdre du terrain. Cependant, et c'est crucial, persévérer ne veut pas dire devenir paranoïaque ou obsédée par vos habitudes alimentaires ou d'activité physique. Si tout cela vous angoisse au point de vous empêcher de bien vivre, quelque chose ne tourne pas rond. Prenez-vous le temps de méditer tous les matins (chapitre 9) ? Êtes-vous entourée de personnes qui vous soutiennent ? Dormez-vous suffisamment ? Faites-vous face aux blessures, déceptions et frustrations avant qu'elles ne se transforment en monstres ? Si oui, rien ne peut vous empêcher de persévérer sur le chemin de la liberté. N'ayez crainte. Vous pouvez décider de dire non aux cocktails et aux desserts, mais vous n'êtes pas obligée de rater la fête.

Posez un geste

Examinez bien la relation que vous avez avec votre corps aujourd'hui, puis établissez clairement ce qui vous serait le plus bénéfique en ce moment : un peu plus de modération ou un peu plus d'activité. Engagez-vous à le faire. Comme la modération et l'activité physique aiment la compagnie l'une de l'autre, en vous accrochant à l'une signifie que vous incorporerez les deux et y gagnerez en persévérance.

Chapitre 18

JE SAIS QUE C'EST VRAI

Votre vie est votre vie, et vous découvrirez votre chemin en trouvant votre voie. J'ai toutefois évité d'être grosse depuis, ma foi, 33 ans maintenant, et conséquemment, il y a des vérités que je tiens pour sacro-saintes. Je vous invite à adopter celles qui vous conviennent. Classez les autres quelque part; celles que vous trouvez stupides aujourd'hui, pourraient vous sembler beaucoup plus raisonnables plus tard.

Voici les choses que je sais être vraies :

- *Les matins sont faits pour la méditation et l'exercice physique.* En m'occupant de moi le matin, je me prépare à affronter la journée et ses exigences, et vous pourriez en faire autant.

- *Il est obligatoire de prendre soin de soi.* Si vous avez besoin de manger et que votre mari continue à conduire ou à tondre le gazon, revendiquez votre droit à un bon repas. Si cela vous rend dingue de garder des biscuits dans le garde-manger mais que vos enfants en veulent, apprenez-leur que l'on n'obtient pas toujours ce que l'on veut. C'est une belle leçon de vie. Vous comptez. Si vous faites comme si vous ne comptiez pas, vous devrez prendre énormément de place uniquement pour prouver que vous êtes là.

- *Le sommeil est important.* Si vous dormez suffisamment, vous vous éveillerez tôt, et vous sentirez fraîche et détendue. Faire de l'exercice lorsque vous êtes épuisée prédispose le corps aux blessures, et le manque de sommeil peut provoquer une rage de sucre. Certes, il y a des raisons légitimes pour vous coucher tard, et lorsque vous en avez une, profitez-en pour vivre un peu. Lorsque vous n'en avez pas, optez plutôt pour être en santé, riche et sage.

- *Si vous ne buvez pas assez d'eau, vous sentirez la faim.* La déshydratation, même légère, peut perturber complètement votre mécanisme de soif. Votre cerveau asséché ferait n'importe quoi pour du glucose (sucre), lorsque vous avez vraiment besoin d'eau.

- *Sauter le petit déjeuner, c'est courir au devant des problèmes.* Vous venez de jeûner pendant 10, 12 ou 14 heures. Si vous ne ressentez pas encore la faim, vous n'avez pas besoin de manger un gros petit déjeuner ; certaines personnes s'en tirent très bien avec quelques bouchées de fruits. Mais la majorité des individus se sentent mieux avec quelque chose de plus substantiel. Un peu de protéines accompagnées de glucides complexes vous donneront beaucoup d'endurance. Essayez-le. Et surtout, ne sortez pas de chez vous sans avoir fait le plein de carburant !

- *Le grignotage est bon pour le bétail.* Je sais, je sais, les experts psalmodient *grignoootez,* comme s'il s'agissait d'un mantra magique mais, à moins d'être atteinte de quelque maladie qui exige que l'on grignote, le grignotage n'est rien de plus que la goinfrerie qui s'étire. Mangez trois repas par jour et développez le courage, la grâce et le sang-froid de vous tenir loin de la nourriture le reste du temps.

- *Les régimes font grossir.* L'autoroute qui mène à *Régimeville* n'offre que deux sorties : la privation et la complaisance. On appelle cela « les montagnes russes ». Les deux sont extrêmes et contre-productives. Prenez plutôt la route de *Santéville,* où vous ne risquerez pas de tomber dans ces ornières. Si vous suivez des régimes depuis longtemps, *Santéville* ressemblera à un mirage, comme dans « Toto, j'ai l'impression qu'on n'est plus au Kansas », si le Kansas est le seul endroit que vous connaissiez. Persistez. Vous finirez par vous y sentir chez vous.

- *Les drogues et l'alcool peuvent affecter votre poids.* Les drogues, qu'elles vous soient prescrites ou en vente libre pour soigner un simple rhume, peuvent affecter votre appétit et votre capacité à freiner vos excès de table. Même la caféine, qui calme l'appétit à court terme, peut vous donner envie de vous empiffrer lorsque son effet s'est estompé. L'alcool contient des calories dont il faut tenir compte, et si la consommation d'alcool vous fait perdre toute retenue, vous devriez peut-être vous efforcer de ne pas en abuser.

- *Les mauvais sentiments incitent à manger mal.* L'envie. Le ressentiment. La convoitise, comme envier les avantages de quelqu'un d'autre parce que vous avez l'impression de ne pas en avoir autant. Il m'est arrivé, au bout de quatre années sans faire d'excès, de ressentir de la colère et de la jalousie envers une amie, et d'amorcer six mois de bacchanale avec un sac, non je ne blague pas, de pruneaux. Rien ni personne qui vous irrite et vous contrarie ne mérite que vous recommenciez à vous empiffrer. Une bonne marche et quelques profondes respirations vous aideraient peut-être. Vous pourriez avoir besoin d'appeler quelqu'un pour en parler. Quoi qu'il en soit, évitez toutes les émotions qui vous mèneraient jusqu'au gâteau trois étages, ou, si vous avez vraiment dépassé les limites, au sac de pruneaux.

- *Votre Pouvoir supérieur s'intéresse à tout ce qui vous intéresse.* Sans oublier votre obsession pour les feuilletés au fromage et les lapins en chocolat blanc. Ce n'est ni téméraire, ni même trop ambitieux, de vous attendre à ce que la force aimante qui est en vous transforme votre attitude envers la nourriture et votre vision de votre corps ; ça ne veut pas dire toutefois dire que vous vous déresponsabilisez. Vous vous attendez à ce que Dieu (ou quelque chose du genre) continue de faire tourner la Terre et s'occupe du reste de l'entretien cosmique. Lorsque vous voulez dire *marinara* et que vous sentez que c'est le mot *Alfredo* qui va sortir de votre bouche, pourquoi ne pas demander de l'aide au sommet ?

Parmi les vérités que je reconnais, il y en a que j'ai apprises de mes semblables. Les autres sont le fait de l'expérience. Plus vous serez engagée dans votre propre bien-être, plus vous mettrez à jour des choses que vous savez vraies. Croyez-y, même si c'est la vérité d'un seul jour et que demain pourrait vous révéler bien autre chose. C'est tout ce que vous avez à faire.

Vous voyez, je pourrais vous dire que l'obésité ne viendra jamais noircir votre porte (ou élargir vos hanches), si vous faites tout ce que je fais et vivez comme je vis. Quelqu'un qui avait lu mon livre *Fit from Within*, où il était question de dominer les excès de table, m'a fait parvenir ce courriel : « Vous seriez aussi célèbre que Atkins, si vous ne donniez pas aux gens autant d'autonomie. » Mais sans autonomie, vous êtes un automate.

Maintenant, vous avez une bonne idée de ce que je pense et de ce que je fais. En règle générale, je mange trois repas par jour. Je suis végétarienne et quasi végétalienne. Je crois que c'est une façon saine de manger, mais j'y crois surtout parce que je suis allée dans un abattoir et une ferme industrielle, et je refuse de prendre part à ce qui s'y passe. Je crois aux aliments entiers, minimalement transformés, si possible biologiques. Je prends plaisir à découvrir de nouveaux aliments et les cuisines exotiques, et j'ai appris que « découvrir » et « s'empiffrer » sont à des années-lumière de distance. Je ne fais pas beaucoup de préparation des aliments, et il est très rare que j'emporte un goûter ou que je remplisse une glacière. Cela me ramènerait à l'industrie alimentaire de laquelle j'ai pris ma retraite, il y a belle lurette. Je me dis que quand viendra l'heure du repas, où que je sois, il y aura des mets acceptables. Jusqu'ici, je n'ai pas souffert de la faim. Je ne suis ni angoissée, ni obsédée par la nourriture, mais s'il y a dans le frigo un carton ou un truc à emporter qui me trotte dans la tête plus que nécessaire, je le jette.

Je n'ai jamais aimé l'exercice physique, mais je m'assure d'en faire, et après coup, je suis plutôt contente. En ce moment, je fais des poids et haltères, et le tapis de jogging, deux ou trois fois par semaine dans un gymnase ; les autres matins, avec mon mari, nous marchons dans *Central Park* en cherchant les dénivellations de terrain ; nous appelons cela de l'escalade.

Je pourrais abandonner l'activité physique et mes habitudes alimentaires en l'espace d'une minute, si mon attitude n'était assez ferme, mais j'ai des amis qui ne me laisseront pas décrocher et qui me donnent l'exemple quant au genre de comportement que je m'efforce d'adopter. Laissée à moi-même, je serais sans nul doute étendue sur le sofa, à regarder la télé, sirotant un truc froid et crémeux, tout en me demandant pourquoi je n'ai pas de vie. Le fait de laisser Dieu, tel que je vois Dieu, prendre les commandes aujourd'hui, signifie que je ne suis pas livrée à moi-même.

C'est moi. Je ne suis pas célèbre comme Atkins, mais je sais que cela est vrai. Retenez ce qui vous convient. Ensuite, faites-en votre affaire.

Posez un geste

Dressez l'inventaire écrit de ce que vous savez vrai pour vous concernant la nourriture, l'exercice physique et votre image corporelle, et dans d'autres domaines aussi, si votre crayon accepte de suivre votre main jusque-là. Relisez votre liste à quelques reprises, et prenez le temps d'y réfléchir. Agissez en vous basant sur ce que vous savez être vrai.

Chapitre 19

QUELQU'UN D'AUTRE DOIT PRENDRE PART À CECI

Parfois, lorsqu'ils se réunissent, les gens mangent trop – pensez à la fête de l'Action de grâces; par contre, en société, on ne se goinfre pas. Si vous voulez manger un truc dont vous avez honte, vous attendrez d'être seule. Voilà pourquoi il est indispensable d'avoir des gens, ou à tout le moins une personne à vos côtés, sur le chemin de la libération. Il, elle ou eux deviennent vos témoins. Vous avez beaucoup plus de chance de rester fidèle à un nouveau style de vie quand au moins un autre être vivant a vu d'où vous venez, et vous dira sans détour si vous rationalisez, ou si vous vous engagez sur un terrain dangereux.

Mais n'importe quel *homo sapiens* ne fera pas l'affaire. De toute évidence, ce serait fou de partager vos problèmes alimentaires avec votre mari, les filles du bureau ou même avec votre meilleure amie, si ces gens ne voient pas où est le problème. Adressez-vous à un groupe de soutien, en personne ou en ligne, ou à une amie que vous croyez aussi résolue à transformer sa vie que vous l'êtes à transformer la vôtre.

Pour moi, mon amie Sherry est l'une de ces personnes-ressources. Elle peut dire à n'importe qui : « Je ne bois pas. », « Je ne mange pas de sucre. », « Je ne mange pas entre les repas. » Et elle ne le fait pas. Sherry et moi sommes des partenaires dans l'action. C'est-à-dire qu'elle prend part à mon mieux-être, et moi au sien. Afin d'abandonner le gras de bébé que vous transportez peut-être depuis 30 ans, ou pour révolutionner votre vie d'une autre manière, ce genre de partenariat peut être une vraie bénédiction. Cela demande deux personnes imparfaites, mais engagées, résolues à être honnêtes envers elles-mêmes et envers l'autre.

Pour que ce partenariat dans l'action fonctionne – que ce soit pour vaincre l'obésité, la pauvreté, la solitude ou quoi que ce soit d'autre – vous devrez vous parler régulièrement et fréquemment. L'idéal est de vous parler tous les jours au téléphone, et une fois par semaine en personne. La boîte vocale peut faire l'affaire, et les messages-textes et les courriels sont mieux que rien, mais ils ne doivent pas vous servir de cachettes numériques. Il est plus facile de mentir lorsqu'il n'y a pas le langage du corps ou, à tout le moins, les intonations de la voix pour révéler ce qui se passe vraiment. Et lorsque vous pouvez enfin vous parler, ne vous éternisez pas. Le bavardage est sans limites ; il faut à peine dix minutes pour vous dire où en sont vos deux vies au jour le jour.

Votre partenaire dans l'action n'est pas votre thérapeute, et elle n'est pas payée pour vous écouter râler. Bien sûr, vous pouvez lui parler de ce que vous vivez en ce moment et de vos peurs, mais cet exutoire (soyez brève, s.v.p.) doit être un prélude à l'action. Dites ce qui doit être dit puis, sortez et bâtissez cette vie que vous affirmez vouloir plus que tout.

Une des pratiques les plus utiles à faire avec votre partenaire dans l'action, c'est *la mise entre parenthèses*, qui consiste à mettre des parenthèses invisibles autour d'une action, en disant à l'autre ce que vous projetez d'accomplir et en la rappelant une fois que vous l'avez réalisé. Cela fonctionne particulièrement bien lorsque vous devez vous acquitter d'une tâche difficile ou intimidante, ou lorsque vous devriez faire quelque chose mais que vous n'en avez tout simplement pas envie. Par exemple, je pourrais appeler Sherry et dire : « J'ai été enrhumée pendant trois jours, mais ça fait quatre jours que je ne suis pas allée au gym. » Elle me répondrait : « Saute dans tes baskets et vas-y tout de suite. Appelle-moi quand tu seras devant la porte du gym, et rappelle-moi quand tu auras terminé. » Bien sûr, je fais ce qu'elle me dit car, soudain, je dois répondre de mes actes devant quelqu'un !

Les partenaires en action sont des co-mentors. Pas besoin d'avoir réponse à tout, mais vous pouvez partager votre sagesse avec votre amie et vous appuyer sur la sienne. Si vous êtes en position d'autorité au travail, le fait d'avoir une partenaire dans l'action est une vraie libération. C'est un endroit où la responsabilité ne repose pas que sur vous. Vous avez droit au doute et à l'incertitude. Et il n'est pas nécessaire de renoncer à votre estime de vous-même ou à votre place au soleil pour profiter de cet allègement de votre fardeau.

Le fait d'être partenaire dans l'action pour quelqu'un vous porte à faire de meilleurs choix. Un autre être humain prend désormais part à ces choix. D'un autre côté, vos êtes maintenue à flot parce que vous n'avez pas à affronter seule vos difficultés et défis personnels. De plus, si vous foutez tout en l'air, vous devrez le lui dire. (Normalement, les hommes devraient être les partenaires des hommes et les femmes, celles des femmes.)

En plus de votre partenaire dans l'action, entourez-vous d'autres personnes qui vivent des vies conscientes et positives (voir chapitre 43, « Formez votre équipe de rêve »). C'est comme lorsque vous étiez adolescente et que votre mère voulait que vos amis soient des jeunes gens qui auraient une bonne influence sur vous. À tout âge, vous ne regretterez jamais de vous tenir avec des gens qui vous poussent à grandir pour rester auprès d'eux. Tout comme nous aimons penser que nous sommes maîtres de notre destin et capitaines de notre âme (et peut-être même de la *Starship Enterprise*), nous avons tendance à agir comme les gens qui nous entourent. Rappelez-vous : nous sommes des créatures tribales.

Nous nous sentons en sécurité lorsque nous faisons ce que font les autres membres de la tribu. Ainsi, c'est une excellente idée d'ajouter à votre tribu des gens qui mangent sainement, se gardent en forme et ont une vie spirituelle. Vous les rencontrerez au gym et au centre de yoga, dans les clubs et les classes que fréquentent les personnes intéressées à vivre des vies éclairées. Vous les trouverez lorsque vous voudrez les trouver ; exprimez-leur votre intention et sachez que ces gens vont bientôt croiser votre chemin.

Je crois qu'une des raisons pour lesquelles le taux de récidive est aussi élevé chez les *ultra-mangeurs* – plus élevé que chez les accros à l'héroïne réformés, ai-je lu quelque part – c'est que traditionnellement, la perte de poids a toujours été une aventure solitaire. Le petit extra ici, la pâtisserie cachée là, reviennent aussi nous tenter de manière solitaire. Les gens qui se joignent à des groupes de perte de poids réussissent mieux. Ceux qui optent pour la camaraderie et pour un changement qui commence au-dedans pour aller vers l'extérieur, s'en sortent mieux. Si vous avez une amie qui vous aime assez pour vous dire quand ça suffit, vous avez vraiment de la chance. Si elle peut entrer chez Dairy Queen et vous sortir de là avant qu'ils ne puissent mettre la cerise sur votre *sundae*, vous êtes entre bonnes mains.

Posez un geste

Trouvez-vous une partenaire dans l'action. Si vous avez un problème alimentaire, trouvez-en une qui est aux prises avec le même problème et dont la philosophie est semblable à la vôtre. Si vous désirez seulement perdre quelques centimètres et faire de l'exercice plus régulièrement, trouvez quelqu'un dont les objectifs sont comparables aux vôtres. Si ce livre vous intéresse uniquement pour la partie où il est question des personnes fauchées et seules, trouvez une partenaire dans l'action qui a les mêmes objectifs que vous. Parlez-lui chaque jour ou presque chaque jour. Soyez plus honnête que vous ne l'avez jamais été.

Chapitre 20

AVEC UN POUVOIR SUPÉRIEUR, LA VOLONTÉ EST LA DERNIÈRE SAISON

Vous n'avez sans doute pas besoin d'en savoir plus que ce que vous savez déjà sur les régimes et l'exercice physique. Les magazines féminins en sont remplis, tout comme les journaux, les chaînes de télévision spécialisées et les publicités en ligne qui encombrent votre boîte de courrier électronique. Le vide se situe entre le savoir et le faire. Pour le combler, vous vous êtes fiée à votre volonté, mais après avoir été blessée à répétition dans ces guerres aux kilos, il y a des chances que votre volonté soit au point mort. Pas de problème. Il y a en vous un pouvoir qui vous aide à prendre les bonnes décisions, même dans des domaines aussi terre-à-terre que vos choix alimentaires ou l'abonnement au gymnase. Lorsque vous êtes branchée sur la force intérieure qui n'est pas le fruit de votre ego, vous passez d'un demi-pouvoir à un Pouvoir supérieur. Après cela, tout est différent.

Sachez qu'en vous, en ce moment et à chaque moment de votre vie, se trouve une intelligence soucieuse de votre bien-être, de votre bonheur, de votre croissance et de votre plus grand rayonnement. Lorsque votre communication avec cette intelligence n'est pas entravée, votre volonté s'aligne sur cette volonté, et vous voulez ce qui est bon pour vous parmi la myriade de façons dont ce *bon pour vous* pourrait se présenter.

Cette relation à un Pouvoir supérieur est indispensable, car les habitudes creusent de profonds sillons dans une vie. Essayer de combler ces sillons vous-même est une entreprise aux proportions mythiques. Avec l'aide d'un Pouvoir supérieur et bien sûr, avec votre participation, ils se remplissent et s'estompent. Pour réaliser ce petit mais crucial changement d'un pouvoir alimenté par l'ego à une vie alimentée par un Pouvoir supérieur, le plus sûr est de décider que c'est votre choix, puis de vivre en respectant cette décision. Cette manière de vivre, comme le disait Rudolph Nureyev à propos du ballet, « n'arrive jamais facilement, mais elle devient possible ». Voici, au meilleur de ma connaissance, une façon réaliste d'acquérir et d'entretenir une vie spirituelle, pour toutes celles à qui il est arrivé de chercher Dieu au magasin du coin :

- *Abandonnez l'idée d'y arriver seule.* Optez pour un Dieu qui vous aime encore plus que vous n'aimez les pâtisseries. Et, comme nous l'avons dit au chapitre précédent, trouvez-vous des amies qui connaissent à la fois un Pouvoir supérieur et les biscuits aux brisures de chocolat.

- *Caressez la possibilité* (si possibilité il y a en ce qui vous concerne) *qu'il existe une force du bien dans votre vie,* qui ne vous veut pas plus gavée que rongée de remords, ou au régime et tout aussi exaspérée.

- *Faites comme si c'était vrai jusqu'à ce que vous y croyiez.* Lorsque vous êtes au restaurant et que vous avez une envie folle d'aliments frits, ou lorsque l'horloge au bureau indique 15 heures et que vous savez que vous n'arriverez jamais à 17 heures sans collation, invoquez votre Pouvoir supérieur. Rendez-vous dans la toilette des femmes (les gars, choisissez l'autre), restez debout et dites : « OK, Dieu, les choses ne paraissent pas très bien en ce moment, mais j'ai confiance. Je sais que tu seras là. » Si vous étiez au restaurant, retournez-y et commandez le plat au menu qui vous semble le plus délicieux, le plus sain, le plus savoureux et le plus approprié (s'il n'est pas au menu, vous pouvez demander au chef d'innover un peu). Si vous êtes au travail, retournez à votre bureau et feignez d'être intéressée. L'envie de manger vous passera aussi.

- *Cessez de surveillez votre poids et contentez-vous d'attendre.* Attendre – du dîner à l'heure de se mettre au lit, ou que votre ami finisse ce muffin de la taille d'un ovni – signifie que vous avez confiance que vous ne mourrez pas, que vous ne sombrerez pas dans la folie, ou que vous n'attaquerez pas un Taco Bell d'un violent coup de mâchoires. Le temps passe. La paix s'installe. La vie remplit les vides, et vous réalisez qu'elle a pris soin de vous.

- *Adoptez une nouvelle manière de prier.* Même si toute prière sincère a du mérite, le fait de supplier et de plaider votre cause laisse sous-entendre que vous pouvez convaincre l'Énergie qui organise et orchestre votre vie, de changer de trajectoire. Mais, puisque Dieu veut déjà ce qu'il y a de mieux pour vous, une autre façon de prier consiste à aligner vos pensées sur les pensées de Dieu, telles que vous pouvez les concevoir. Ainsi, si vous n'allez pas très loin avec ce « Aide-moi à ne pas passer à travers tout le plat de lasagne et je serai sage à tout jamais. », vous pourriez essayer ceci : « Par le pouvoir de Dieu qui est en moi, je suis satisfaite et contente. »

- *Commencez à vous comporter comme la lumière qui est en vous.* Les experts du réseautage vous diront que pour amorcer une nouvelle amitié, il est bon que vos vêtements, vos manières et vos références soient semblables à ceux de l'autre personne. Pour mieux vous lier à la lumière qui est en vous, ressemblez-lui davantage. Cette lumière est généreuse et immense. Il y en a pour tout le monde. Son but est de combattre la noirceur. Vous pouvez en faire autant, dans vos propres mots, et à votre façon.

- *Laissez l'esprit s'exprimer à travers votre corps et votre âme.* Nous sommes tellement divisés dans notre culture occidentale – pensées versus sentiments, ce que sont les choses versus ce qu'elles pourraient être, corps versus esprit. Mais le corps est le reflet de l'esprit. Lorsque vous serez en paix intérieurement, vous soignerez votre apparence extérieure et vous serez resplendissante, un peu comme lorsque vous êtes amoureuse, sans vous demander s'il est prêt à s'engager.

- *Optez pour la simplicité* : un repas à la fois; une expérience d'humilité dans les salles d'essayage; une séance de *spinning* complétée; une rebuffade surmontée; un morceau de pain laissé dans l'assiette; une journée plutôt bien vécue, considérant le fait que la perfection n'est pas de ce monde.

- *Soyez reconnaissante parce que les choses se passent bien.* La gratitude vous remplit autant que les crêpes. En traversant la journée, soyez reconnaissante pour toutes les bonnes choses que vous voyez, sentez, goûtez et expérimentez. Soyez reconnaissante pour le soleil et la pluie, pour votre deuxième meilleure amie, pour votre *pull* favori et le service Internet.

- *Soyez heureuse, contente et satisfaite.* Ces sentiments ne sont jamais aussi séduisants que la colère et l'ambition. Certains voient le bonheur et la satisfaction comme des preuves que l'on est trop déconnectée pour comprendre que les choses vont vraiment mal et pour mesurer la charge de travail à accomplir. En fait, il y a tout plein de choses à faire. Vous les ferez plus efficacement lorsque vous serez heureuse, contente, et – pour cette période de 24 heures – satisfaite. Vous continuerez de travailler, de faire des projets et de bâtir une meilleure vie et un monde meilleur. Mais vous n'aurez pas besoin de le faire avec une petite gâterie enveloppée dans la cellophane.

J'aimerais pouvoir vous offrir tout cela ; vous le tendre comme les clés de la voiture ou un billet de cinq dollars. Mais vous devez découvrir tout cela vous-même. Et lorsque vous le ferez, ce sera à vous de le conserver. C'est alors que les régimes et autres instruments du genre deviendront des souvenirs et que la liberté se pointera comme un cadeau à portée de main, un cadeau que vous pourrez déballer à chaque jour.

Posez un geste

Vivez aujourd'hui comme s'il existait, dans l'Univers et en vous-même, un Pouvoir qui ne désire que le meilleur pour vous. Un Amour pour vous qui ne soit pas hésitant, même lorsque votre regard sur vous-même descend d'un, de deux ou de dix crans. Une Lumière qui est là pour vous mener à la vie pour laquelle vous vous êtes toujours sentie appelée. Rappelez-vous cela à chaque heure ou à chaque demi-heure. Faites aujourd'hui ce que ferait quelqu'un vivant dans ce Pouvoir, cet Amour et cette Lumière.

Troisième partie

ROMPRE AVEC LA PAUVRETÉ

La richesse, financière ou autre, est normale, naturelle et bonne. Vous l'attirez en pensant, parlant et vivant richement.

Les choses fonctionnent bien lorsque tout le monde a tout ce qu'il faut. Vous aussi. Vous êtes censée avoir les ressources nécessaires à maintenir le style de vie qui soutient votre destin. Bien que la majorité doive travailler pour avoir de l'argent, nulle ne devrait être angoissée à ce sujet. Et pourtant, nous le sommes.

Nous désirons des objets et des biens qui nous feront paraître riches ou plus connues. Nous gardons des emplois que nous détestons afin de nous payer des objets qui symbolisent notre sang-froid. Lorsque notre salaire ne peut tout payer, les pourvoyeurs de cartes de crédit nous viennent temporairement en aide. Comme économiser est une idée déconcertante (« C'est mon argent ; je devrais pouvoir le dépenser. »), nous sommes nombreuses à ne pas avoir de coussin pour faire face aux calamités. Une maladie ou une longue période de chômage peuvent nous mener au désastre.

Lorsque la situation est suffisamment difficile, on peut se mettre au régime d'urgence, cette fois-ci avec de l'argent. Nous laissons nos cartes de crédit dans un tiroir, et nous apportons notre lunch dans un sac. Nous renonçons à tout ce qui n'est pas absolument indispensable, comme les soins dentaires et le changement d'huile. Avant longtemps, la carie se transforme en couronne, le moteur étouffe, et nous sommes tellement malades de paupérisme, que nous disons oui à la prochaine offre de carte de crédit et, typique de l'après-régime, nous perdons les pédales.

Et pourtant, la richesse est normale, naturelle et bonne. La première étape pour attirer la richesse consiste à faire taire les mensonges tels : « Plus est toujours mieux. », « Tu n'as pas de mérite. », et « Tout le monde a de l'argent. Ce n'est pas un problème. » La deuxième étape consiste à penser, parler et vivre richement, à la fois en utilisant au quotidien les dollars et les cents de la bonne manière, puis en apprenant les principes spirituels qui se rapportent à l'argent, à la réussite et à l'accomplissement, et en les mettant en pratique. Tout cela vous ouvrira aux richesses de l'Univers et aux plaisirs doux et simples qui n'ont nullement besoin d'être coûteux.

Chapitre 21

CE N'ÉTAIT PAS DANS LE FRIGO, ET CE N'EST PAS AU SUPERMARCHÉ

Je jonglais avec l'idée d'écrire tout un livre sur le sujet. Mon titre choisi était *Ça n'a rien à voir avec l'argent,* mais j'ai donné ce titre à un conseiller en services financiers, en me disant qu'il avait une plateforme dans le monde de la finance. Pour ma part, j'ai une plateforme dans le monde des gens fauchés.

Voyez-vous, un comportement de remplissage en nourrit un autre. Lorsque je mangeais comme s'il n'y avait pas de lendemain, je mangeais aussi mes chances de gagner un salaire de rédactrice adjointe et j'ai été réduite, une ou deux fois, à vendre des timbres-poste dans le bus pour amasser la somme qui me manquait afin de rentrer à la maison. Mais, même sans *ultra-manger,* j'ai parfois été tentée par le charme romantique de la pauvreté. Pendant un temps, il y eut : « Je suis une pauvre mère célibataire » (ce que j'étais vraiment, et ma foi, plus je le répétais, plus les gens étaient gentils et sympathiques à ma cause). Il y avait aussi : « Je suis une artiste. C'est connu, les artistes crèvent de faim. Buvons à la vie de bohème ! » Ce dernier repli était amusant, parce qu'on peut trouver des articles vraiment sympa à l'Armée du Salut, d'autant que cela fait très chic d'utiliser de vieux caissons à oranges en guise de bibliothèque.

Mais le problème avec la pauvreté, que ce soit un cas de huissier sonnant à votre porte ou un état continu où vous découpez les bons de réduction dans les circulaires, c'est que plus vous y restez longtemps, plus cela vous paraît normal. En fait, cette situation peut devenir si confortable que vous pourriez être tentée de saboter une bonne fortune tout à fait saine, lorsqu'elle se présente. Vous pourriez, par exemple, quitter un emploi avant d'en avoir un autre en vue, ou encore faire un achat ou vous payer un voyage qui vous mettra sur le carreau pendant trois mois. Cela peut même aller jusqu'à vous donner l'impression que, de façon très personnelle, vous avez des divergences irréconciliables avec l'argent.

En regardant la situation dans son ensemble, c'est-à-dire du point de vue de la société en tant que telle, je dirais que lorsqu'il est question d'argent, notre société est complètement maboule. Regardez-nous. Les États-Unis sont supposément le pays le plus riche sur la Terre, et pourtant, nous sommes endettés jusqu'au cou. Pour un individu, dépenser l'argent qui ne lui appartient pas n'est plus considéré comme un dernier recours honteux ; c'est la façon acceptée d'acheter les vêtements dont les enfants ont besoin pour aller à l'école et de recevoir un ami à dîner. Tout récemment, j'ai fait la queue dans une grande quincaillerie. Arrivée à la caisse, j'ai sorti de l'argent pour payer comptant et le commis m'a dit : « On n'en voit plus beaucoup. » Est-ce là le meilleur des mondes ? Tu parles !

Le crédit facile est une des principales causes faisant que l'on se sent fauchée et qui nous appauvrissent. Il y a quelques années, le facteur m'a apporté une de ces lettres qui disent : « Votre crédit a été approuvé. ». Elle provenait d'une grosse société de cartes et était adressée à Aspen Moran. Ma chienne est moitié laboratoire à chocolat et moitié chien de chasse, mais quelqu'un s'est mis dans la tête qu'elle était en mesure de payer le minimum mensuel requis. Au moins, les chiens n'atteignent pas l'âge adulte avec 80 000 $ de prêts étudiants pour un diplôme de plus en plus nécessaire, quoique de moins en moins valable. Pas étonnant que de nombreux humains se sentent fauchés : ils sont dans le trou depuis qu'ils ont passé leur examen d'entrée à l'université.

Pire, comme dans le cas de l'obésité, notre culture nous envoie des messages contradictoires concernant l'argent. De vieux épisodes de l'émission *Friends* laissent à penser que vous pouvez louer un appartement immense dans *Greenwich Village* tout en travaillant comme massothérapeute ou barman. Les best-sellers nous assurent que nous avons toutes des voisins millionnaires. Certaines brochures vous promettent que vous posséderez un yacht et des chevaux de course dans un avenir rapproché, si vous investissez dans l'immobilier, rénovez la maison, la mettez en location, la revendez et… recommencez. Le message est le suivant : « C'est tellement facile, bande de perdants, pourquoi ne le faites-vous pas ? »

Comment s'étonner que nous soyons si nombreuses à souffrir d'anxiété monétaire, ce qui se traduit en dépenses extravagantes, en salaires insuffisants, en privations insoutenables (anorexie financière), et en dettes non sécurisées avec lesquelles nous jonglons comme avec des balles de tennis. Celles qui n'ont pas de problèmes d'argent flagrants peuvent aussi se sentir fauchées, lorsqu'elles ont « acheté trop de maisons » ou que leur voiture s'avère un citron déguisé en Jeep.

À la source de tout ceci se cache l'ennemi invisible : le vide. « Il n'y a pas assez de ceci… Mon salaire ne suffira jamais… Je ne serai jamais à la hauteur. » Et les messages ne sont pas seulement dans votre tête : ils proviennent des spécialistes de la mise en marché qui suggèrent que, si vous n'achetez pas leurs produits et services, vous serez vieille, laide, puante, stupide, sans contredit inaccessible, et possiblement en danger de perdre la vie, un membre, et l'amour. Les publicitaires sont parfaitement conscients qu'il est beaucoup moins efficace de présenter les aspects positifs des gadgets en question que de brandir la menace du désastre physique, social ou financier qui ne manquera pas de se produire si vous n'achetez pas les produits dont ils font la promotion. Cela nous pousse à acquérir des tas d'objets, mais personne ne jouit d'un crédit assez élevé pour tout acheter, alors nous propageons des messages de déficience personnelle dans tous les domaines dans lesquels nous avons fait des achats palliatifs insuffisants.

Ce trou vide dans votre psychisme qui dit : « Il n'y aura jamais assez d'argent, c'est pourquoi on a inventé les MasterCards. », laisse à penser que puisque tout le reste est à vendre, la réponse au canyon qui est en vous doit également avoir un prix. Il suffit certainement de trouver assez d'argent – et nous ne sommes qu'à quelques secrets boursiers près, quelques billets de loterie ou quelque homme richissime, de cette fortune. Mais si en effet, l'élixir de vie, ce qui remplira ce vide, était dans la brochure de Neiman Marcus, les gens très riches l'achèteraient et ils seraient tous très heureux. Il n'y aurait pas de divorces alambiqués, pas d'orgies de drogue, pas de tentatives de suicide à Beverly Hills. Mais il y en a. C'est parce que la paix, qui rend la vie vivable, n'a pas de prix : *ce n'était pas dans le frigo, et ce n'est pas au supermarché.*

Ce qui ne signifie pas pour autant que la réponse se trouve dans des haillons et une main tendue. Il faut plutôt remplir ce vide intérieur avec des qualités intérieures – confiance, détermination, amour – et vivre d'une manière qui profite à toutes les personnes concernées. Vous devriez certes posséder des tas d'argent. L'argent peut contribuer à mettre un terme à la souffrance et à ouvrir les esprits. C'est pourquoi c'est vous qui devriez en avoir, plutôt qu'un être égoïste à l'esprit étroit. Par contre, vous devez être parfaitement lucide à ce propos : ce sont les choses intangibles qui peuvent combler votre vide. Bien que la richesse ne soit pas un préalable pour faire le bien dans le monde, l'argent peut vous libérer et vous permettre d'être plus utile. Et lorsque vous êtes utile, les intangibles se multiplient.

Posez un geste

Sortez un bloc-notes et un stylo, et évaluez votre rapport à l'argent. Comment vous entendez-vous tous les deux ? Quels domaines vous causent des problèmes ? Quels mensonges avez-vous crus en ce qui a trait à l'argent ? À quoi aimeriez-vous que ressemble votre vie financière ?

Chapitre 22

LES 12 ARRÊTS

Notre culture est une culture qui va de l'avant, et nous sommes toujours prêtes à entreprendre quelque chose qui pourrait améliorer notre situation. L'idée de mettre un terme à ce qui a causé le problème ne nous excite pas beaucoup. Si vos finances vous posent un problème tel que c'est le mot « fauchée » qui vous a interpellée dans ce livre, vous devez cesser de faire ce que vous faites et amorcer un sérieux changement de cap. Voici quelques lignes de conduite. Elles semblent dures, mais elles vont droit au but. Je les ai appelées les 12 arrêts :

1. *Cessez de penser que tout vous est dû.* À moins que vous ne soyez invalide (et de nombreux invalides gagnent très bien leur vie) ou que vos enfants ne risquent d'en souffrir, cessez de demander qu'on fasse une exception pour vous, de quémander

des délais de paiement et des réductions de prix ou d'échelle. Payez votre dû. Quand vous le ferez, vous vous sentirez riche et cela vous aidera à attirer la richesse. Si vous préférez ne pas dépenser en partant, parfait : vous en sortirez gagnante en ce qui a trait à l'argent et au respect de soi.

2. *Cessez de blâmer les autres.* Cessez de blâmer maman qui était une dépensière compulsive, papa qui était un conservateur compulsif, et grand-maman qui ne vous a pas couchée sur son testament. Ils ont pris soin de vous pendant 18 ans. Point. Si vous avez plus de 18 ans, ils ne sont plus responsables. Libres et quittes. Juste ? Peut-être pas, mais ainsi va la vie.

3. *Cessez de dépenser l'argent qui ne vous appartient pas.* Si vous n'utilisez pas d'argent comptant (ou un chèque ou une carte de débit), au mieux vous empruntez, et si vous ne payez pas la facture au complet à la fin du mois, vous êtes, à tout le moins pour le moment, en train de voler. Autrement dit, débarrassez-vous de ces cartes d'endettement (pas des cartes de débit !) qui vous empêchent de vous promener avec un portefeuille mince et très classe, et d'être libre financièrement.

4. *Cessez de trouver des excuses.* Soyez prête à faire ce que vous devez pour rester loin de l'endettement. Cela pourrait vouloir dire accepter d'occuper, pendant un certain temps, un emploi qui vous paraît « inférieur » ; si le chèque de paye ne rebondit pas, le travail n'est pas inférieur à vous. « Faire ce que vous devez » pourrait aussi vouloir dire renoncer à aller chez le coiffeur, faire vous-même votre lessive, et donner vous-même son bain à votre chien.

5. *Cessez de chercher un moyen de vous renflouer.* Trouvez plutôt de l'aide pour soutenir vos efforts. De nombreuses sociétés de consolidation de dettes sont au-dessus de tout reproche, et elles peuvent vous aider à vous sortir du trou. Cependant, faites preuve de discernement dans votre choix. Si la solution qu'elles offrent vous semble sans douleur, la douleur pourrait vous surprendre le jour où vous vous apercevrez que vous vous êtes faite avoir. L'organisation bénévole et sans but lucratif *Debtors Anonymous* peut vous aider à vous sortir des dettes et à grandir, quel que soit votre âge. On vous enseignera à être responsable tout en faisant encore passer vos besoins personnels en premier. Les gens qui gagnent peu, même ceux qui ont peu ou pas de dettes, mais qui n'arrivent pas à dépasser leur

plafond financier, sont aussi les bienvenus chez *Debtors Anonymous*.

6. *Cessez, mesdames, de chercher M. Lebon avec un gros portefeuille*. Par les temps qui courent, des tas de gars cherchent Mme Labonté avec un sac à main bien rempli. Lorsque, dans un site de rencontres en ligne, une description dit « financièrement à l'aise », cela signifie, lorsque c'est la vérité, que cette personne peut prendre soin d'elle-même. Cela ne signifie pas qu'elle ou qu'il désire prendre soin de vous, sans parler de votre mère malade, des deux enfants que vous avez eus d'un précédent mariage et des emprunts que vous avez contractés pour obtenir votre maîtrise en poésie du Moyen Âge.

7. *Cessez de vaporiser l'argent*. Si votre argent semble s'évaporer, écrivez ce que vous dépensez jusqu'à ce que vous sachiez exactement où va le moindre sou. Ensuite, apportez des changements avec lesquels vous pouvez vivre. Il n'est pas nécessaire que ces changements vous mettent à l'agonie. Si vous pouvez trouver un meilleur prix pour votre assurance automobile et l'entretien de votre terrain, ou de meilleurs taux d'intérêt pour vos vieilles dettes, vous jouirez d'une plus importante marge discrétionnaire.

8. *Cessez de laisser les autres établir vos priorités fiscales.* On a estimé qu'à chaque jour l'Américain moyen est exposé à trois mille messages marketing, et qu'à chaque fois quelqu'un essaie d'influencer ses priorités fiscales. Alors, ne vous laissez pas faire. Vous devez faire équipe avec votre argent et vous tenir debout. Les chroniqueurs financiers eux-mêmes ne devraient pas faire vos choix de dépenses. Si vous les écoutiez, vous ne prendriez jamais un second *latte*, ce qui est un sacrifice trop énorme si vous êtes de celles qui, semaine après semaine, attendent impatiemment la mousse dorée et les mots croisés du dimanche.

9. *Cessez de voir les courses comme un hobby.* Que ce soit dans les boutiques, en ligne, dans les catalogues ou à la télé, la vente au détail est une thérapie seulement pour ceux qui ont quelque chose à vendre. Je sais que c'est amusant de regarder de beaux articles, et je ne suggère pas de vous priver des choses dont vous avez besoin ou même de celles que vous désirez, si vous pouvez vous les payer. Cependant, voir les courses comme un loisir est la plus courte distance entre deux points : vous et le manque d'argent.

10. *Cessez de collectionner la merde.* Pardonnez-moi ce langage grossier, mais vous savez que vous en

avez. Nous en avons toutes. L'idée est de cesser de nous entourer de tout ce qui est sans valeur et criard. Vous vous sentirez plus riche si vous possédez moins d'objets, et estimez que ceux que vous avez sont admirables. La qualité n'a pas besoin de coûter très cher. Vous pouvez la trouver dans un objet d'art original, dans un marché aux puces ou dans une veste bien coupée, que vous la trouviez chez Saks, sur *Fifth Avenue*, ou à la boutique de consignation de la rue Principale.

11. *Cessez de dire que vous êtes pauvre.* « Je n'ai jamais un rond. », « Pour ce qu'on me paie ici, il faudra que je travaille jusqu'à 90 ans. », « C'est trop riche pour mes petits os. » et bla bla bla. Voici une devise pour vous : « Cesse de geindre et fais ce que dois. » Autrement dit, vis selon tes moyens et tais-toi.

12. *Cessez de calomnier les riches.* Regardez les choses en face : nous voulons être riches, alors nous dénigrons ceux qui le sont en les traitant de frivoles et sans mérite : les voitures qu'ils ne conduisent même pas, leurs serviteurs sous-payés, leur dernier remodelage du visage qui frôle l'indécence. Oubliez tout ça. S'il est à ce point mauvais d'avoir de l'argent, votre inconscient fera tout en son pouvoir pour vous épargner un tel destin.

Les 12 arrêts colmateront les fuites. À partir de là, vous pourrez commencer à bâtir votre stabilité financière, à développer une conscience de la richesse, et à vivre une vie plus riche.

Posez un geste

Parmi ces 12 arrêts, choisissez celui qui vous attire le plus, et celui qui vous irrite plus que tous les autres. Mettez les deux en pratique dès maintenant.

Chapitre 23

PEUT-ÊTRE ENNUYEUSE, MAIS JAMAIS FAUCHÉE

Je commençais mes études secondaires lorsque j'ai vu la production *The Fantastiks* qui était en tournée. Lorsque la jeune héroïne s'est écriée : « Je t'en prie, Dieu, ne permets pas que je sois normale ! », j'ai frissonné d'approbation dans la mezzanine. Je n'avais pas envie d'être une de ces personnes ordinaires avec une hypothèque, un chèque de paye, et des assurances pour tout et rien. J'étais trop intelligente, trop créative, trop intéressante. Et pendant les 25 années qui ont suivi, j'ai continué à être intelligente, créative, intéressante… et souvent presque sans le sou.

Je n'y pensais pas trop. Je m'en sortais toujours d'une manière ou d'une autre, et j'étais fière de vivre une vie aussi colorée avec aussi peu de billets verts. Pour tout dire, je n'avais pas un sou de côté, mais je me disais que je n'en avais pas besoin, puisque je finirais par toucher l'héritage de mon père. Eh bien ! je n'ai pas hérité. Il est arrivé une histoire tout à fait sordide. Lorsque je vivais à l'autre bout du pays, une femme sans scrupules a marié mon père âgé et, avec l'aide de son petit ami (je vous ai dit que c'était sordide), elle a changé le testament, mis tous les avoirs de mon père dans des comptes conjoints, puis elle a tout empoché. C'était une femme redoutable, mais dans un sens, elle m'a rendu service bien malgré elle. Si j'avais hérité à 40 ans, je serais restée une adolescente jusqu'à la fin de mes jours, financièrement parlant.

Prenant conscience que le mot *héritière* ne serait jamais inscrit dans la case *occupation* d'un formulaire gouvernemental, je me suis réveillée de mon sommeil fiscal et j'ai découvert que, comme l'embonpoint avait perdu son statut accablant 10 ans plus tôt, la pauvreté n'était pas une force immuable destinée à me piéger. Je n'avais pas d'argent parce que je n'en avais jamais voulu. J'avais toujours cru que la stabilité financière me rendrait ennuyeuse et me mettrait des bâtons dans les roues. Armée de cette conviction, je n'avais pas eu besoin d'être totalement responsable de moi-même.

Quand l'élève est prêt, le professeur apparaît. J'ai trouvé un livre écrit par Joe Dominguez et Vicki Robin, intitulé *Votre vie ou votre argent*, dans lequel il était question d'indépendance financière et d'énergies à consacrer à l'amélioration de sa vie sur Terre. Un groupe de femmes se réunissait chez moi tous les mardis soirs, afin d'étudier ce livre.

À la même époque, je me suis inscrite à un cours sur la prospérité dans une église de quartier, où j'ai étudié la part innée de l'opulence. Comme je ne faisais pas autant de progrès que le reste de la classe, l'instructeur m'a dit qu'il fallait que je libère la voie dans un sens pratique, cartésien, avant d'être prête pour les principes spirituels. J'étais embêtée lorsqu'il m'a dit de lire *How to Get Out of Debt, Stay Out of Debt, and Live Prosperously,* de Jerrold Mundis. Je lui ai dit que je n'étais pas endettée, en tout cas, pas comme tout le monde. Il a répondu : « Je sais. Lisez-le quand même. » Je l'ai lu. J'y ai trouvé d'autres pièces manquantes.

Les informations contenues dans ces livres, ces cours et d'autres cours qui ont suivi, ont formé pour moi un ensemble de connaissances, une philosophie de la vie financière. Cela m'a pris du temps – je me rebellais contre le changement, et c'est sans doute ce que vous faites aussi –, mais j'ai fini par voir qu'il y a des façons infaillibles d'éviter de se retrouver sans le sou. Les voici :

- *Vivez avec vos économies d'argent.* Cela signifie tout payer à mesure. « Ne soyez ni emprunteur, ni prêteur. » Pas d'emprunts à moins qu'ils ne soient assurés, c'est-à-dire garantis par d'autres possessions. (Une maison est une garantie pour la banque ; une bague à diamant est une garantie pour un prêteur sur gages.) Pas de cartes de crédit à moins de pouvoir payer facilement chaque mois ou, si vous êtes accro au crédit, pas de carte de crédit du tout (voir chapitre 24).

- *Faites face aux dettes et n'en contractez plus jamais.* Remboursez celles que vous avez en trouvant une manière de diminuer vos intérêts, et en payant le solde lentement, de manière à avoir assez d'argent pour vivre une vie décente dès maintenant, et non une fois que vous aurez remboursé votre dette. Cette information est révolutionnaire : on vous conseille le plus souvent de payer vos dettes aussi vite que possible, même si cela exige de manger de la nourriture pour chats… sèche. »

- *Faites ce que vous devez pour payer vos factures sans emprunter, mais ne renoncez pas à vos rêves.* Autrement dit, il vous faudra peut-être occuper un deuxième emploi, déménager dans un endroit moins coûteux, ou vendre quelque chose que vous n'auriez jamais pensé vendre, mais si vous croyez toujours en vous en tant qu'acteur ou écrivain, ne laissez pas tomber ce rêve, même si vous devez le mettre en veilleuse pour le moment.

- *Donnez 10 % de tout l'argent que vous gagnez.* Donnez à l'organisation qui vous nourrit spirituellement, à une cause qui vous tient à cœur, ou à quelque association caritative. Vous ouvrez ainsi la voie pour que l'argent puisse circuler dans tout l'Univers (voir chapitre 25, « Donnez 10 % aux bonnes œuvres »).

- *Économisez 10 % de tout l'argent que vous gagnez.* Sans économies, vous ne vous débarrasserez jamais de la peur tenace de vous retrouver sans le sou – et contrairement à bien des peurs, celle-ci serait ancrée dans la réalité. Si vous êtes terrifiée, épargnez moins pendant les premiers mois mais travaillez-y ; surtout, ne lambinez pas. Si vous commencez tard, c'est-à-dire si vous vous êtes déjà traîné les pieds, prenez les bouchées doubles et épargnez davantage (voir chapitre 26, « Mettez 10 % à votre service »).

- *Prenez une assurance adéquate.* Les indispensables sont une assurance santé (l'absence d'assurance santé peut mener à la ruine financière, même si vous avez tout fait correctement), une assurance propriétaire ou locataire, et une assurance vie si vous êtes un parent ou si votre mort risque de laisser votre conjoint sur la paille.

- *Prenez d'abord soin de vous (et de vos enfants mineurs, si vous en avez).* C'est correct de laisser vos enfants adultes être des adultes. C'est correct de laisser le vendeur empocher la commission du prochain client. Et comme vous donnez déjà 10 % aux œuvres auxquelles vous pensez devoir contribuer, vous n'avez pas à vous sentir coupable de ne pas contribuer à la cause de quelqu'un d'autre.

- *Comprenez enfin que la richesse est permise,* que l'argent n'est pas mauvais, et que pour faire le bien dans le monde, il faut d'abord payer votre dû.

Ces principes de base ne me semblent plus du tout ennuyeux. En fait, je les trouve excitants. Ils m'ont permis de déménager à New York, d'aider ma fille à se lancer dans la vie, de ne rien devoir à personne et de savoir que, même si on commence tard, tout se passe très bien.

Posez un geste

Calculez votre valeur nette. C'est l'argent dont vous disposez aujourd'hui en économies, en actions, en actifs pour votre maison ou condo, et en possessions (comme une voiture ou des bijoux) que vous pourriez facilement transformer en argent comptant. Soustrayez de cette somme ce que vous devez aux cartes de crédit, de débit ; en prêts étudiants, en prêts personnels, et ainsi de suite. Quand vous serez arrivée à un chiffre, ce ne sera que ça : un chiffre. S'il est bas — voire moins de zéro — sachez que ce n'est rien d'autre qu'un renseignement, et qu'il n'est pas question de porter un jugement. Vous visez haut, très haut.

Chapitre 24

DONNEZ UNE CHANCE À L'ARGENT COMPTANT

Il se peut que vous possédiez une carte de crédit or ou platine, mais le vert est toujours la couleur de l'argent. Les experts financiers vous conseillent de payer le solde de vos cartes de crédit et de n'en conserver qu'une seule – ou aucune, si vous n'avez pas une once de discipline en ce qui a trait au crédit, ou que votre style de vie soit tel qu'une carte de débit fasse parfaitement l'affaire. Cependant, ceux qui s'y connaissent en matière d'argent adoptent souvent ce qui peut ressembler à une attitude punitive : « Tu n'as pas bien agi. Tu as acheté tes bottes, tes lunchs et tes petits appareils ménagers à crédit. Pour ta punition, tu dois détruire ces cartes à plaisirs, faire vœu d'abstinence et ne plus rien acheter d'autre que l'épicerie. » Hourra ! On s'y met toutes.

Mais, vous savez quoi ? Il y a vraiment un élément de *hourra !* à vivre sur vos économies, c'est-à-dire à ne dépenser que l'argent que vous avez en poche. Lorsque vous utilisez une carte de crédit, ça a l'air de l'argent. Lorsque vous dépensez de l'argent comptant, vous êtes immédiatement et parfaitement consciente de la somme que vous échangez contre le manucure qui durera cinq jours, les vitamines qui vous aideront à vous sentir en santé pendant un mois, ou la cravate que votre père ne portera pas, mais… c'est la pensée qui compte ! Une idée-clé empruntée au livre *Votre argent ou votre vie,* est que l'argent c'est du temps : si vous gagnez 20$ l'heure, une dépense de 20$ équivaut à 60 minutes de votre vie sur Terre. Lorsque vous regardez ce relevé fraîchement sorti du guichet automatique, c'est plus facile d'y voir une heure que lorsque vous présentez un bout de plastique. En achetant seulement ce dont vous avez besoin et ce que vous aimez, vous devenez une consommatrice qui fait de meilleurs choix. Au bout du compte, c'est votre garde-robe ou votre maison qui sera plus belle.

Donner une chance au comptant – c'est-à-dire, dépenser seulement l'argent qui vous appartient aujourd'hui – ne signifie pas qu'il faille emporter des liasses de devises et en cacher davantage dans le sucrier et entre les coussins du canapé. Vous pouvez faire des chèques, utiliser une carte de débit et inscrire vos factures au paiement automatique. Mais, vous ne ferez pas de chèques pour des montants qui ne sont pas dans votre compte, et vous refuserez tout renflouement provenant d'une marge de crédit. Il reste qu'au début, le fait de vous servir, chaque fois que vous en avez la possibilité, de billets verts imprimés par la Couronne, vous aidera à comprendre viscéralement combien d'argent il vous faut exactement pour maintenir votre style de vie.

Le principal cadeau en matière de finances personnelles, c'est de savoir que les sommes qui sont dans votre portefeuille et sur votre relevé bancaire, à l'exception des chèques non encaissés, sont ce que vous possédez vraiment. Il est ainsi plus facile de rester à flot, parce que les surprises sont réduites au minimum et que, soudain, le calcul est aussi simple qu'au primaire. Vous vous sentez forte et responsable, parce que c'est vous qui décidez où va votre argent, plutôt que de vous contenter d'échanger des factures, de rattraper vos chèques et d'utiliser votre carte *Pierre* pour payer votre compte *Paul*.

Grâce au comptant, la situation est plus claire, une qualité qui manque aux affaires pécuniaires de la plupart de ceux qui éprouvent des problèmes dans ce domaine. Leur situation est habituellement bien plus mauvaise qu'ils ne le pensent, mais il arrive parfois que l'on entende parler de quelqu'un qui est tellement dans le vague, qu'il ne sait même pas qu'il a des milliers de dollars dans un compte, quelque part. Lorsque vous optez pour l'argent comptant, vous devez être au fait des sommes dont vous disposez : ce que vous gagnez, ce que vous dépensez et où vous vous situez financièrement. C'est libérateur, même lorsque les chiffres sont plus petits que vous ne l'auriez souhaité.

Lorsque vous désirez quelque chose de gros, vous épargnez pour vous le procurer, aussi archaïque que cela puisse sonner à vos oreilles. Rappelez-vous comment vous vous sentiez, enfant, en achetant un truc avec votre propre argent ? C'est tout aussi agréable aujourd'hui. Et cela vous aide à discerner, parmi tous vos caprices du moment, celui qui embellirait vraiment votre vie.

Commencer à fonctionner avec de l'argent comptant est aussi facile que de dire : un, deux, trois !

1. Si ce n'est déjà fait, découvrez où vous en êtes en ce moment. Retrouvez tous vos relevés de comptes ou allez en ligne et faites le compte exact de vos avoirs et de vos dettes. Si le résultat vous déprime, courage : vous êtes sur le point d'y découvrir une colonne beaucoup plus saine !

2. Détruisez et annulez toutes vos cartes de crédit, sauf une. Si vous êtes une endettée chronique, il vous faudra renoncer à toutes vos cartes, mais pour le moment, voyez comment vous vous en sortez avec une carte que vous rembourserez chaque mois, en entier.

3. Ce qui suit est un principe que j'ai tiré du livre que je ne voulais pas lire, *How to Get Out of Debt, Stay Out of Debt, and Live Prosperously*, de Jerrold Mundis. Pendant un mois, notez chaque dollar

> que vous dépensez. Si vous avez dépensé plus que vous n'avez gagné, vous avez diminué votre valeur nette. Le but est de créer ce que Mundis appelle un plan de dépenses (un terme moins irritant que budget) qui couvre tous vos besoins et respecte votre revenu. Si cela est impossible dans votre situation actuelle, vous devrez sabrer dans vos dépenses ou générer plus de revenus en demandant une augmentation de salaire, en acceptant un second emploi ou un cadeau d'un de vos proches (mais non un prêt ; cela vous enfoncerait davantage), ou encore, d'une autre manière intelligente et sage, en apportant plus de blé au moulin.

Un plan de dépenses réaliste établit des paramètres à l'intérieur desquels vous devez fonctionner. Il ne devrait être ni trop strict, ni inflexible, quoique même un généreux plan de dépenses peut sembler restrictif, si vous avez l'habitude d'acheter tout ce qui vous fait envie, au moment où vous en avez envie, que vous en ayez ou non les moyens. Mettez-y le temps. Ainsi, prendre trois repas modérés par jour, vivre avec des limites financières raisonnables vous semblera très vite plus rassurant et plus confortable qu'une orgie de dépenses, avec le spectre de la pauvreté qui vous attend toujours au coin de la rue.

Lorsque vous aurez établi votre plan de dépenses, vous pourrez fonctionner avec les sommes dont vous disposez : devises, chèques, transferts électroniques, carte de débit. Si vous conservez une carte de crédit, servez-vous-en judicieusement et payez la totalité du solde à la fin de chaque mois. Mieux : payez la facture en ligne à chaque semaine ou aux deux semaines, lorsque vous touchez votre chèque de paye. (Vous pouvez aussi poser la question « à crédit ou non » à un partenaire dans l'action, pour un article particulier, comme on l'a fait avec « manger ou ne pas manger » au chapitre 19).

Tout en continuant de noter vos dépenses, vous modifierez votre plan pour tenir compte des saisons de l'année et des phases de votre vie où d'autres types de dépenses s'imposent. Ce document où vous inscrivez où va votre argent est une mémoire numérique. En voyant où va votre argent, vous voyez ce qui retient votre attention et ce que vous valorisez. Si vous aimez ce que vous voyez, continuez de dépenser exactement comme vous le faites. Sinon, changez. Cette façon d'agir donne seulement l'impression de louer une chambre dans le musée des horreurs. En réalité, c'est une façon géniale d'affirmer votre indépendance.

Posez un geste

Donnez une chance au comptant. Si l'argent vous fait problème, notez, pendant une période assez longue pour avoir une bonne idée de l'état de vos finances personnelles, le moindre sou qui entre, et le moindre sou qui sort de vos goussets. La plupart des gens ont besoin de se prêter à cet exercice pendant un mois, un cycle complet de facturation, pour y voir clair. Pour le moment, ne vous souciez pas de dépenser moins : prenez seulement conscience de ce que vous dépensez. À partir de cet élément d'information, créez-vous un plan de dépenses réaliste qui vous permette de vivre avec l'argent dont vous disposez. (Pour plus de détails, je recommande la lecture de *How to Get Out of Debt, Stay Out of Debt, and Live Prosperously*, de Jerrold Mundis.)

Chapitre 25

CONSACREZ 10 % DE VOS AVOIRS À FAIRE LE BIEN

De nombreuses personnes religieuses contribuent à la dîme en donnant 10 % de leur revenu à leur église ou à une bonne cause. Plus fascinant encore, beaucoup de gens riches – dont certains très, très riches – s'engagent à payer une quote-part correspondant à un important pourcentage de leur fortune. John D. Rockefeller l'a fait dès l'enfance. J'ai eu l'occasion de voir une copie du journal des dons qu'il gardait, noirci de notations juvéniles telles : « Reçu dix sous de papa ; donné un sou à l'église. » À la fin de sa vie, Rockefeller avait donné environ 750 millions de dollars.

De toute évidence, les dons permettent aux œuvres caritatives et aux institutions religieuses de perdurer mais, cela n'aurait aucun sens de croire que de donner 10 % de votre argent pourrait vous aider à en avoir plus. Parce que cela n'a pas de sens (et que je voulais vraiment tout garder pour moi), j'ai payé ma quote-part de manière très sporadique pendant des années. Je commençais normalement à payer lorsque mes finances étaient serrées, et comme j'avais épuisé toutes les possibilités de me renflouer, je me disais que j'essaierais de donner 10 % de ce que je gagnais. Il y a quelques années, alors que j'étais dans cette situation, j'ai dit à un ministre du culte : « On m'a payé 200 $, mais après avoir réglé les factures, acheté de l'essence et fait l'épicerie, il ne me reste que 20 $. Vous ne voudriez pas que je vous le donne pour payer ma part, non ? » Il a répondu : « Dans ta situation, je crois que c'est absolument nécessaire. » J'ai brusquement déposé mon dernier billet de 20 $ sur son bureau, en accompagnant mon geste de cette phrase pieuse : « La voici votre maudite dîme. » et je suis sortie en coup de vent. Le lendemain, j'ai reçu un cadeau tout à fait inattendu de 500 $.

Des coïncidences aussi étranges étaient bien assez pour m'inciter à payer ma dîme, et je suis devenue une adepte avouée. Je découvrais que 90 % de mon revenu me menaient plus loin que 100 % auparavant. Mais ensuite, il s'est passé quelque chose : je contribuais une somme d'argent beaucoup plus importante que je n'en avais l'habitude. J'obtenais une augmentation ou plus de contrats à la pige. Des gens qui me devaient de l'argent depuis si longtemps que j'avais fait une croix dessus, venaient me voir pour me rembourser. De temps en temps, j'écrivais un texte qui touchait un lecteur d'une manière très spéciale et, dans une enveloppe qu'un étranger m'avait adressée, je trouvais un chèque de 32$ ou de 11,80$ et un mot disant : « Vous m'avez aidé, voici ma contribution. »

C'était génial. Invariablement, cependant, les chèques que je signais en guise de quote-part devenaient trop gros pour ma zone de confort. C'était une chose de donner 20$, même lorsque c'était tout ce que je possédais. C'était tout autre chose de donner 1000$ ou plus. Tous ces zéros me terrifiaient et j'oubliais ma contribution. À tous coups, les zéros disparaissaient et les entrées d'argent cessaient.

Cela m'est arrivé beaucoup trop souvent pour parler de hasard. Je crois désormais que la dîme est une loi spirituelle conçue pour protéger les êtres humains et veiller à ce que nous ne manquions de rien. Aujourd'hui, je sens le besoin de sortir ce 10 % de mon compte en banque le plus tôt possible. Ce premier 10 % ne m'appartient pas et ne me fera aucun bien. Si vous souhaitez en faire l'expérience et voir quel effet cette contribution aura sur vous, voici des réponses aux questions qu'on se pose le plus souvent :

À qui donner votre quote-part ? À l'organisation vers laquelle vous vous sentez guidée. Certains experts insistent pour dire que la quote-part que vous payez à votre Église ou à tout autre organisme vous nourrit spirituellement. (Évidemment, nombre de ces experts sont des dispensateurs de nourriture spirituelle.) Je donne dans un sens plus large. Même si j'appartiens à une Église et que je la soutiens à titre gracieux, je donne aussi à des œuvres de charité de mon choix et à d'autres causes, selon les circonstances (s'il y a un désastre naturel quelque part, ou si une amie participe à un marathon caritatif).

Devez-vous payer votre quote-part sur votre revenu net ou sur votre revenu brut ? C'est comme vous voulez. Le revenu net me semble très bien, si c'est ce que vous pensez. À mesure que votre conscience (et votre revenu) va grandissant, vous pouvez passer au revenu brut si la chose vous inspire. (Certains enseignants recommandent que les travailleurs autonomes donnent un pourcentage de leur revenu net, après les dépenses d'affaires, mais avant les impôts.)

Dois-je donner un pourcentage de tout l'argent dont je dispose, ou seulement de mon salaire ? Vous n'êtes pas obligée de donner du tout. Si vous décidez de le faire, il faut que ce soit 10 % de la totalité de vos revenus, de toutes provenances. Après tout, vous voulez recevoir un revenu par le biais de tous les canaux auxquels vous pouvez penser et de d'autres qui ne vous seraient jamais venus à l'esprit.

Et si je reçois un cadeau important en argent, devrais-je contribuer selon sa valeur ? Comme nous ne nous servons pas de montres griffées et d'ordinateurs portables comme devises, acceptez votre cadeau et profitez-en, tout simplement. Si vous le revendez, donnez un pourcentage de ce qu'il vous rapportera.

Devriez-vous payer une quote-part si vous êtes endettée ? Cela dépend. Idéalement, vous établirez un plan de dépenses qui inclut votre quote-part et un moyen raisonnable de rembourser vos dettes, sans vivre comme si vous étiez dans la prison des débiteurs. Si vous êtes au milieu d'une crise d'endettement (vos créanciers vous appellent, vous devez passer en cour, vous avez entendu des hurlements de loup à la porte), donnez seulement un pour cent de votre revenu maintenant. Et même cela vous aidera à vous sentir moins désespérée car, aussi longtemps que vous pouvez donner à quelqu'un d'autre, vous n'êtes pas fauchée. Engagez-vous à donner 10 %, aussitôt que vous ne serez plus sur le mode crise.

Et si je ne paie pas ma quote-part pendant une semaine ou un mois, faudra-il que je rattrape le temps perdu ? Si vous avez passé une semaine parce que vous étiez en vacances ou occupée ailleurs, et que cette somme est là à attendre que vous la donniez, pour l'amour, mettez-vous à jour. Ou peut-être n'avez-vous pas payé votre contribution, parce que 10 % dans vos mains vous paraissaient mieux qu'une loi spirituelle dans les buissons. Vous avez dépensé la somme en question, et payer en double ce mois-ci vous conduirait à la privation financière. Dans ce cas, ne vous en faites pas pour ce recul. Vous recommencerez le jour où vous recevrez votre paye.

Je suis mariée. Dois-je compter le salaire de mon mari dans ma contribution ? Seulement s'il (ou, si vous êtes un homme, si elle) comprend le processus et veut contribuer avec vous. Sinon, donnez seulement un pourcentage de vos revenus. Si votre conjoint (ou conjointe) est le seul soutien de la famille et que la moitié de ce qu'il possède vous appartient, contribuez proportionnellement à cette moitié.

Je ne suis pas pratiquante. L'idée de payer une dîme me rend mal à l'aise. Beaucoup de gens qui ne pratiquent aucune religion ont découvert l'équation de la prospérité : donnez 10 %, épargnez 10 %, vivez bien avec les 80 % qui restent. Si payer une quote-part ou une dîme vous semble trop ecclésiastique, donnez un autre nom à ce geste, mais tirez avantage de la tranquillité et de la régularité de ce 10 % puisé à la source.

Pourquoi faut-il que ce soit 10 % ? Pourquoi pas 8 ou 17 % ? On a dit du chiffre 10 qu'il était le « nombre magique de la croissance ». Il est facile à visualiser et des générations de praticiens attestent de son efficacité. Si vous voulez donner plus de 10 % et que vous pouvez le faire sans faillir à vos responsabilités ou sans vous sacrifier, donnez tout ce que vous voulez. Ce pourrait n'être que des zéros, mais ces zéros peuvent faire grand bien.

Posez un geste

Commencez à payer une quote-part avec l'argent que vous recevrez prochainement : votre chèque de paye, un dividende, le 10 $ que votre grand-mère vous envoie pour votre anniversaire. Donnez, en vous disant que vous êtes tellement riche que vous pouvez vous permettre de donner au suivant.

Chapitre 26

FAITES FRUCTIFIER, POUR VOUS, 10 % DE VOS AVOIRS

Je détestais épargner lorsque j'étais encore assez petite pour les tours de manèges. Cela me venait peut-être de mon enfance durant la Guerre froide ; peut-être m'imaginais-je devoir vivre comme s'il n'y avait pas de lendemain. Ou peut-être étais-je seulement vide à l'intérieur, et croyais-je pouvoir combler mon vide en achetant des biens. De toute façon, je me rappelle que mon père essayait patiemment de régler le problème. Il m'a acheté tellement de tirelires : cochons, mappemondes et autres trucs du genre. Celles qui avaient des bouchons étaient géniales : je pouvais les vider et m'en mettre plein les poches. Il y en avait qu'il me fallait casser pour récupérer la monnaie. Celles-là me faisaient hésiter un moment, mais je finissais par dire : « Adieu cochon ! »

Un jour, mon père m'a offert une supertirelire : un avion miniature en métal indestructible. Je tirais sur le cockpit pour y déposer chaque pièce, et alors les hélices se mettaient à tourner dans une vaine tentative pour le faire décoller ! C'était bien comme tirelire, mais il y avait une clé dont on ne m'avait pas révélé la cachette. J'ai cherché et cherché. Finalement, pendant une course automobile dans la Pontiac (le frein à main tiré, bien sûr), je l'ai vue : accrochée derrière la visière du côté du chauffeur. Je savais que papa serait fâché si je la prenais et qu'il s'en rendait compte, mais je me suis dit qu'il avait beaucoup trop de choses importantes en tête pour se rappeler la clé d'une tirelire jouet qu'il avait cachée là trois mois plut tôt. J'avais raison ! Ce soir-là, j'ai ouvert la « soute aux bagages » et j'ai évalué mon butin : 7,80 $. Je me suis sentie plus coupable que riche, mais j'ai tout dépensé quand même. Même alors, je me sentais plus rassurée fauchée, que je ne m'étais sentie en possession de mon magot.

Cette habitude de tirelire brisée s'est perpétuée jusqu'à un âge adulte si avancé que je ne vous en parlerais même pas, si je ne croyais que cela puisse vous être utile. Même si je pouvais économiser pour atteindre des buts à court terme – par exemple, j'ai trouvé un emploi en sortant du collège, et j'ai épargné suffisamment pour déménager à Londres –, tout projet à long terme était hors de question. Le gros de l'argent que j'avais gagné pendant mon secondaire allait dans les cures et cliniques d'amaigrissement (seule, ronde et fauchée forment un ensemble notoire…). Dans la vingtaine, j'ai empoché une assurance vie pour faire un voyage ou un achat ; je n'arrive même pas à m'en souvenir. Et un petit héritage que j'ai reçu dans la trentaine s'est évaporé dans je ne sais plus quoi : un prêt étudiant ou autre chose. Où qu'il aille, l'argent ne durait pas longtemps, et j'étais revenue à la case départ, vivotant d'un chèque de paye à l'autre.

Les seules économies que je réussissais à faire étaient destinées à l'avenir de ma fille. Regarder profiter son argent ne me rendait pas nerveuse, j'en tirais plutôt de la fierté. Je ne pouvais toujours pas épargner pour moi-même, mais je m'habituais peu à peu à mettre une partie de mon revenu de côté. Je me disais que le jour où elle serait enfin indépendante, je pourrais commencer à économiser pour moi ; ce n'est pas un plan recommandable, mais c'était le mien. Quand enfin, mon tour est venu, j'avais appris la formule mentionnée au chapitre précédent : 10 % en dons, 10 % en épargne, et le dernier 80 % pour bien vivre. J'ai commencé avec ces chiffres et j'ai réussi à épargner un peu plus, car il me fallait combler un trou de 25 années.

Je pourrais cependant dépenser encore jusqu'au dernier sou, si je n'avais entendu cette phrase extrêmement réconfortante : « Ce que vous épargnez, vous le gardez. » Pour la plupart des gens, cela peut paraître aussi clair que la vitre dans une publicité de Windex, mais pour moi, c'était révolutionnaire. Cela signifie que l'argent que j'économise ne m'a pas été dérobé. Ce n'est pas un don fait à la banque, et il ne tombe pas dans un avion jouet que mon père peut ouvrir. C'est à moi et je le garde ; et, grâce au miracle matériel des intérêts composés, il continuera à s'accumuler sans effort de ma part.

Toutes les personnes que je connais qui sont, sinon dans les trèfles, à tout le moins dans une belle clairière où les trèfles peuvent pousser, partagent ma conviction que l'épargne est le plus sûr moyen de garder la pauvreté à distance. Les économies sont un fonds spéculatif personnel : elles couvrent nos mises contre les difficultés financières futures. C'est une bonne idée d'avoir plusieurs comptes d'épargne. D'abord, il y a le compte destiné aux impôts et taxes, un incontournable si vous travaillez à votre compte ou que vous avez un salaire de pigiste en plus de votre salaire régulier. Lorsque vous gardez systématiquement de l'argent pour les impôts et la sécurité sociale, comme si vous étiez le patron (ce que vous êtes si vous êtes travailleuse autonome), le jour des impôts, qu'il se présente une fois ou quatre fois l'an, devient un point mort comme le quinze du mois.

Vient ensuite ce que certains appellent la *réserve prudente*, une épargne totalisant environ six mois de salaire, pour vous permettre de faire face à une urgence ou à une perte d'emploi. Pas de panique : il n'est pas nécessaire de démarrer avec un tel montant. Contentez-vous de le prévoir. Mettez ces fonds dans un compte du marché monétaire ou même dans un dépôt à terme, puisque vous ne les retirerez qu'en cas de catastrophe.

Après la réserve prudente, vous voudrez commencer (ou continuer) à épargner pour votre retraite. Si votre employeur offre un plan de retraite, souscrivez-y. Aussitôt que ce sera faisable, laissez ces comptables efficaces faire fructifier au maximum votre argent : c'est la façon de vous sentir à l'aise (si vous êtes futée, souscrivez sans compter) plus tard dans la vie. Si vous êtes travailleuse autonome, mettez le maximum dans un plan d'épargne stable (PES) ou dans quelque autre plan d'épargne-retraite personnel (RÉER). Et parce que le marché boursier a fait ses preuves en ce qui a trait aux retours sur investissements à long terme, vous voudrez sans doute mettre cet argent dans un fonds commun de placement. Un conseiller financier peut vous aider à décider des particularités de vos investissements. Tout ce qui a trait aux actions à la Bourse me rend encore nerveuse. Peut-être me suis-je jetée en bas d'un gratte-ciel dans une vie antérieure, en 1929. Si vous faites le lien, il est indispensable d'avoir quelqu'un dans votre coin qui s'y connaît en matière d'investissements.

Finalement, vous pouvez avoir d'autres comptes pour des choses que vous seule jugez importantes : des vacances, une année sabbatique, un designer pour ceci ou cela, ce que vous voulez. J'ai un compte d'épargne pour les grosses dépenses reliées à mon entreprise. Mon mari et moi possédons un fonds pour un condo (éclairé, spacieux, avec deux salles de bains complètes, ma chère !) et un autre pour les vacances. C'est fini le club de Noël vieux jeu où vous mettiez un dollar ou deux par semaine pour avoir l'argent de vos emplettes des Fêtes en décembre. Nous avons donc créé le nôtre, un compte d'épargne dans lequel nous transférons un montant fixe, deux fois le mois. La première fois qu'on entend la chanson *It's Beginning to Look a Lot Like Christmas,* nous savons que nous avons ce qu'il faut pour acheter tous les cadeaux et payer le traiteur pour le réveillon. De plus, les contributions aux œuvres caritatives de fin d'année ne sont plus un fardeau, depuis que nous n'y participons plus : nos dons échelonnées sur toute l'année s'en occupent.

Si vous pensez : « Ce serait génial au pays des Fantasmes, mais tu ne sais rien de ma situation. J'ai du mal à joindre les deux bouts mensuellement, encore plus à mettre de l'argent de côté. Et en donner par-dessus le marché ? Oui, bien sûr. » Croyez-moi, j'ai été dans cette situation. Et pour ceux et celles qui ont commencé à épargner et à investir lorsqu'ils avaient 20 ans, j'ai sans doute l'air d'y être encore. Mais je suis loin d'être fauchée, et je me sens riche. Vous pouvez en faire autant. Commencez, là où vous êtes. Devenez aussi solide par rapport à vos affaires financières que la First National Bank, et commencez à appliquer les principes de la prospérité mentale dont je vous parlerai au prochain chapitre. Même si, pour le moment, vous devez travailler pour moins que cela, imaginez que l'on vous rémunère à la hauteur de ce que vous valez, pas dans des années d'ici, mais assez tôt pour pouvoir le voir et le goûter ; sans toutefois le dépenser ! Rappelez-vous, nous fonctionnons désormais avec l'argent dont nous disposons.

Posez un geste

Vite ! Prenez 10 % de l'argent que vous gagnez et placez-le quelque part où vous ne pourrez pas y toucher. Si un pourcentage de votre salaire va déjà dans un compte de retraite, commencez à vous bâtir un fonds d'urgence ou une réserve prudente, bien à vous.

Chapitre 27

PRÉVOYEZ, AFFIRMEZ, VISUALISEZ

J'attendais le métro à la station *Bleecker Street*, en lisant un livre de J. Donald Walters intitulé *Money Magnetism.* J'avais lu plusieurs livres sur un sujet similaire : nous sommes créés pour être riches, la pauvreté est une erreur, et des techniques comme le paiement de quotes-parts et la pensée positive peuvent aider quiconque à vivre une vie plus riche et prospère.

Quoi qu'il en soit, j'étais absorbée dans ma lecture lorsque j'ai senti une tape sur mon épaule et compris qu'un étranger me tendait un billet d'un dollar. Je l'ai pris pour le donner au sans-abri auquel je croyais qu'il était destiné, mais il n'y avait pas de sans-abri. Perplexe, je me suis tournée vers le bienfaiteur, et un jeune homme qui pointait le doigt sur mon livre a chuchoté à mon oreille : « Ce truc fonctionne vraiment ! », avant de disparaître sur le quai. Je me suis servie de ce billet comme signet et, ma lecture terminée, j'ai prêté mon livre à une amie et donné le dollar à un musicien de rue.

Ce truc qui fonctionne vraiment, c'est la notion que nous n'avons pas été mis sur cette Terre pour lutter. La nature est une pourvoyeuse prodigue. C'est dans l'ordre des choses que nos besoins soient comblés, et que nous puissions acquérir tout ce qui est nécessaire pour jouer notre rôle sur Terre, au plus haut niveau. Durant les années 1920, dans son livre *Le jeu de la vie et comment le jouer,* Florence Scovel Shinn écrivait, à propos du jeu qui consiste à donner et à recevoir : « Tout ce que l'homme fait en paroles et en actes lui sera rendu… Ce que l'homme imagine se matérialisera tôt ou tard dans ses affaires… Une personne possédant la faculté de visualiser, entraînée pour n'imaginer que le bien, attire dans sa vie *tous les désirs légitimes de son cœur* : la santé, la richesse, l'amour, l'amitié, l'expression parfaite de soi, ses idéaux les plus nobles. »

Nous sommes cependant trop nombreux à nous servir de notre imagination pour manifester ce que nous ne désirons pas. Nous pensons pauvrement. Nous nous imaginons que si nous n'avons pas réussi, arrivés à la quarantaine ou à n'importe quel autre âge que nous nous sommes fixé, nous ne réussirons jamais. Nous tenons pour acquis que si nous ne venons pas *de* l'argent, nous n'irons jamais *vers* l'argent dans un sens réel et durable. Et d'autres modernistes bien pensants s'accrochent au concept suranné selon lequel l'argent est mauvais en soi, la source de tout mal. (En fait, d'après la Bible, le problème c'est l'amour de l'argent, pas l'argent lui-même ; la différence est importante.)

Pour contrer la tendance qui consiste à craindre le pire plutôt que de s'attendre au meilleur, les professeurs de métaphysique comme Walters et Shinn proposent des outils pour changer notre façon de penser à l'argent en particulier, et à la richesse en général. Ces outils sont :

- *L'espérance :* avoir le courage d'espérer le meilleur, même si le meilleur prend une forme quelque peu différente de ce à quoi vous vous attendiez.

- *L'affirmation :* vous servir de votre sens de l'audition et de votre don pour la parole orale et écrite.

- *La visualisation :* employer votre sens de la vue et votre capacité à imaginer ce que vous voulez, mentalement et sur papier.

L'espérance – c'est-à-dire l'espérance bien placée – est ce que l'on obtient en associant foi et pensée positive. C'est croire que les choses vont fonctionner et que ce qui vous appartient vous reviendra, même si vous devez faire un détour ou accuser un recul. Les optimistes de naissance s'habituent à cela immédiatement. Les autres peuvent citer toutes les horreurs qui ont déjà eu lieu dans l'histoire – guerres, famines, accidents monstrueux, amoureux bafoués – afin de soutenir l'hypothèse voulant que la vie soit une vallée de larmes.

Mais ce n'est pas parce que des choses terribles peuvent survenir que des choses merveilleuses ne sont pas censées arriver. Donc, vous postulez à cet emploi en espérant l'obtenir. Si vous ne l'obtenez pas, sachez qu'il n'était pas pour vous. Dites : « Au suivant ! », sans regrets. Dans un autre ordre d'idées, vous allez à ce rendez-vous en pensant qu'il (ou elle) est la personne qu'il vous faut, ou à tout le moins que ce sera un dîner plus karmique, sur le chemin de la bonne personne. Avec une espérance positive, le présent est tel qu'il devrait être et l'avenir se présente à merveille.

L'affirmation consiste à imaginer un énoncé positif. Les énoncés officiels sont des affirmations que vous dites ou écrivez, ou les deux, encore et encore, jusqu'à altérer un vieux schème de pensée. Voici quelques exemples d'affirmations ayant trait à l'argent et à la prospérité : « L'argent me parvient facilement et librement. J'en ai toujours plus qu'assez. », « Ma vie est paisible et prospère. Je gagne ma vie, je donne, j'épargne et je dépense intelligemment. », « L'argent est mon ami. Nous sommes inséparables. » ou encore « Je suis un enfant de Dieu : mon père est riche, et moi de même. » Vous pouvez aussi créer vos propres affirmations. Veillez seulement à ce qu'elles restent positives, précises et à l'indicatif présent (« Je suis solvable et solide. », au lieu de « Je ne crois pas que je serai sans le sou encore longtemps. »)

Les affirmations ne sont pas quelque chose de nouveau, et vous les avez sans doute utilisées auparavant. Si elles n'ont pas fait de différence pour vous, c'est peut-être parce que vous en avez utilisé plus d'une à la fois, ou que vous n'avez pas continué cette pratique suffisamment longtemps. Les trois fois où j'ai utilisé les affirmations et obtenu des résultats spectaculaires, j'ai choisi une affirmation, je l'ai écrite trente fois par jour, je l'ai lue à voix haute trente fois par jour, et j'ai continué ainsi pendant trois mois. (C'est beaucoup de travail. Vous comprenez pourquoi je l'ai fait seulement trois fois.) De plus, j'avais écrit mon affirmation sur des *Post-it* et sur des signets, et j'étais tellement engagée dans cette démarche que c'est devenu ma réalité avant même que la chose ne se produise. (Vous vous demandez sans doute de quels résultats spectaculaires je veux parler ? La première fois, j'ai reçu ma plus grosse avance à ce jour pour l'écriture d'un livre. La deuxième fois, William est arrivé dans ma vie. La troisième fois, j'ai été invitée au *Oprah Winfrey Show*.)

La visualisation consiste à voir la vie que vous voulez. Vous pouvez le faire pendant votre méditation : gardez en tête une image de ce que vous désirez acquérir, réussir ou devenir, ou une vision d'un monde marquée par la paix et le bien-être.

Vous pouvez aussi utiliser la visualisation dans vos rêves éveillés et dans les images qui vous viennent lorsque vous n'êtes pas focalisée sur autre chose. Réfléchissez un moment à vos pensées vagabondes. (Elles sont comme nos moments de liberté, sauf que nous n'avons pas eu à travailler fort pour y avoir droit.) Où vont vos pensées lorsque vous leur permettez d'errer au hasard ? Pensez-vous à ce que vous voulez bâtir, créer, améliorer ? Imaginez-vous un avenir plus lumineux pour vous, votre famille, vos clients, votre collectivité ? Ou bien, êtes-vous plus portée à vous faire du souci ? À imaginer le pire ? À revivre mentalement le film d'horreur du temps où on vous avait dérobé votre argent, où on vous a refusé une promotion pour la donner à quelqu'un d'autre ? Les films qui se jouent dans votre tête sont des bandes-annonces d'attractions à venir, mais plutôt que d'apparaître sur le petit écran de votre esprit, ces films se dérouleront au complet dans votre vie.

Voici une bonne technique pour vous focaliser sur vos capacités à visualiser : il s'agit de créer une carte de vision (aussi connue sous l'appellation de carte au trésor, carte de l'esprit, tableau des rêves, ou collage de l'avenir). Collectionnez les magazines, les vôtres et ceux de vos amies et voisines. (Après cela, vous verrez les bacs à récupération d'un autre œil.) Feuilletez les magazines, découpez des images et des mots qui touchent vos cordes sensibles et qui sont, soit littéralement, soit symboliquement, des choses que vous aimeriez avoir dans la vie. N'écrivez pas tout de suite, et dites-vous que vous récolterez sans doute plus d'images et de phrases que vous n'en utiliserez. Gardez vos découpages dans une boîte ou dans une grande enveloppe, jusqu'à ce que vous sentiez que vous en avez suffisamment. Puis, disposez-les sur un grand carton et fixez le tout à l'aide d'un bâton de colle. Cet exercice n'exige aucun talent artistique.

Certaines personnes aiment organiser leur carte par catégories – désirs financiers et matériels dans une section, sentiments et relations dans une autre, et la santé ailleurs. D'autres mélangent tout. La seule règle est de placer, au centre de votre carte, une ou des allusions à la spiritualité, tout en les interprétant à votre façon. C'est pour vous rappeler que nous ne sommes pas le centre de l'Univers et que la vie peut avoir ses propres desseins, souvent bien plus louables que les nôtres.

Suspendez votre carte de vision dans un endroit où vous la verrez chaque jour, mais hors de la vue des gens qui pourraient en rire. C'est un collage de vos rêves embryonnaires ; ils ont besoin d'amour et d'encouragement, pas d'être objets de moquerie ou ridiculisés. Regardez votre carte chaque jour pendant une minute entière, ou même deux. Intériorisez-la. En règle générale, je réalise une nouvelle carte en janvier de chaque année, et je la conserve toute l'année. Il m'est arrivé d'en garder une quatre fois plus longtemps, et chaque point que j'y avais inscrit a fini par se réaliser, sauf un. J'ai enlevé cette affiche lorsque je suis déménagée à New York (ma venue ici était une des visions que j'avais inscrites sur ma carte), car il suffisait que j'ajoute sur le tableau suivant le seul rêve que je n'avais pas encore réalisé jusque-là : avoir un livre dans la liste des best-sellers du *New York Times*.

Toutes ces choses qui me sont arrivées lorsque je les ai affirmées avec autant de fermeté étaient aussi inscrites sur des cartes de vision. Ce genre de cumul de moyens, sans être une exigence, peut aider à accélérer les choses. J'ai découvert que l'espérance, l'affirmation et la visualisation sont des chemins vers la richesse, aussi efficaces, à leur manière, que de colmater une source d'endettement ou d'épargner pour les jours de pluie (ou de soleil). Elles opèrent à un niveau plus subtil. Bien sûr, l'argent vient par le travail, les cadeaux, les allocations, les intérêts et toutes sortes de canaux, mais il vient de la même Source que toutes les autres bonnes choses.

Posez un geste

Oh, et pourquoi pas deux gestes ? Premièrement, trouvez une affirmation de richesse qui vous plaît. Écrivez-la et lisez 30 fois ce que vous avez écrit (tout en même temps, ou 10 fois à tous les matins, 10 fois le midi et 10 fois le soir), pendant 30 jours. Si cela ne « prend » pas en 30 jours, faites-le durant 30 jours de plus ; vous pouvez même vous rendre à 90, comme je l'ai fait. Deuxièmement, créez une carte de vision, suspendez-la, et prenez l'habitude de la regarder durant une minute ou deux à chaque jour, en invitant dans votre vie à la fois les choses que vous voulez et la personne que vous souhaitez devenir.

Chapitre 28

APPRÉCIEZ MAINTENANT, LA GRATITUDE VIENDRA PLUS TARD

N'est-ce pas un drôle de jeu de mots que de dire d'une action ou d'une propriété que l'on a revendue plus cher, qu'elle a pris de la valeur. Lorsque vous appréciez ce que vous avez en ce moment, les chances sont que votre valeur nette augmentera d'autant.

J'ai mentionné la gratitude comme étant utile pour rompre avec l'obésité, mais elle mérite une place bien spéciale ici, car il existe un lien direct entre gratitude et richesse. J'avais l'habitude de dire en riant que mon portefeuille repoussait l'argent. Je vois maintenant que le facteur repoussant était mon manque de gratitude pour l'argent et les autres merveilleuses choses que je possédais déjà. Comme un tas de gens, je me disais que le temps de la gratitude n'était pas encore venu, qu'il viendrait lorsque j'aurais obtenu tout ce que je désirais ou que je serais si près du but, qu'être reconnaissante ne compromettrait pas le reste de ma démarche. Je vois maintenant que ce n'est pas la reconnaissance qui peut vous mettre des bâtons dans les roues, peu importe l'étape.

Vous avez peut-être lu, lorsque vous étiez petite, le classique pour enfants *Les patins d'argent* (Hans Brinker) de Mary Mapes Dodge. Ce livre raconte l'histoire d'un garçon qui souhaite recevoir de beaux patins rutilants pour Noël. Mais ses parents lui offrent plutôt des bulbes de tulipes. Il est, on peut s'y attendre, très déçu et aussi irrité qu'un enfant de cette époque peut se le permettre. Mais il finit par se dire qu'il est censé apprécier les bulbes, les planter, et s'en occuper de manière qu'ils deviennent des fleurs magnifiques. Une fois qu'il a acquis cette notion, il acquiert aussi les patins. Le message est clair : lorsque vous appréciez enfin ce que vous avez, d'autres bonds en avant peuvent vous conduire jusqu'au triple axel.

Regardez autour de vous. Où êtes-vous en ce moment ? Dans une maison confortable où il y a des meubles, des appareils électroménagers et des tableaux sur les murs ? Dans un bureau qui, si petit soit-il, est la preuve que vous gagnez bien votre vie ? Dans un café où vous venez de commander votre lunch et où il vous restera de l'argent une fois payée l'addition ? Vous nagez dans une mer d'abondance. « Mais, ce n'est pas une grosse maison cossue ; ce n'est pas un bureau de coin avec fenêtres ; ce n'est pas un restaurant cinq étoiles. » Sans la gratitude proverbiale, tout cela ne vous satisferait pas davantage. Seules vos lamentations seraient différentes : « Mais je n'ai pas de maison de campagne ; je devrais être propriétaire de cette entreprise ; Maxim's à Paris est tellement mieux que ce bouiboui. »

Vous voyez, l'ingratitude vous gruge et devient un style de vie, tout comme manger ou dépenser de façon compulsive. Plutôt que de simplement reconnaître et visualiser ce que vous voulez – une attitude positive à avoir –, vous pouvez tenir si fort à ce que vous désirez que cela vous empêche de voir ce que vous avez déjà. Je crois que c'est la raison pour laquelle les bouddhistes disent que le désir est ce qui cause nos souffrances. Le remède à l'ingratitude (et à une grande quantité de souffrances, je crois) se trouve dans d'énormes doses d'appréciation.

Pour commencer, gardez à l'esprit toutes les raisons non monétaires que vous avez d'être reconnaissante. Commencez par votre santé, l'amour de vos proches, votre intelligence, vos talents. Il y a aussi votre capacité à rire et à jouir des plaisirs physiques, des délices intellectuels et des qualités de l'âme tels l'enchantement, l'émerveillement, et cette certitude que vous avez parfois que, peu importe de quoi les choses ont l'air, vous finirez par embaumer comme une boutique de fleuriste.

Lorsque vous serez sidérée par tous les trésors que l'argent ne peut acheter, passez aux biens de base qu'il peut offrir : vous avez un toit, des vêtements, de la nourriture et les moyens de vous déplacer d'un endroit à un autre. Ne l'oubliez pas. Des millions de gens sur cette planète, et sans doute un grand nombre à cinq kilomètres à la ronde, n'ont pas de toit, de douche ou de repas garanti.

Ensuite, commencez à noter et à apprécier les extras, ces petits riens qui vous rendent heureuse. « Le thé à la mandarine que j'ai découvert à la coopérative… les bonidollars que je récolte chaque mois… les plants de tomate que j'ai fait pousser dans l'escalier de secours… » Une autre pratique puissante consiste à exprimer votre gratitude pour ce que vous n'avez pas encore. « Merci pour cet emploi que j'aime. » est une prière qui, souvent répétée, pourrait facilement vous valoir soit une nouvelle position, soit des changements au poste que vous occupez, de manière à ce que vous vous mettiez à aimer votre travail.

Lorsque vous vous sentez reconnaissante, vous voyez tout ce que vous possédez effectivement et potentiellement. Ensuite, vous vous sentez riche, et tout le monde sait que les riches s'enrichissent. D'autant que la gratitude est un fertilisant si efficace qu'il fait presque pousser l'argent dans les arbres. Cela ne devrait pas nous étonner : lorsqu'on a le choix, on va là où l'on nous apprécie. L'argent et les biens qu'il peut acheter en font autant.

La gratitude nous garde aussi de la compétitivité et des comparaisons inutiles. La tendance à vous comparer aux autres peut s'immiscer entre vous et une vie riche. Lorsque vous vous comparez, l'autre possède toujours davantage ou mieux, quoique si vous pouviez voir sa situation de l'intérieur, elle pourrait vous paraître beaucoup moins idyllique. Mais disons qu'elle est vraiment idyllique... Puis que la personne à laquelle vous vous comparez a vraiment le meilleur de tout et ce, plutôt trois fois qu'une. Parfait. C'est sa vie, son rôle, son destin. Vous ne pouvez pas changer cela (et le seul fait de le vouloir serait comme d'exposer votre âme à la grippe). Vous pouvez toutefois changer votre propre vie en appréciant ce que vous avez et en étant ouverte aux idées créatrices que vous rencontrez. Vous pouvez utiliser ces idées pour agir afin d'apporter plus de bien dans votre vie.

Mais qu'en est-il de l'autre personne, celle qui semble déjà tout avoir et qui continue à recevoir malgré tout ? Qu'a-t-elle fait pour en arriver là ? Peut-être n'est-elle pas particulièrement gentille. Voilà une question qui a troublé les philosophes de toutes les époques. Le concept oriental du karma dirait que d'une manière ou d'une autre, peut-être dans une vie antérieure, peut-être autrement, elle a mis des forces en action qui ont créé ce que vous voyez : beauté, famille charmante, sacs Prada, avion privé.

Il lui incombe aujourd'hui de se servir de ce qu'elle a reçu pour le bien de tous. Si elle ne le fait pas, sa situation dans un monde futur, peut-être même dans celui-ci, pourrait être tout autre. Votre rôle consiste à lui souhaiter du bien. C'est aussi votre rôle dans la vie du sans-logis que vous avez croisé dans la rue, et dans celle de votre collègue de travail, qui est tellement nez à nez avec vous que vous êtes certaine qu'il vous faudra l'écraser pour obtenir de l'avancement. Non, ce ne sera pas nécessaire. Vous allez de l'avant – par tous les moyens durables et importants – en luttant pour faire partie de l'ascension de l'Univers. Céder à la tentation d'empêcher l'autre d'avancer, de le rabaisser, ou de lui dérober sa voix, ne peut que vous diminuer.

C'est là que les choses deviennent vraiment excitantes : à ce moment où vous pouvez être reconnaissante pour les réussites d'autrui comme s'il s'agissait des vôtres. Lorsque vous en arrivez là, les réussites des autres deviennent bel et bien vos réussites. Je l'admets, c'est un cours avancé, mais c'est génial lorsque vous pouvez dire : « Je suis vraiment heureuse pour toi. » et le penser réellement. Arrivée à ce point, vous serez heureuse beaucoup plus souvent, car vous partagerez le bonheur de tout le monde autour de vous. Si vous attendiez une percée vers une vie plus prospère, la voici. C'est ici que vous commencez à voir que la richesse est bien plus que le coup de foudre, la séduction et la bague au doigt. Les richesses vous entourent. Quand la gratitude vous permet de voir tout ce que vous possédez, les deux bras vous en tombent, littéralement !

Posez un geste

Ne sortez pas du lit sans vous rappeler 10 choses qui vous inspirent de la gratitude. Ce n'est tout simplement pas sûr de sortir dans le monde avant de vous être ceinte de gratitude. Il y a tant de clinquant au dehors pour vous séduire, sans parler de la tentation de croire que quelqu'un d'autre possède quelque chose qui devrait vous appartenir. L'appréciation vous protège de ces éléments de la même manière que votre manteau d'hiver vous protège d'éléments d'un autre type. Pendant combien de temps devriez-vous continuer à faire cet exercice? Tous les matins, jusqu'à ce que vous soyez morte. Ce qui se produira par la suite n'est pas de mon ressort.

Chapitre 29

METTEZ VOTRE ARGENT, LÀ OÙ EST VOTRE MORALITÉ

Vous exercez votre pouvoir de la même manière que vous utilisez votre argent. Que vous dépensiez (ou donniez, ou investissiez) cinq ou cinq millions de dollars, vous appuyez une façon de faire les choses. Gandhi disait : « Soyez le changement que vous voulez voir dans le monde. » On pourrait plus ou moins le paraphraser ainsi : « Achetez le changement que vous voulez voir dans le monde. » Bon nombre de nos intérêts fonctionnent exactement ainsi. Mais l'humanité, en tant que tout, a un intérêt dans un monde humain et viable. Nous devons orienter l'ensemble de nos ressources dans cette direction.

Chaque dollar, livre, euro, yen, yuan et ainsi de suite, est un élément d'énergie. C'est vous qui décidez où ira cette énergie. Si vous croyez que la situation des enfants exploités dans les ateliers de main-d'œuvre bon marché est tragique, vous voudrez savoir d'où viennent les vêtements que vous achetez ; sinon, vous pourriez contribuer et souscrire à cette tragédie. Si le réchauffement de la planète vous inquiète, mais que vous rêvez d'une grosse voiture, vous annulez votre prise de position. Si la guerre vous paraît archaïque et absurde, mais que vos fonds communs de placement sont investis dans les armements, vous financez l'absurdité.

Votre objectif sur la Terre n'est pas d'occuper tout l'espace et d'utiliser les ressources. Je déteste l'expression *consommateur américain*. Cela me fait penser à la bactérie mangeuse de chair. Personne n'est venu ici avec pour mission de « consommer tout ce que tu peux ». Ce serait plutôt : « Utilise tes talents et tes dons particuliers pour produire un impact positif sur le monde. » Vos actions altèrent le paysage de cette planète. Vous affectez l'avenir jusqu'à la fin des temps. Vous n'êtes peut-être qu'une personne, mais l'histoire est remplie d'hommes et de femmes seuls qui font suffisamment de ravages ou de bien pour être comptés comme des milliers. Joignez-vous à l'équipe du bien, avec vos pensées et vos attitudes, avec la direction de vos efforts et votre façon de disséminer votre capital.

Les dépenses réfléchies vous donnent plus de pouvoir sur votre argent. De plus, en dépensant sciemment, vous mettez un frein aux dépenses inconsidérées. Si vous avez pris la peine d'écrire où va votre argent, comme je l'ai suggéré au chapitre 24, jetez un coup d'œil sur vos notes. Qu'achetez-vous et où l'achetez-vous ? Que savez-vous des industries que vous soutenez systématiquement ? Quel genre de monde votre argent contribue-t-il à créer ? Savez-vous qui sont ceux qui sont secourus et ceux que votre façon de dépenser risque de faire souffrir ? Vous faites-vous un devoir d'encourager les entreprises dont les valeurs correspondent aux vôtres ?

Dans bien des cas, il s'agit d'un appel personnel. Nous disons tous vouloir un monde meilleur, mais nos opinions diffèrent quant à quoi ce monde devrait ressembler. Vous pouvez être fidèle à vous-même et à vos principes du moment. Vous pouvez toujours changer d'idée ou élargir votre champ de compétences avec le temps. Voici des suggestions qui vous serviront d'amorce pour utiliser votre argent afin de créer un monde meilleur. Inspirez-vous-en pour faire surgir vos propres idées :

- *Nourriture, glorieuse nourriture* : Les produits maraîchers biologiques peuvent coûter un peu plus cher que les variétés sur lesquelles on a vaporisé des fertilisants à base de pétrole, mais considérez la différence de prix comme un investissement dans une meilleure santé pour vous et une planète viable. Vous soutenez de petits agriculteurs et économisez un coin de terre lorsque vous faites vos courses dans les marchés publics ou souscrivez à l'ASC (agriculture soutenue par la communauté) en devenant partenaire d'une ferme biologique. Vous trouverez des renseignements sur les ASC sur le site d'Équiterre.

- *Vert, vert c'est vert,* dit-on : Acheter avec un œil environnemental est une expérience à la fois instructive et anoblissante. Commencez par les emballages ; moins il y en a, mieux c'est. Optez pour les serviettes en papier recyclé, et utilisez des serviettes de table en tissu le plus souvent possible. Remplacez les produits que vous gardez sous l'évier par des nettoyants et détergents plus doux pour l'environnement en général et pour votre maison en particulier. (La manière la moins coûteuse de nettoyer est d'utiliser des produits qui sont déjà dans vos armoires : soda à pâte, cristaux de soude, club soda. Voici un livre qui vous enseignera comment : *Maison propre et jardin vert, guide de l'entretien ménager et du jardinage écologiques* (disponible en format PDF).

- *Les dépenses énergétiques* : Diminuez votre dépendance aux carburants fossiles. Gardez votre voiture en bon état et consommez moins d'essence. Au moment d'acheter une voiture neuve, optez pour le modèle hybride. Vous compenserez pour le coût d'achat grâce aux économies d'essence. Il existe également des fournaises, des lessiveuses et des ampoules à basse consommation d'énergie.

Ajoutez vos actions à celles de millions d'autres consommateurs, et vous prendrez part à un courant positif.

- *Appuyez les entreprises familiales* : Nous dépendons d'une grande chaîne de détaillants, mais le rêve américain qui consiste à démarrer et à gérer une entreprise ne devrait pas nous être enlevé. Aidez à garder cette chaîne bien vivante en recherchant et en appuyant les entreprises familiales (boutiques, restaurants et services) dans votre ville, et lorsque vous voyagez.

- *Optez pour l'usagé* : Petite, on m'a appris à lever le nez sur tout ce qui était usagé, mais plus maintenant. Les vêtements d'époque ont une élégance indéniable ; les boutiques de récupération pourraient vous permettre de porter du Chanel bien avant que votre salaire ne vous le permette ; et les vieilles fringues usagées peuvent s'avérer fort utiles, vous faire économiser une poignée de dollars, et donner une nouvelle vie à une chose qui, autrement, irait grossir le site d'enfouissement. Certains magasins de ce genre me dépriment – ceux qui sont mal tenus et qui dégagent un parfum douteux –, mais les boutiques qui ont du charme, comme il y en a dans toutes les villes, sont divines. Les marchés aux puces, les ventes étiquettes routes, eBay et les listes d'achat en ligne, sont d'autres façons d'acquérir des trésors déjà portés.

- *Les investissements inspirés* : Lorsque vous investissez votre argent, recherchez des corporations dans lesquelles vous pourrez acquérir des intérêts, et faites-vous la promesse que votre argent ira dans des entreprises qui respectent vos principes. Il arrive parfois que des gens qui s'intéressent à une question en particulier achètent des actions dans une société pour en influencer la direction. Les plus petits investisseurs peuvent choisir dans une foule de fonds communs de placement, sous la rubrique investissement socialement responsables. Comme votre conscience sociale diffère de celle de votre voisin, vous pourriez choisir un fonds qui passe au crible les actions délinquantes (par exemple, les jeux de hasard, l'alcool, le tabac), ou un fonds qui privilégie une combinaison de conscience environnementale, de paix, de droits humains, de droits des femmes, de droits des animaux, et ainsi de suite.

- *Choisir ses causes* : Vous pouvez obtenir des renseignements impartiaux sur la manière dont vos dons aux œuvres de charité sont répartis, sur le site www.guidestar.com*, qui fournit des renseignements financiers et opérationnels sur le million et demi d'organismes enregistrés sans but lucratif, inscrits au IRS. Si vous ne pouvez donner de grosses sommes, pensez aux organismes de charité de votre quartier, à qui vous pouvez donner du temps ou de l'argent. Vous pourrez ainsi voir comment ces organismes sont administrés et vous ne serez pas réduite à espérer que les grosses machines fassent bien les choses.

- *Cessez et désistez-vous* : Dépenser, c'est s'exprimer. Ne pas dépenser, c'est s'exprimer encore plus fort. Si vous avez décidé de passer d'un produit à un autre parce que le nouveau produit est plus respectueux de l'environnement, ou si vous magasinez dans une boutique qui a amélioré ses relations avec ses employés plutôt que dans celle qui ne l'a pas fait, faites savoir aux entreprises que vous boycottez pour quelle raison elles vous ont perdue comme cliente et ce qu'il faudrait qu'elles fassent pour vous ramener chez elles.

Avez-vous déjà dit : « Si j'avais telle somme, je ferais... », en achevant votre phrase par une belle intention philanthropique remplie de sagesse et de prudence ? Vous avez les mêmes moyens financiers que tout le monde ; ceux qui peuvent servir à améliorer les choses.

* Ce site concerne les dons faits au États-Unis.

Lorsque vous penserez ainsi, vous vous sentirez beaucoup mieux.

Posez un geste

Pour les sept prochains jours, surveillez bien où va votre argent lorsqu'il sort de votre portefeuille ou de votre compte en banque. Notez les fois où vos dépenses vous semblent promouvoir une vie meilleure pour tous ceux qu'elles affectent, lorsqu'elles vous paraissent neutres, et lorsque vous avez l'impression de gonfler les coffres d'une entreprise ou d'une industrie dont les valeurs et objectifs vont à l'encontre des vôtres. Quand vous verrez pour qui vous votez avec vos dollars, prenez les moyens pour que votre intégrité soit conforme à vos achats, à vos dons et à vos pratiques d'investissements.

Chapitre 30

CRÉEZ-VOUS UNE VIE QUI APPELLE L'ABONDANCE

« Tu devrais écrire un livre sur l'idée de vivre richement sans être riche. », m'a dit ma fille plus d'une fois. « Quand j'étais petite, je ne savais pas que nous étions pauvres. » Je suppose que je ne le savais pas non plus, même s'il y eut une période, alors qu'elle avait six ou sept ans, où j'écrivais des articles pas très payants pour des circulaires de magasins d'aliments naturels, et pour lesquels notre petite famille recevait très peu d'argent. Nous vivions au lac Ozarks, dans une cabane de cèdre, avec un placard en guise de séparation. (Je ne m'étais pas rendu compte que c'était une maison d'été, jusqu'à ce que l'hiver arrive et que les tuyaux ne gèlent.)

Néanmoins, nous voyagions. Je n'étais pas payée pour donner des conférences à cette époque, mais les organisations qui recherchaient mes services couvraient les dépenses de voyages pour ma fille et moi, et je prolongeais chaque fois notre séjour d'un jour ou deux afin qu'elle puisse voir les séquoias de Smithsonian, la colonie de chauves-souris d'Austin ou le quartier français de la Nouvelle-Orléans. De retour à la maison, nous allions à l'école de beauté pour des soins du visage et des ongles qui nous coûtaient une bouchée de pain. J'étais abonnée à l'unique gym en ville, et Rachael (avant qu'elle ne choisisse de porter son second prénom, Adair) y prenait des leçons de taekwondo. Nous avions souscrit à une coopérative alimentaire, un groupe de personnes qui commandaient des aliments biologiques en vrac, et nous mangions à peu de frais. Les assiettes de céramique appareillées, une vitrine pour ranger les livres, la Toyota et les trois chats étaient des rescapés d'une époque plus prospère. La bibliothèque municipale, le parc régional, des amis captivants et le lac, tout cela était gratuit pour nous. Nous avons même réussi à nous payer une femme de ménage pendant un certain temps.

Je ne prends aucun crédit pour avoir bien vécu avec aussi peu de moyens. Comme j'ai grandi dans une famille assez à l'aise, je me voyais comme quelqu'un jouissant de certains moyens, même lorsque ce n'était pas le cas. Même si je travaille encore à aligner la réalité sur cette hypothèse, j'ai l'avantage de croire que nous avons droit à une vie de confort. Certaines personnes doivent dépasser différents conditionnements hérités durant l'enfance, telle l'idée de la pauvreté comme héritage familial. Ceux qui ont grandi dans le manque et la lutte à la survie, peuvent gagner beaucoup d'argent et continuer à se percevoir comme sans le sou. Un homme dans cette situation m'a dit un jour : « Peu importe combien je gagne, je lis toujours le côté droit du menu en premier. »

Si vous vous percevez comme quelqu'un de prospère mais que vous n'avez pas beaucoup d'argent en ce moment, vous avez déjà le gabarit, comme un cahier d'activités où il suffit de tracer des lignes entre les points pour le compléter. Vous pouvez admettre avoir un problème temporaire de comptant, sans jamais être totalement fauchée. Si, d'un autre côté, vous vous croyez pauvre, toutes vos possessions : actions, maisons ou terrains, argent comptant et autres avoirs, ne pourront vous empêcher de vous sentir pauvre ou de craindre la pauvreté. Rien n'y fera, si vous ne changez vos propres perceptions. Pire, ce sentiment de pauvreté peut dépasser la simple impression : qu'elle s'en rende compte ou non, la personne qui a la conscience du pauvre travaille très fort pour appeler la pauvreté dans sa vie. Nous connaissons tous l'expression *revers de fortune*. Un tel revers a plus de chances d'arriver à ceux qui sont incapables de se voir comme étant fortunés. Ceux qui en sont capables acceptent leurs cadeaux avec gratitude, gèrent leur richesse avec sagesse, et partagent ces largesses avec amour.

Se voir comme une personne qui mérite la richesse est le premier pas vers la création d'une vie qui attire la richesse. Penser et parler positivement, utiliser l'espérance, les affirmations et la visualisation, prendre un pourcentage à la source pour partager et un autre pour épargner, toutes ces habitudes aident à créer l'état d'esprit qui attire à vous toutes sortes de bonnes choses. Il faut vous lier d'amitié avec l'argent. Savoir enfin, au plus profond de votre être, que le fait d'être fauchée n'aidera pas un enfant qui meurt de faim ; en fait, ce sera plutôt le contraire.

De plus, vous pouvez faire des pas simples et pratiques afin que la richesse vous atteigne plus facilement. Disons que vous attendez un colis d'UPS. Si votre numéro civique est parfaitement lisible au-dessus de la porte d'entrée, ou si votre nom est écrit en grosses lettres au tableau de votre immeuble, vous aurez votre colis aujourd'hui. Sinon, le livreur pourrait perdre beaucoup de temps à chercher la bonne adresse. Le colis pourrait même être retourné à l'expéditeur. Les mesures de prospérité que voici sont des signes à l'Univers que vous êtes censée recevoir la richesse, aussi vrai qu'une adresse facile à lire est un signe, pour le chauffeur de UPS, que ce colis doit être livré à votre porte.

- *Habillez-vous richement.* Je ne dis pas qu'il faut crouler sous les diamants et arborer les initiales des grands designers partout où vous allez. Il suffit de bien paraître : des vêtements propres et repassés, sans taches et sans accrocs, des chaussures bien polies et soignées.

- *Soyez toujours tirée à quatre épingles.* Je connais une chanteuse pleine d'avenir que l'on avait envoyée chez un grand bijoutier pour essayer le collier de diamants qu'elle devait porter pour sa prestation, lors d'une soirée bénéfice. « J'étais tellement nerveuse, m'a-t-elle confié. J'avais l'impression que ce n'était pas ma place. Et mon vernis à ongles était tout écaillé. » Au moment où elle disait cela, elle a réalisé ceci : elle n'avait pas encore les revenus d'une diva, mais elle pouvait se refaire manucurer. Alors, refaites votre manucure, votre coiffure, votre maquillage. Vérifiez le tout dans le miroir plusieurs fois par jour, pour être certaine que l'impression que vous donnez soit toujours de première classe.

- *Évitez de poser des gestes désespérés.* Prendre une petite bouteille de shampoing inentamée ou une barre de savon miniature vierge à l'hôtel, est un geste désespéré. Remplir vos poches de sachets de Splenda au café du coin, plutôt que d'en acheter une boîte au supermarché, est un geste désespéré. Si vous avez l'impression d'obtenir quelque chose pour rien, rappelez-vous que vous ne vous enrichirez pas en vous comportant comme un mendiant.

- *Entourez-vous de beauté.* « Les riches sont différents de vous et de moi. », a paraphrasé un de mes mentors. « Ils possèdent davantage de beauté. » Mais cela ne coûte rien de faire pousser des fleurs, de marcher dans le bois ou dans une rue bordée d'arbres à l'architecture historique. Les tableaux dans les musées sont aussi époustouflants de beauté les jours de gratuité, que lors des soirées bénéfices à 1 000 $. La majorité des cités célèbrent l'été en offrant des spectacles et des concerts dans les parcs, dans les grands jardins, et on peut assister à des ballets sous les étoiles. Il suffit d'étendre l'énergie pour transporter votre corps là où se trouve la beauté.

- *Aménagez un chez-vous confortable.* Que vous viviez dans un manoir à flanc de montagne ou dans une maison mobile derrière le Dairy Queen, vous attirerez la richesse en rendant votre demeure confortable et invitante. Si vous êtes minimaliste, vous y arriverez en faisant disparaître tout ce qui est de trop, et en révélant la grâce inhérente des lieux au moyen de choses fonctionnelles et d'espaces ouverts. Si vous aimez les collections ou les antiquités, ou encore l'atmosphère douillette que créent les coussins moelleux, les dentelles et les étagères remplies de livres, vous voudrez enlever tout ce qui dépasse pour mettre vos joyaux en valeur, et arranger ce qui reste d'une façon qui vous nourrisse corps et âme.

- *Vivez dans un monde sans limites.* Un tel monde compte une grande diversité de gens, d'idées, de points de vue, de sons et d'expériences. Alors que l'argent peut vous offrir un monde plus vaste avec la possibilité de voyager, d'obtenir des diplômes d'études supérieures, ou d'élargir votre vision des choses, il peut produire l'effet contraire, reléguant de nombreux riches dans des ghettos de privilégiés dont ils n'osent plus sortir. Soyez riche, dans tous les sens du terme, en commençant maintenant à vivre dans le monde le plus illimité que vous puissiez créer pour vous-même.

J'ai connu un certain Dennis qui enseignait les arts à temps partiel aux enfants de la maternelle. Le four à céramique était défectueux et il était impossible de le réparer ; l'école n'ayant pas le budget nécessaire pour en acheter un nouveau. Dennis l'a remplacé à ses frais. Lorsque je l'ai félicité pour sa générosité, il a dit : « C'est rien que de l'argent, et je suis riche. » Selon les critères de la majorité, il ne l'était pas. Il travaillait comme pompier et son art (et l'enseignement de son art) lui servait de passe-temps. Il jouait aussi dans un groupe, uniquement pour les pourboires et quelques verres, même si à chaque fois qu'ils jouaient une chanson qu'il avait écrite, ils cassaient la baraque. Dennis était propriétaire de sa maison; il savait qu'il recevrait une bonne pension de la caserne, il avait un tel don pour les arts, la musique et son propre genre de philanthropie, que lorsqu'il disait qu'il était riche, il l'était vraiment. Comme la beauté est dans l'œil de celui qui regarde, la richesse est dans l'esprit de celui qui se l'accorde. Lorsque vous pensez et vivez richement, la pauvreté ne sait plus où se mettre.

Posez un geste

Faites une liste des manières dont vous pouvez, avec le temps, le talent et l'argent dont vous disposez, réinventer votre vie afin qu'elle appelle l'abondance. Tout cela peut être d'une élégante simplicité. Ranger le fouillis dans votre chambre et vos penderies, vous attirera la richesse. Tout ce qui est fait main, cuisiné à la maison, ou fraîchement récolté dans la nature met de la richesse dans un espace et dans une vie. Tout comme choisir la qualité plutôt que la quantité (et connaître un cordonnier et un tailleur afin que vos vêtements de qualité durent aussi longtemps que vous les aimerez).

Quatrième partie

ROMPRE AVEC LA SOLITUDE

Lorsque votre vie est bien remplie et votre esprit éveillé, vous savourez votre compagnie et attirez des gens attentifs et secourables autour de vous.

La vie est affaire d'attraction. Jusqu'ici, vous avez vu comment vous pouvez attirer la plénitude ou le vide, l'abondance ou le manque, selon ce que vous croyez et la manière de vous comporter. La léthargie, le désintérêt, la négativité et l'égoïsme diminuent votre magnétisme personnel. Tout au contraire, l'énergie, l'optimisme et la compassion attirent des idées créatrices, une chance inexplicable, et d'autres gens énergiques, optimistes et compatissants autour de vous.

Même si la *solitaire* en vous ne veut pas que vous y croyiez, vous avez droit aux belles relations autant qu'aux aliments entiers, à un corps dans lequel vous vous sentez bien, et aux ressources pour vivre une vie merveilleuse. Votre relation la plus importante est celle que vous entretenez avec votre Pouvoir supérieur, puis avec vous-même, suivie par votre relation à votre famille immédiate et à vos amis si proches qu'ils font partie de la famille, aux autres proches et connaissances, et à votre famille élargie, formée de tous les êtres humains et créatures vivantes. Il est sage de cultiver ces relations dans l'ordre. Il arrive souvent qu'une femme cherche un compagnon de façon obsessive, mais si elle en trouve un sans se connaître très bien elle-même, la relation est compromise avant même qu'ils aient eu le temps de se demander : « Quel est ton prénom ? » et « As-tu des frères et sœurs ? »

Vivre sans la solitude exige de comprendre ce qu'est le magnétisme personnel. Lorsque le vôtre est à la fois fort et sélectif (vous voulez *attirer,* mais pas tout et pas tout le monde), les personnes qui entreront dans votre vie y seront parce qu'elles sont aussi formidables que vous. Vous vous saurez aimée, que vous soyez en couple ou non. Vous chercherez la *solitaire* et ne verrez qu'*un tout* !

Chapitre 31

CE N'EST PAS DRÔLE LA SOLITUDE

Nous avons toutes connu cela : être isolée parce que nous sommes seule et solitaire dans la foule, parce qu'aucune des personnes ne nous connaît telle que nous voudrions être connue. Parce que nous arrivons seule sur la Terre et en repartons tout aussi seule, philosophiquement parlant, la solitude est inéluctable. Mais se sentir seule parce qu'on a l'impression que quelque chose manque à notre vie, cela fait trop mal.

La solitude comporte plusieurs couches, comme l'oignon qui peut nous faire verser des larmes. Les couches extérieures sont apparentes. Nous vivons derrière des portes closes, et nous nous déplaçons dans des voitures pouvant contenir cinq ou même huit personnes, mais nous sommes si souvent seules lorsque nous prenons l'autoroute, qu'un chauffeur et un passager forment une équipe. Quelqu'un a décrété que la famille nucléaire était suffisante, alors nous avons perdu le réconfort du clan, ce village aussi indispensable à l'élévation des esprits qu'à l'éducation des enfants.

On a beau parler du travail en équipe dans le monde des affaires, pour la grande majorité des individus, la journée de travail se passe derrière un bureau, devant un écran, et les Américains y consacrent plus d'heures par jour et plus de semaines par année que les travailleurs européens ne pourraient le tolérer. Durant nos loisirs, la plupart d'entre nous ne se réunissent pas, comme nos ancêtres pionniers, pour ce qui serait l'équivalent moderne de coudre une courtepointe ou bâtir une grange. On envoie plutôt un message électronique disant : « Vas-tu bien ? » et on s'imagine avoir établi un lien social.

Les couches les plus profondes de la solitude sont une réaction au fait que nous sommes désespérément seule, jusqu'à ce que l'on comprenne qu'en vérité, nous sommes inextricablement liée. Nous ne pourrons le comprendre aussi longtemps que nous chercherons cette connexion dans un fantasme concocté il y a des lustres. Vous mourez peut-être d'envie de vivre dans un cercle familial à la Norman Rockwell mais, Rockwell lui-même, marié trois fois et soigné pour dépression, a fort bien pu peindre la vie qu'il voulait, davantage que celle qu'il s'était faite. Ou peut-être êtes-vous célibataire et convaincue qu'une relation vous donnera un sentiment d'appartenance ; ensuite, vous trouvez quelqu'un… et finissez par constater qu'il peut y avoir une grande distance entre deux personnes qui partagent un lit double. Il se peut que vous ayez vécu une complicité béate avec un enfant que vous avez porté et mis au monde pour que, arrivé à l'adolescence, cet enfant vous demande de faire comme si vous ne le connaissiez pas, lorsque vous êtes ensemble au centre commercial.

Il est indéniable que les relations humaines sont essentielles à notre bien-être, voire à notre santé mentale. La *Harvard Nurses' Health Study* (qui a étudié les facteurs de risque de maladies chroniques chez 122 000 femmes) a conclu que l'absence d'une confidente représente un risque pour la santé comparable au tabagisme. Pourtant, à moins de pouvoir se lier d'amitié avec soi-même, il y a des chances que nos amies nous semblent plus éloignées que proches et, malgré tous leurs efforts, incapables de chasser notre sentiment de solitude.

Cela peut paraître intimidant, et pourtant, la même connexion spirituelle qui nous évite d'avoir envie de manger tout ce qui nous tombe sous la main ou de dépenser les économies de nos enfants chez Banana Republic, peut transformer l'épreuve de la solitude en initiation. Spirituellement parlant, vous n'êtes jamais seule. Il est vrai qu'il faut agir si l'on veut faire de cette idée, de ce concept sur papier, une conviction que l'on met en pratique, mais le seul fait de jouer avec l'idée que chaque individu est l'expression d'un plus grand tout peut nous aider à nous sentir moins séparée, moins sujette à « la singularité sans issue » qui fait de nous des êtres isolées et à part.

Néanmoins, à certains moments, vous aurez ce sentiment lorsque vous déménagerez dans un nouveau quartier et n'y connaîtrez pas âme qui vive. Ou lorsque vous perdrez un proche et que la solitude s'ajoutera à la douleur, si bien que vous n'arriverez plus à les différencier. Ou encore lorsque vos enfants quitteront le nid, qu'une relation amoureuse prendra fin ou qu'une amitié sera anéantie. Vous ressentirez la solitude quand il vous semblera que tout le monde est à la plage ou à la fête, alors que vous restez seule dans votre coin. Si vous vivez seule et qu'il n'y a personne autour de vous, ou que vous vivez avec des gens mais que ceux-ci sont sortis (même si les premières heures ou journées passées sans eux vous ont permis de jouir d'une tranquillité et d'une intimité rares). Ou lorsque vous êtes avec des gens qui n'ont tellement aucune idée de ce qui se passe en vous, que vous vous sentez comme E.T., mourant d'envie de téléphoner à la maison.

Les symptômes sont douloureux, mais le diagnostic dit : ça va. N'importe qui se sentirait seule dans ces circonstances. Cela devient problématique lorsque la solitude se sert de préjugés pour vous garder sous son emprise. Par exemple, vous pourriez être tout à fait heureuse d'être seule le mercredi, le jeudi, ou même le vendredi soir, mais vous sentir affreusement seule le samedi soir, parce que vous vous dites que seuls les perdants et les laiderons que personne n'aime sont seuls ce soir-là. C'est illogique (vous n'êtes pas devenue laide entre jeudi et samedi), mais la vie ne s'intéresse pas à la logique ; elle préfère se modeler sur nos croyances.

Il est bon de se rappeler que les croyances sont subjectives. « J'ai 38 ans et je ne suis pas mariée » : cette idée peut être insoutenable pour une femme qui meurt d'envie de rencontrer son âme sœur et d'avoir des enfants, mais pour une femme qui désire faire de la coopération internationale, c'est une déclaration de liberté qui va l'aider à concrétiser son rêve. Lorsque vous pouvez garder sous silence vos croyances et les faits, certaines situations qui mènent à la solitude peuvent être repensées. On peut, par exemple, interpréter la phrase « Ma sœur a invité des amis et elle ne m'a pas invitée. » de cette façon « Elle me déteste et refuse de me présenter à ses amis. », ou de cette autre façon « Dieu merci, une corvée familiale de moins à me taper. »

La solitude est légitime. Tout le monde la ressent. Les chiens eux-mêmes la ressentent ; voilà pourquoi c'est une excellente idée d'en avoir plus d'un. Mais cela n'est pas légitime de permettre à la solitude de saper votre estime de vous-même. Lorsque vous ne pouvez vous valoriser, vous vous perdez, et vous êtes la seule amie dont vous ne pouvez vraiment pas vous passer, pas même un seul instant.

Posez un geste

Contactez quelqu'un aujourd'hui. Téléphonez. Allez luncher avec un autre être humain. Le prince charmant n'est pas la seule personne qui peut apaiser votre solitude. Tentez le coup avec le reste du monde. Et gardez-vous des moments de tranquillité quotidienne : votre Pouvoir supérieur ne vous dira jamais qu'il est déjà pris.

Chapitre 32

VOICI LA MARQUE : ÉNERGIE UN, SOLITUDE ZÉRO

Tout comme un malheur ne vient jamais seul, la solitude aime la léthargie, et elle essaie de sucer votre énergie comme si votre corps, tête et esprit, venait avec une paille. Voyez-vous, l'amour est une énergie et lorsque vous le ressentez, vous n'êtes pas fatiguée (à moins que vous ne soyez restée debout jusqu'aux petites heures du matin pour regarder votre émission préférée, en boucle). Si vous avez l'impression qu'il n'y a pas d'amour dans votre vie, ou que l'amour ne vient pas des bonnes personnes (« Bien sûr, ma mère m'aime. Mais c'est normal que ta mère t'aime ! »), votre champ énergétique est privé d'une importante source de vitalité. La solitude profite de cette situation et essaie de vous convaincre qu'à moins d'embrasser le bon crapaud, vous ne vous sentirez plus jamais motivée ou passionnée. Aussi bien faire un petit somme. Jusqu'à la semaine prochaine.

L'amitié, qui n'est rien d'autre que l'amour dans des tons pastel, est une autre source d'énergie. Le corps humain est une machine électrique, un organisme énergétique. Lorsque vous êtes en contact avec quelqu'un – pas nécessairement dans le sens intime du terme, mais assise à la même table, partageant la conversation et un gâteau aux bleuets – vous prenez part à l'énergie d'un autre. L'échange se solde par un gain mutuel. Lorsque vous n'avez pas ce genre de contact humain, vous devez puiser dans vos réserves. Les extravertis sont incapables de s'*autoénergiser* comme le font les introvertis naturels, mais tout le monde requiert une certaine quantité d'énergie d'un autre type. Lorsque cette énergie fait défaut et que vos réserves sont au plus bas – autrement dit, lorsque vous êtes seule – vous devez compenser pour cette insuffisance énergétique.

Vous pouvez réagir en ingérant l'énergie de l'oxygène – le café n'est pas devenu une herbe sacrée pour rien – mais, ultimement, l'énergie devra émaner de l'intérieur. Si vous vous sentez seule, léthargique et dans un état général pitoyable, relevez-vous en tirant sur les courroies de vos sandales et sortez ou restez chez vous pour faire quelque chose de créatif ou de gratifiant. Je vous promets que cela générera de l'énergie. Vous oublierez alors que vous vous sentiez seule, soit parce que vous êtes entrée en contact avec d'autres personnes, soit parce que vous êtes si fière de vous que vous n'avez pas besoin de vous sentir entourée présentement.

Il y a une constante ici. La question n'est pas de « vous allonger sur le sofa et de vous sentir abattue » ou encore de « vous bouger les fesses et de connaître l'extase ». Vous êtes un être complexe, cyclique, à facettes multiples. Parfois, vous avez envie de bâillonner le monde et de décompresser pendant tout le week-end ; d'autres fois, 20 minutes de solitude suffisent pour vous sentir bannie. Durant une vraie période de déprime, vous aurez beau courir les soldes ou faire du bénévolat pour la soupe populaire, rien ne pourra changer la chimie de votre cerveau, les influences planétaires, la période du mois, ou ce truc indéfinissable qui fait que vous avez l'impression de traverser cette journée en pataugeant dans la boue. Néanmoins, cela injecte un peu de mouvement dans le scénario, et il suffit parfois d'un peu de mouvement pour commencer à changer les choses.

Un peu de mouvement pourrait vouloir dire faire défiler le menu de la télé pour trouver un film inspirant, plutôt que de regarder de vieux épisodes de *Papa a raison*, parce que vous êtes trop amorphe pour actionner la télécommande. Vous pourriez aller dans la cuisine vous préparer une tasse de thé, plutôt que de rester étendue à vous dire que ce serait merveilleux si quelqu'un vous préparait une tasse de thé. Un petit mouvement pourrait être de téléphoner à quelqu'un ou de lire un magazine, ou encore de penser à ce que vous ferez lorsque vous vous relèverez pour entreprendre quelque chose. Le seul fait de penser à ce que vous aimeriez vraiment faire vous permet d'éveiller un peu de cette énergie latente.

Quand vous aurez ne serait-ce qu'un tout petit peu de vitalité pour travailler, investissez dans cette vitalité de manière à en générer davantage. Le mouvement physique – l'activité – est excellent pour commencer. Il produit les endorphines, les stimulants sûrs et légaux que le corps se prescrit à lui-même. L'exercice physique rehausse aussi l'idée que vous vous faites de vous. Si vous pouvez vous traîner jusqu'au gymnase et participer à la classe de cardio ou de *step*, cela ne vous semblera pas aussi triste de rentrer chez vous pour y retrouver votre plante tropicale (ou une personne aussi communicative qu'une plante tropicale).

Une autre façon de rehausser infailliblement votre énergie consiste à vous bichonner. La volupté des soins personnels est normalement la première victime de vos accès de solitude, et les soins de base suivent souvent de près. Dans le meilleur des mondes possibles, vous pourriez chaque fois attaquer la solitude de front avec une de ces *journées beauté* que vous offre votre spa. Sept heures et demie de saunas, de massages, de bains de vapeur, d'épilation à la cire, de manucures, de bichonnage ; qui a besoin d'un amoureux lorsque la vie est aussi douce ?

D'accord, votre arrière-grand-père n'a pas fondé une chaîne hôtelière et, la plupart du temps, vous devrez faire face à la solitude de manière moins extravagante. Il reste que l'exemple est édifiant : prendre soin de votre corps peut faire des merveilles pour votre psychisme. Rappelez-vous : la solitude n'est qu'un état d'être, comme la soif ou un engourdissement du pied, jusqu'à ce que vous la combiniez à la honte et au laisser-aller. Un masque facial, fait par une professionnelle ou par vous-même, vous dit seulement que vous savez que vous comptez. Ensuite, il se retire.

Aménager et faire le ménage de votre intérieur est une autre façon d'affirmer que même si vous êtes seule, vous n'êtes pas tenue de demander à la solitude de se pointer. Manger des aliments délicieux et vraiment sains est aussi une bonne tactique. Si vous vous sentez seule ou morose, gravir 10 étages d'un bond pourrait vous sembler plus facile que de laver de la laitue. Faites ce qu'il faut : achetez de la salade déjà lavée et prête à servir. Allez manger au restaurant. Si vous devez réchauffer un plat, prenez au moins le temps de le mettre dans une assiette. Je ne pourrais dire pourquoi, mais les gens seuls aiment ce qui se mange dans du carton, du plastique ou de la mousse de polystyrène.

La poésie et les textes spirituels du monde entier peuvent nourrir votre âme et vous faire gagner du terrain. La musique (le genre que vous aimez de tout votre cœur, mais pas le CD que votre ex-fiancé n'est pas venu vous réclamer) est une autre alliée. Certains choisissent les chansons à textes, d'autres préfèrent la musique instrumentale. Pour être thérapeutique, la musique doit refléter vos goûts. Mozart est doux comme le thé chai le matin, mais pour me sortir d'un moment de solitude, j'ai besoin des chansons réjouissantes des comédies musicales, lorsqu'elles me disent d' escalader les montagnes », de « vivre un impossible rêve » et « si tu marches dans la tempête, relève bien la tête ». Bien sûr, si vous pouvez faire votre propre musique – piano, guitare, vibraphone – allez-y. La chanson peut avoir cent ans, mais lorsque vous la jouez, c'est une toute nouvelle interprétation. C'est énergisant. Chanter est bon aussi, et ce qui est merveilleux dans le fait de chanter lorsque vous êtes seule, c'est que personne ne fera de commentaire désobligeant, si vous ratez une note.

Finalement, il y a Dieu (ou n'importe quel des synonymes proposés au chapitre 8), non comme quelque déité lointaine, installée haut dans les cieux, mais comme une Présence qui vous habite en tout temps. Je sais que Dieu ne vous massera pas le dos et ne vous dira pas que vous êtes superbe aujourd'hui, mais si Dieu est effectivement amour, Il ou Elle ou Ça devrait être suffisamment expert pour faire en sorte que vous vous sentiez aimée. Laissez-le faire. Lorsque vous ressentez l'amour au plus profond de votre être, vous attirez l'amour de vos semblables. Accueillez l'idée que votre Pouvoir supérieur est désespérément en amour avec vous et ce, ma foi, depuis toujours ! Depuis le commencement des temps… Et que l'amour ne vous a jamais fait défaut, peu importent vos excès de table, avec qui vous avez couché ou à quel point vous avez pu être méchante, pleurnicharde ou égoïste.

C'est un amour crucial. C'est, en fait, le principal amour. Lorsque vous vous permettez de le ressentir, toute votre vie est transformée. Et il se dégage de vous un genre de bienveillance qui attire les autres vers vous.

De telles techniques sont loin d'être des formules magiques. Elles alimentent l'énergie comme un bon soufflet de forge alimente le feu. La réponse paresseuse : « Je ne peux pas sortir et de toute façon je m'en fous. » vous place exactement dans la situation où la solitude espère vous trouver. Si vous choisissez plutôt de récupérer votre énergie et d'alimenter votre réserve quotidiennement, la solitude n'aura pas de prise sur vous. Attention : si votre manque d'énergie et d'enthousiasme est plus profond qu'un sentiment de solitude temporaire, au point de ne vouloir même pas faire l'effort de sortir de votre peignoir, il pourrait y avoir une raison biochimique qui cause cela. Si c'est le cas, le mieux à faire pour vous sortir de ce marasme est de demander l'aide d'un professionnel. Quoi que vous deviez faire, ne le faites pas en restant couchée, et je le dis d'un point de vue littéral.

Posez un geste

Aussi longtemps que vous garderez un haut niveau d'énergie, la solitude ne pourra vous abattre. Sans énergie, vous risqueriez de vous isoler : « Je suis seule… Bon sang, je suis fatiguée. Je pense que je vais rester chez moi… Zut, qui est-ce qui m'appelle ? Tant pis, qu'il laisse un message. » Après quelques tentatives, le téléphone cesse de sonner, et lorsque vous aurez envie de faire quelque chose de productif et d'amusant, vous aurez du mal à penser à quelque chose à faire de productif et d'amusant. Donc, le geste à poser consiste à dresser une liste (lorsque vous n'êtes pas totalement à plat) de tout ce qui vous aide à vous sentir vivante et solide. Placez des copies de votre liste énergisante dans tous les endroits possibles : dans le frigo, l'armoire à médicaments, vos tiroirs, sur votre table de chevet, dans la chemise *mes documents*, parce que lorsque vous vous sentirez seule et déprimée, vous pourriez même ne pas vous souvenir que vous avez fait une liste, si vous ne tombez pas dessus par inadvertance.

Chapitre 33

TOMBEZ AMOUREUSE DE VOTRE PROPRE COMPAGNIE

Oscar Wilde conseillait de tomber amoureux de soi-même, parce que c'était le « commencement d'une histoire d'amour de toute une vie ». Cette pensée ne convient pas à tout le monde. Pour certains, elle présuppose la suffisance, pour d'autres, c'est admettre que l'on ne tombera jamais amoureux de quelqu'un d'autre. En fait, ce n'est rien de tout cela. Pour faire face à la solitude inéluctable de la vie, avec autant de grâce que possible et aussi peu de peine que nécessaire, vous devez tomber amoureuse, sinon du son de votre voix et de la longueur de vos cuisses, certainement de votre propre compagnie. Ce n'est rien d'autre que d'être une bonne amie – pour vous-même.

Qu'est-ce qui fait une bonne amie ? Eh bien ! c'est quelqu'un de bon, de drôle et de fiable, qui aime faire des activités qui vous plaisent à toutes les deux. Comme toutes les deux – ou dans ce cas, vous seule – aimez déjà les mêmes trucs, il ne vous reste plus qu'à être gentille, drôle et fiable.

La *bonté,* c'est seulement l'amour qui a chaussé ses bottes de travail. Vous l'étendez à vous-même, en vous traitant aussi bien que vous traitez les autres. Si vous souriez aux étrangers dans la rue, souriez-vous dans le miroir. Si vous serviez à un invité mieux que du beurre d'arachides à même le pot, faites-en autant pour vous. Si vous disiez à un enfant que ce n'est pas dramatique d'avoir renversé son verre de lait, dites-vous la même chose lorsque vous renversez du vin. Même rouge.

Idem pour *drôle,* il suffit de s'amuser. Les rires finiront par fuser. Les adolescentes ne sont pas passées maîtres des mots d'esprit, mais elles peuvent ricaner pendant des heures, parce qu'elles ont envie de faire les folles et que la culture le permet. Osez vous amuser et être drôle, sans vous demander qui vous le permet et qui vous l'interdit. Je connais une femme très drôle, la comédienne Wendy Spero, auteure de *Microthrills : True Stories from a Life of Small Highs,* qui a déjà occupé un poste d'adjointe administrative dans une corporation très collet monté. Pour ajouter un peu d'étincelles dans sa journée, elle avait pris l'habitude de mettre de la brillantine sur les rapports et les notes de service de son patron. Il avait fini par attendre l'agréable diversion des paillettes au beau milieu de la grisaille des documents officiels. Ses supérieurs n'y comprenaient rien. Tant pis pour eux.

J'ai longtemps pensé que les rires et le plaisir étaient des petits extras, comme le dessert. Maintenant, je crois qu'ils nous fournissent des nutriments essentiels. Vous vous devez d'avoir du plaisir à chaque jour. Nul ne sait ce que lui réserve l'avenir. Les joies que vous avez aujourd'hui sont engrangées dans un coffre aux souvenirs d'où vous pourrez les ressortir quand vous serez sous un gros nuage noir. Si vous tenez un journal, je vous suggère d'y écrire un truc amusant que vous avez fait durant la journée, à chaque soir avant d'aller au lit. Cela n'a pas besoin d'être hilarant. « Vu un bon film » fera l'affaire. Tout comme « Bu un thé aux bulles » ou « Fait des mots-croisés avec les enfants ».

Bon nombre d'individus, dont je fais partie, ne sont pas naturellement doués pour la rigolade. Jouer nous rend nerveux. Tout récemment, dans une classe d'improvisation dans la légendaire seconde cité de Chicago, j'ai réalisé à quel point j'avais du mal à m'amuser. Tous les jours, pendant une semaine, nous passions trois heures en jeux affreux. J'avais très envie de laisser tomber, mais je me suis accrochée. (Lorsque vous écrivez des livres de croissance personnelle, il faut maintenir un minimum de cohérence.)

Dans la classe, il fallait faire semblant de jouer à attraper une balle invisible (« Oui, elle s'avance vers vous grâce au contact visuel ! »), puis faire monter les enjeux avec un poignard invisible, tout en se faisant bousculer. Tous ces lancers, ces prises et ce contact visuel me faisaient tourner la tête – *parce* que je prenais tout cela très au sérieux. En fait, il n'était pas question que je me fasse poignarder. Je n'avais même pas besoin de courir après une balle égarée, car il n'y avait pas de balle. C'est là que le déclic s'est fait dans ma tête : jouer signifie lâcher prise sur le réel (ou ce qui semble réel) et vivre une autre réalité dans laquelle gagner et perdre ne sont que des chimères. Lorsque vous pouvez transposer cette attitude enjouée dans vos journées ordinaires, les rejets et déceptions sont plus faciles à encaisser et à surmonter. Et la solitude est agréable puisque vous êtes en compagnie d'une personne délicieuse.

La fiabilité signifie : être là pour soi-même. Être dans son propre coin. Vous pourriez croire que cela se fait tout naturellement mais, tout comme il nous arrive de ne pas être là pour les autres – c'est le mauvais moment, nous sommes fatiguée, submergée – il nous arrive de disparaître de la circulation pour notre relation la plus élémentaire, celle que l'on a avec soi-même. Dans ce cas, faire ce que dois veut dire prendre soin de soi, dormir suffisamment, éviter le désordre, et se ménager du temps pour faire ce que l'on aime, même lorsque cela exige d'ajouter un point sur sa liste. C'est vivre à chaque jour de manière à pouvoir dire à chaque soir, en faisant le bilan de sa journée : « J'ai fait du bon travail. »

Être fiable, c'est tenir les promesses que vous vous faites et ne pas vous faire de promesses que vous ne pourriez tenir. « Je peux seulement être là pour moi-même dans ma sphère de compétences», dit Susan Cheever, auteure d'*American Bloomsbury*. «Cette disponibilité réside dans des gestes petits mais estimables : arriver à l'heure, payer les factures, dire *je ne mangerai pas de sucre aujourd'hui,* et ne pas en manger.» Ce genre de comportement entraîne l'approbation et le respect de soi.

Lorsque vous êtes bonne, drôle et confiante envers vous-même, il y a de bonnes chances que vous voyiez vos heures de solitude comme du temps bien employé. Vous êtes alors prête à planifier une soirée à la maison en votre compagnie. Vous le ferez non parce que vous n'avez pas d'offre plus alléchante, mais parce que vous vous êtes ménagé des heures dans votre horaire pour être avec vous-même et profiter de votre compagnie, de façon merveilleusement singulière. Vous louerez peut-être un film sous-titré, relirez *Les Hauts de Hurlevent* d'un couvert à l'autre, appliquerez un traitement dans vos cheveux ou vous ferez un masque du visage.

Après une soirée *seule chez soi* réussie, vous pourrez essayer le rendez-vous pour personne seule. Vous pouvez aller dîner, aller au cinéma ou au théâtre (les billets isolés sont souvent les meilleures places restantes). Le but est de passer un bon moment et de dépasser l'idée que celles qui ne sont pas accompagnées sont stigmatisées.

Au cas où vous vous inquiéteriez des effets négatifs qui pourraient résulter de l'appréciation de vous-même, je vous assure que tomber amoureuse de votre propre compagnie ne vous condamnera pas à une vie sans attaches et solitaire. En fait, c'est le contraire. Vous affinerez vos talents pour la bonté, l'humour et la fiabilité, enrichissant ainsi chacune de vos relations, amoureuse ou platonique. Ces aptitudes et l'aura de confiance en vous que vous dégagerez, attireront les gens vers vous – et ce ne seront pas ces personnes avides d'attention, celles qui sont attirées par les autres comme les requins sont attirés par les blessés. Vous pouvez vous attendre à ce que des personnes vraiment extraordinaires commencent à tomber amoureuses de votre compagnie. Il suffit d'être la première à le faire.

Posez un geste

Planifiez une soirée seule à la maison, où vous serez tellement bonne et généreuse envers vous-même, que vous aurez du mal à attendre jusque-là. Ou encore (et idéalement), fixez-vous un rendez-vous pour personne seule. Soyez bien mise sans être provocante, et restez loin des lieux de drague. Vous avez déjà un rendez-vous, et vous pourriez fort bien tomber en amour.

Chapitre 34

DU SEXE, ET DU SOLIDE !

Spirituellement, vous avez reçu le pouvoir d'apprendre à aimer et d'approfondir cet amour de toutes les manières possibles. Cela peut se compliquer lorsque nous parlons de l'autre type d'amour : les cœurs et les fleurs, bon sang il est génial, j'ai failli lui arracher ses vêtements, là, en plein restaurant. Si vous approfondissez cet amour de toutes les manières possibles, vous ne vous respecterez vraiment pas le matin venu – et vous ne vous sentirez pas moins vide à l'intérieur.

Lorsque vous êtes passionnée et que l'amour n'est pas vraiment présent dans votre vie, la solitude peut se révéler dévastatrice au plan émotionnel et physiquement douloureuse. Elle est sans doute plus cuisante après une rupture, lorsque soudainement le vide s'installe dans l'espace où, il n'y a pas si longtemps, se trouvait un corps chaud et sexy. (Il ne vous paraissait peut-être pas exagérément attirant lorsqu'il était là, mais qu'il s'en aille – ou trouve une autre femme, le ciel vous en préserve – et vous voilà convaincue que le magazine *People* en fera « l'homme le plus sexy sur la planète ».) Vous pouvez aussi vous sentir seule lorsque cela fait un moment que vous êtes célibataire et que vous avez du mal à ne pas imaginer que cette situation pourrait s'éterniser. Cela peut même vous arriver, si vous vivez une relation qui ne comble pas tous vos besoins, et que vous vous dites que vous vous sentiriez moins seule, si vous l'étiez vraiment.

Après la mort de mon premier mari, lorsque j'avais 37 ans, j'ai recommencé à fréquenter des hommes beaucoup trop vite et de façon trop désespérée. Je voulais restaurer la *pièce du mari*, recréer une famille entière. Je le voulais avec tant d'impatience et d'intensité, que cela compromettait mon processus de deuil. Cela voulait dire, et je le regretterai jusqu'à la fin de mes jours, que je n'étais pas aussi disponible pour ma fille que j'aurais dû l'être au moment où elle avait le plus besoin de moi. Et je faisais fuir les hommes que je rencontrais, parce qu'ils n'avaient aucune envie de servir de pièce de rechange.

J'ai fréquenté quelqu'un pendant environ deux ans. Assez amoureuse, je m'étais fixé comme objectif de le traîner jusqu'à l'autel. Comme si je voulais obtenir ma maîtrise ou essayer de doubler mon revenu avant telle date, j'étais déterminée à marier cet homme. Il avait d'autres projets et il a fini par me quitter pour quelqu'un qui selon lui « exigeait moins d'entretien ». Je me suis sentie comme un appartement que l'on remplace par un autre, dont les mensualités sont moins élevées. Cette perte, qui suivait de si près une perte encore plus grande, a été terrible, et la solitude presque insupportable.

En rétrospective (nous devenons toutes tellement sages après les faits), je vois que j'aurais dû faire face à la solitude avec les moyens dont je vous ai parlé : comprendre qu'elle n'a rien d'amusant mais que l'on a beaucoup à en apprendre, garder un haut niveau d'énergie afin de pouvoir rester seule sans être désespérée, apprendre à apprécier tous ceux qui étaient dans ma vie et tomber amoureuse de ma propre compagnie. Au lieu de quoi, j'ai trouvé un autre petit ami. Comme cela n'a pas fonctionné avec lui non plus, j'ai dit oui à celui qui a suivi, et j'ai déménagé du Missouri au Connecticut avec ma fille et mes trois chats.

C'était un homme génial et, à ce moment-là, je croyais de tout mon cœur que je me préparais une meilleure vie à tous les points de vue. Ce que je recherchais vraiment, cependant, c'était une façon de fuir : fuir la douleur de la perte de mon mari, et fuir le fait que j'étais une mère célibataire qui avait besoin de grandir et d'atteindre l'indépendance émotionnelle et financière. Bien sûr, la sexualité entrait en ligne de compte, et le sexe – aussi merveilleux et magique qu'il soit – peut créer une dépendance aussi forte que les gâteaux et les cartes de crédit.

Il y a quelques années, une Sikh américaine m'a dit que son professeur, feu Yogi Bhajan, croit qu'une femme retient tous ses amants, même ceux d'un soir, dans son aura pendant sept ans. Je n'étais pas certaine de croire aux auras, mais la pensée des gars qui pouvaient s'y cacher me donnait la chair de poule. Cette image m'a aidée, au moins à quelques reprises, à m'endormir dans les bras d'un ourson de peluche et à satisfaire mes besoins biologiques à l'aide d'un vibrateur.

Étonnamment, ce genre d'indépendance peut vous attirer plus d'attention que les talons hauts, les phéromones en vaporisateur, et la toute nouvelle poitrine sculptée par le meilleure chirurgien en ville. L'autosuffisance assumée est un aphrodisiaque puissant. Mieux encore : elle rend toute votre vie attrayante, attirant dans votre sillon des partenaires de vie possibles, plutôt que seulement des partenaires sexuels.

Si je devais donner un seul conseil pratique à une personne célibataire, homme ou femme, ce serait de découper un gros morceau du rêve américain et d'acheter une maison. Si vous n'êtes pas prête à faire cela, pas intéressée à acheter une maison, ou si vous en possédez déjà une, vous pouvez transformer cette suggestion en quelque chose qui, pour vous, ressemble à l'indépendance et à l'autosuffisance. Peut-être est-ce de démarrer une entreprise, de faire un long voyage, de vous lancer dans une action bénévole exigeante. Cependant, quoi que vous fassiez, ce doit être aussi capital et évident que si cela avait des fondations et un garage.

À 19 ans, je travaillais avec une femme qui en avait 32 et qui était célibataire. Croyant avoir manqué le train du mariage (il passait beaucoup plus tôt qu'il ne passe de nos jours), elle pensait acheter une maison afin de jouir d'une certaine sécurité financière. Bang ! L'encre avait à peine eu le temps de sécher sur son contrat d'hypothèque, qu'un homme qui faisait affaire avec notre bureau depuis des années lui a demandé pour la première fois de sortir avec lui. Avant son trente-troisième anniversaire, ils étaient mariés. Il a vendu sa maison et est allé vivre avec elle.

Des années après, j'ai personnellement vécu une expérience semblable. Cela faisait presque 10 ans que j'étais célibataire. (Ma relation du Connecticut avait duré plus longtemps que la plupart des autres, mais elle avait fini par se terminer, comme toutes les autres.) Un jeudi après-midi, assise devant une tasse de thé Earl Grey, je faisais le point. Même si j'avais visualisé et affirmé à peu près tout ce que je désirais, je prenais conscience que ma vie était très agréable telle qu'elle était. Ma fille de 13 ans était le soleil de ma vie : brillante et talentueuse, avec des principes solides. J'écrivais pour gagner ma vie et je me trouvais bénie, au-delà de mes espérances. Et j'étais propriétaire d'une maison. Ce n'était pas la maison de mes rêves, mais c'était ma maison, et en ce jeudi après-midi particulier, cela me suffisait. Je n'avais besoin de rien d'autre, même pas de M. Merveille. J'étais contente, probablement pour la première fois en neuf ans.

Quatre jours plus tard, j'ai rencontré William.

Les sceptiques parleront de coïncidence mais je suis certaine que si je n'avais pas été satisfaite de ma vie telle qu'elle était, cela ne me serait pas arrivé. C'est la loi de l'attraction, quoique sous une autre forme : lorsque vous vous sentez complète, vous attirez d'autres personnes complètes. Lorsque vous ne vous sentez pas complète, vous attirez des personnes qui cherchent à combler leur propre vide, ou vous n'attirez absolument personne.

Les mêmes principes s'appliquent lorsque vous vivez une relation. Cette vieille expression, *ma douce moitié,* est originale, mais qui voudrait être marié avec la moitié d'une personne… et c'est pire encore que d'être la moitié d'une personne ! Vous devez savoir qui vous êtes et aimer celle que vous êtes. (C'est pour cela que vous avez parcouru, dans cette section, trois chapitres qui n'ont rien à voir avec une autre ou plusieurs autres personnes.) Même si votre relation avec ce compagnon pouvait combler suffisamment vos besoins pour que vous vouliez travailler (et il y a du pain sur la planche) à maintenir cette relation, vous courez après les difficultés, si vous vous attendez à ce qu'un être humain accepte de jouer le rôle de celui qui sera tout pour vous, à tout jamais.

De toute évidence, vous voudrez que cette personne comble vos besoins sexuels. Cela signifie demander ce que vous voulez, faire des compromis, et essayer des choses qui vous auraient valu un semestre de retenue à l'école catholique. Vous devez avoir suffisamment d'intérêts communs avec votre partenaire pour ne pas tomber dans le portrait stéréotypé du vieux couple marié, des repas silencieux qui laissent entrevoir des vies parallèles qui ont depuis longtemps cessé de vous stimuler l'un l'autre. La communication ouverte est obligatoire, et si elle n'est pas là, vous devriez prendre un cours ou rencontrer un conseiller qui pourra vous enseigner les rudiments de la communication claire et honnête. Il est indispensable non seulement d'entendre les mots, mais aussi d'entendre ce que cette personne qui vous aime essaie de vous dire. (Cela s'applique aux deux, évidemment.)

Il est impératif que votre vision du monde soit compatible avec celle de votre compagnon, et que vous soyez prête à accorder à ses rêves la même importance que vous accordez aux vôtres. Mais si votre chéri n'aime pas le ski, la plongée en apnée ou les sushis, vous devez être en mesure de poursuivre ces activités seule ou avec d'autres – de préférence pas avec un homme qui a un grand pouvoir d'attraction sur vous. (Les gens d'autres orientations sexuelles sont priés de traduire ce conseil à leur convenance.)

Tout ce que je peux dire des rencontres, c'est qu'il est extraordinaire qu'elles se produisent. Et pourtant, on entend des histoires de gens vivant aux antipodes, qui tombent en amour, et d'amis du secondaire qui se retrouvent à l'âge de la retraite. Pas étonnant que l'idée d'histoire d'amour persiste et que cela nous mette dans tous nos états. Mais, il n'est pas question de soulier de vair ou de grenouille au sang bleu : il est question d'entrer en vous-même de façon si absolue, que vous pourrez rencontrer quelqu'un qui en a fait autant.

Il n'y a pas de garanties. Mais trouver votre centre, être vous-même et mener votre propre vie (peut-être même votre propre maison) sont des manières d'augmenter les chances de rencontrer quelqu'un qui vous convienne, et d'avoir une relation qui vous comble de joie lorsque cela vous arrive. Trouver votre centre, vous appartenir et mener votre propre vie vous procure également de grandes joies et beaucoup de satisfaction, que vous viviez ou non une relation. Voici ce que m'a écrit Sharmaine Hobbs, une lectrice de mes premiers livres, en apprenant que j'étais en train d'écrire *Seule, ronde et fauchée – plus jamais !* « Je souffrais mille douleurs tellement je voulais partager ma vie avec quelqu'un. J'ai accepté mon célibat, et je l'ai rempli d'objectifs et de gratitude pour ce qui est, plutôt que pour ce qui n'est pas. »

Si vous êtes mariée ou liée à quelqu'un, les mêmes principes s'appliquent. Inventez-vous une vie excitante et solide. Vous pourrez apporter davantage à la relation et, advenant le cas où la relation prendrait fin, vous aurez quelque chose qui vous appartient. C'est ce que vous vivrez de plus ressemblant à « ils vécurent heureux jusqu'à la fin de leurs jours », sans fée marraine, et sans citrouille à quatre portières.

Posez un geste

Que vous viviez une relation, que vous cherchiez à rencontrer quelqu'un ou que vous soyez seule et heureuse de l'être pour le moment, faites quelque chose aujourd'hui qui vous fera vous sentir entière. Vous pourriez commencer à cultiver un jardin. Ou parrainer une petite fille ou un garçon par le truchement de Vision Mondiale ou d'un organisme de ce genre. Vous pourriez acheter un canapé rose à fleurs parce que vous êtes célibataire et que vous le pouvez. Ou faire une visite libre, et vous imaginer que vous pourriez devenir propriétaire de cette maison. Quoi que vous décidiez de faire, c'est bien, en autant que cela vous ancre encore plus fermement dans la bonne vie qui est la vôtre.

Chapitre 35

CONNUE DES IVROGNES ET DES PERDANTS ? NE LAISSEZ PAS L'HISTOIRE SE RÉPÉTER

Lorsqu'une amie vit une relation à risque, nous rivalisons tous en sagacité avec le roi Salomon. « Et voilà qu'elle remet ça... Qu'est-ce qu'elle peut bien lui trouver ?... Ce gars a *mauvais draps* écrit dans le front... » Oui, on est la voix de la raison jusqu'à ce que l'on tombe soi-même amoureuse de quelqu'un de dangereux. Si cela ne vous est pas arrivé, soit vous avez une chance inouïe, soit vous avez fait quelque chose de vraiment remarquable dans une existence précédente, et le karma vous accorde un laissez-passer gratuit. Les ivrognes, les perdants et les mauvais garçons, les hommes qui ne sont pas libres et ceux qui ont peur de l'engagement, les hommes (et les femmes) narcissiques, jaloux, maussades, violents – toutes ces qualités que vous n'auriez jamais dit rechercher lorsque vous vous êtes inscrite sur *MySpace* –, peuvent être aussi séduisants que le sucre à la crème de votre mère, ou qu'une carte or jumelée à une offre d'abonnement à zéro pour cent d'intérêt.

Nous avons grandi en nous pâmant devant des personnages romantiques qui étaient presque toujours un peu dangereux. Ashley était une poule mouillée comparé à Rhett Butler, et le roi Arthur était d'un ennui mortel dans l'ombre chevaleresque de Lancelot. Nous aimons ces histoires parce que nous aimons l'excitation et l'adrénaline, et que nous adorons frôler le danger. Oui, quand avez-vous entendu parler d'un parc d'amusement annonçant des montagnes russes plus petites et plus lentes ? Maintenant, je suis loin d'être de celles qui ont peur de tout ce qui est excitant. J'ai sauté à l'élastique, pour l'amour du ciel ! Mais le saut à l'élastique, le deltaplane, les circuits aventures et les sports extrêmes, sont des berceuses si on les compare à donner son cœur à quelqu'un qui n'a pas les références pour en prendre suffisamment soin.

Une bonne prise n'est pas quelqu'un dont le principal attrait est d'être gentil, très, très gentil. Ces petits indices que vous percevez au début, fort chargés de son côté sombre, en cachent bien davantage sous la surface. Cela ne veut pas dire que vous sortez avec un psychopathe. Mais tout le monde se comporte bien durant les premières semaines ou les premiers mois d'une relation. Ces traits dont vous ne voyez que la pointe au début, ressortiront davantage plus tard.

Faites attention, en particulier si vous avez vécu plusieurs relations malheureuses du même type. On pourrait dire : « Dans chaque vie, un poivrot doit tomber. », mais deux, trois ou quatre, cela signifie que vous avez accroché un écriteau psychique disant : « Bienvenue aux buveurs. » Idem pour n'importe quel gars qui est le moindrement violent, qui vous tient pour acquise, ou qui vous dit que sa femme ne le comprend pas et qu'il la quittera dès qu'il le pourra. Il le pouvait avant de vous rencontrer. Fuyez avant de vous habituer à ce que l'on vous traite de crétine.

Avec un tel surnom, vous risquez fort de devenir la proie d'une sangsue, en série. Cela signifie que vous ne tirerez jamais de leçons de ces différents types de relations *dysfonctionnelles*. La même histoire se répète encore et encore, seuls les noms et les habits changent. Même si vous n'avez jamais fréquenté quelqu'un d'assez bizarre pour vous amener à participer à un talk show télévisé, ce scénario est quand même décourageant, démoralisant, et cela vous fait perdre un temps précieux. Si vous voulez rencontrer quelqu'un, pratiquez le *speed-dating* en expédiant les relations malsaines, en vous donnant le temps d'assimiler ce que vous avez appris, et en réintégrant le monde sentimental avec plus de force et de sagesse la prochaine fois.

Ne pas répéter une histoire faite d'ivrognes et de perdants (ou toute histoire que vous préféreriez ne pas répéter) est une métaphore pour tous les efforts que vous faites afin de fermer la porte à la personne seule, ronde et fauchée. Si vous vous nourrissiez d'une manière qui vous cause inconfort et remords, vous pourriez faire des choix différents. Si vous utilisiez l'argent de façon à vous mettre dans une situation précaire, vous pourriez opter pour une autre voie. Et si vous étiez attirée par des personnes qui vous faisaient battre le cœur mais qui vous donnaient une boule dans le ventre, vous pourriez choisir un autre genre de personne.

Comprenez : si vous avez toujours été attirée par un type particulier de mauvais garçon ou de mauvaise fille, ce type vous chavirera encore. Par contre, il y a maintenant, dans votre tête, une information qui vous dit que ce n'est pas le destin, le coup de foudre ou la rencontre depuis longtemps prévue avec votre âme sœur, qui a tragiquement été attirée par les sites Web pornos ou qui est devenue une joueuse compulsive. En ce moment, des faits pertinents sont classés dans l'ordinateur de votre cerveau : (a) vous n'avez pas reçu de pouvoirs surnaturels pouvant exorciser ses démons ; (b) la terre promise n'est pas le logis du troisième étage que vous partagerez avec lui, après avoir payé le premier mois de loyer et le dépôt de garantie ; et (c) tout ne va pas s'arranger avec les deux filles et le garçon que vous aurez ensemble, après que sa vasectomie aura été renversée. Bien sûr, ce James Dean des bons vieux jours vous donnera des papillons dans le ventre. Goûtez bien cette sensation — les papillons sont indéniablement une sensation agréable – puis oubliez-la. Imaginez, tatoué sur votre lobe frontal : « L'adrénaline n'est pas une hormone sexuelle. On peut avoir une relation sexuelle indécente avec une personne très décente. »

Il est probablement plus aisé de travailler dans une fabrique de chocolat sans jamais vous lécher les doigts, que de vous séparer d'un corps chaud qui veut bien être là pour vous, ne serait-ce que de temps à autre. Mais, faire vie commune vous coûtera beaucoup plus cher. Avoir une relation avec un alcoolique ou quelqu'un qui utilise des drogues, une personne avec une histoire de violence, ou quelqu'un qui a été littéralement cruel envers vous ou quelqu'un d'autre, même verbalement, c'est parier sur un cheval boiteux. Vous ne gagnerez pas. Vous ne voulez pas non plus vous enfermer dans la ville fantôme d'une relation, où tous vos espoirs d'avenir auront disparu, mais où il paraît plus facile de s'accrocher que d'aller de l'avant. Il est tout aussi vain d'avoir une relation avec quelqu'un que vous espérez changer d'une ou de plusieurs manières, parce qu'on ne peut changer personne à part soi-même, et même cela, ce n'est pas de tout repos.

Finalement, poursuivre toute relation qui va à l'encontre de votre intuition fiable, c'est courir après les problèmes. Lorsque vous vivez vos premiers émois amoureux et que vos amies vous disent à quel point vous avez de la chance, c'est presque impossible d'avoir des doutes. Mais s'il vous vient un doute, même le plus petit doute, faites-y attention. Il se peut que ce ne soit rien de plus que de la nervosité provoquée par la nouveauté, quelque chose de fantastique que vous croyez peut-être ne pas mériter, ou encore une mise en garde dont vous serez heureuse d'avoir tenu compte. Si vous n'êtes pas certaine, ne brusquez rien, mais soyez vigilante. Et discutez de vos appréhensions avec une personne de confiance. De cette façon, si l'amour devait vous aveugler, il y aura quelqu'un près de vous qui en aura une vue parfaite.

C'est toutefois vital de voir la différence entre jeter votre dévolu sur quelqu'un que vous feriez bien de fuir à toutes jambes, et arriver face à face avec un être génial, quoiqu'imparfait, qui pourrait faire un compagnon merveilleux dans ce monde imparfait. Si les âmes sœurs existent, la vôtre sortira (ou est sortie) des rangs de ces merveilleux imparfaits. Un tel homme vous aimera du mieux qu'il pourra et souhaitera faire mieux encore. C'est quelqu'un avec qui vous partagerez certains intérêts et qui aura ses propres intérêts, qui pourraient vous rester incompréhensibles. Ce pourrait être quelqu'un dont la maman ne lui a pas dit d'éteindre les lumières en sortant d'une pièce, même si la vôtre vous a assené ce message comme une activiste de l'économie d'énergie. C'est un être humain qui ne peut lire dans vos pensées et qui ne sait pas, tant que vous ne le lui dites pas, que lorsqu'il vous suggère « Sais-tu ce que tu devrais faire... », cela vous donne envie de lui arracher les yeux. Cette personne merveilleuse, imparfaite, comme toutes les personnes merveilleuses et imparfaites que vous rencontrerez dans votre vie, a eu une vie jusqu'à aujourd'hui. Votre arrivée n'effacera pas le passé et, si vous accueillez cette personne dans votre vie, tout son passé viendra avec.

Même un chevalier vêtu d'une armure rutilante souffre probablement du syndrome du stress post-traumatique pour toutes les batailles qu'il a livrées, et d'un peu d'arthrite prématurée, pour avoir passé trop de temps à cheval. Ainsi va la vie des mortels. La vie nous malmène, et nous nous trouvons les uns les autres à différents stades de blessure et de guérison. Vous pouvez avoir une vie fantastique avec quelqu'un qui n'est pas parfait, mais il n'a pas besoin d'être sensationnel et de vous rappeler chaque jour que vous êtes la meilleure *chose* qu'il lui soit arrivée de toute sa vie.

Posez un geste

Repassez l'histoire de vos relations. Y voyez-vous de nombreux ivrognes et perdants, ou quelque autre genre d'homme avec ces limites avec lesquelles vous préféreriez ne pas avoir à vous colleter de nouveau ? Dressez une liste des qualités que vous aimeriez voir chez les gens qui vous entourent — chez un amoureux, si vous en cherchez un, mais aussi chez vos amis et même chez vos collègues, vos voisins, les professionnels et fournisseurs de services avec qui vous faites affaire. Lorsque vous saurez ce que vous recherchez, vous ferez preuve de plus de discernement. Vous graviterez autour de gens qui possèdent les traits de caractère que vous avez cités, et ils seront plus nombreux à croiser votre chemin.

Chapitre 36

TU SERAIS SI GENTIL DE VENIR CHEZ MOI POUR…

« Hum ! » a grogné le liseur de bonne aventure de Central Park, pendant qu'il nourrissait un écureuil tout en scrutant ma psyché. « Pas facile être homme marié à toi. » J'ai eu envie de lui donner seulement 7,50 $, mais j'avais besoin qu'on me rappelle que je pouvais être égocentrique, arrogante et inflexible – autrement dit, pas toujours du bonbon, lorsque je rentrais à la maison. Mais pour tirer le meilleur d'une relation de couple, vous et moi et toutes celles que cela intéresse, devons apprendre à être relativement faciles à vivre.

Cela serait évident si nous n'avions pas déjà trop discuté des vertus de la recherche du numéro un. Nous avons lu des livres et des articles qui nous disent de ne pas nous laisser faire. Nous savons que les gentilles filles ne gagnent pas et ne tiennent pas salon dans les bureaux, et que c'est seulement dans les films à l'eau de rose qu'elles dénichent l'homme idéal. Nous avons obtenu notre ceinture noire en matière d'autodéfense verbale : « C'est totalement inacceptable. », « Qu'est-ce que tu ne comprends pas dans le mot *non* ? » et « J'ai pris ma décision, et ma décision est finale. »

L'affirmation de nous-même nous vient sans difficulté. Aucune personne vivante, homme ou femme, n'a été génétiquement modifiée avec des gènes de paillasson, et tout le monde mérite d'être respecté et bien traité. Mais, *respectée et bien traitée* ne signifie pas être le « centre de l'Univers » et ne faire que ce qui vous plaît en tout temps. La camaraderie exige de voir plus loin que le bout de son nez – et même plus loin que vos besoins, si avez mille et un besoins et qu'aucun n'est négociable.

Pour devenir le genre de personne qu'il est agréable de retrouver en rentrant chez soi (au bureau, ou sur le tapis des *Pilates*), il suffit d'apprendre ces techniques simples et de les mettre en pratique :

- *Essayez de voir le monde en adoptant le point de vue de l'autre.* Un conte indien raconte l'histoire d'aveugles décrivant un éléphant. Le premier lui touche la trompe dit : « Un éléphant, c'est comme un serpent. » Le deuxième lui touche la queue et est convaincu qu'un éléphant ressemble à un balai. Ayant touché le flanc de l'animal, le troisième est persuadé qu'un éléphant est pareil à un mur. Ainsi avons-nous tous un point de vue personnel sur chaque situation. Bon nombre de nos divergences d'opinion n'ont rien avoir avec le fait d'avoir raison ou tort : elles dépendent plutôt de la partie de l'éléphant que nous avons touchée.

- *Oubliez vos griefs pendant une journée.* Si vous avez une liste de plaintes à dérouler en guise de partage, laissez-les reposer au moins une journée. Si vous ressentez toujours le besoin d'en discuter, faites-le, mais si un décalage de 24 heures vous les rend plus insignifiantes que pressantes, laissez tomber.

- *Ayez de petites attentions qui en disent long.* Chacun aime qu'on lui rappelle que l'on pense à lui. Préparer le café, découper un article ou une bande dessinée, ou mettre un mot dans sa valise lorsque votre chéri doit s'absenter, ce sont de petites attentions, mais elles parlent tout autant. Essayez de trouver une petite chose qui semble aussi adorable à l'autre qu'à vous-même. Par exemple, j'aime lorsque William m'apporte un jus de fruits frais du marché ; pour lui faire plaisir, en retour, je lui rapporte un Coke diète.

- *Soyez attentive à l'état d'esprit de l'autre.* Lorsque votre compagnon (ou quelqu'un d'autre) traverse une période difficile, vous ne l'aiderez pas en vous joignant à lui pour déprimer à deux, mais vous ne l'aiderez pas davantage si vous faites le clown pour le faire rire. Essayez de ressentir ce que vous devriez faire pour lui. Cela l'aiderait-il d'en parler ? Ou peut-être devriez-vous simplement écouter ? Est-ce que votre présence à ses côtés le calme et le réconforte, ou préfère-t-il (ou elle) être seul durant un moment ?

- *Faites que la vie soit légère.* Il y a tellement de situations graves autour de nous : on le voit sur CNN et dans les enveloppes format affaires, dans la salle d'examen des médecins et dans le bureau du patron. Il y en a aussi dans nos relations – payer les factures et entretenir la maison – mais plus vous pourrez injecter de légèreté et de plaisir dans le temps que vous passez ensemble, plus vous deviendrez précieux l'un pour l'autre.

- *Ne lui faites pas la compétition.* Si vous aimez la compétition, abonnez-vous au tennis, au golf ou au poker. Dans les relations, la compétition, c'est la roulette russe. Ne vous demandez pas qui gagne le plus gros salaire, qui est en meilleure forme physique, et qui chaton aime le plus. Dans tout genre de compétition, il y a un perdant, et ça fait mal de perdre. D'autant plus que vous avez une vie spirituelle maintenant. Vous apprenez qu'il y a assez de tout, et pour tous. La réussite n'est pas rationnée selon les numéros civiques. Vous et votre amoureux pouvez briller tous les deux. Même chose pour vous et votre sœur, vous et votre meilleure amie.

- *Reconnaissez vos limites, poussez jusque-là puis arrêtez-vous.* Disons que vous n'aimez pas le baseball mais que votre amoureux est un gros fan des Cardinaux. À combien de matchs pouvez-vous assister à chaque année, sans vous lasser ? Combien de soirées d'été êtes-vous disposée à passer à regarder le baseball à la télé ? Faites-le. Portez la casquette et le t-shirt et soyez bonne sportive, mais arrêtez-vous juste avant de commencer à vous sentir laissée pour compte. Quand vous aurez atteint votre limite – peut-être 30 parties, peut-être trois – achetez à votre chéri ses croustilles et sa boisson préférée, et faites quelque chose qui vous procure du plaisir.

- *Prenez soin de vous de sorte que personne d'autre n'ait à le faire.* Quand vous veillerez à ne pas oublier la méditation et l'exercice physique, que vous mangerez bien et dormirez suffisamment, votre bien-être se reflétera dans votre humeur. Trouvez des manières d'exprimer vos talents et engagez-vous dans des activités qui font appel à votre créativité. Cette vivacité se transmettra à toutes vos interactions et donnera à vos proches le loisir de faire ce qui leur convient le mieux.

- *Apprenez la différence entre «gros» et «petit».* Les bébés apprennent ces mots tout de suite après *papa, maman* et *bonjour,* mais les grandes personnes sont souvent incapables de faire la différence. Dévaliser une banque, c'est gros; ne pas s'arrêter pour acheter des essuie-tout, c'est petit. Vous causer une blessure physique, c'est gros; manger le dernier yogourt dans le frigo, c'est petit. Bien qu'il y ait très peu de grosses choses, il n'y a apparemment pas de fin aux petits irritants que nous pouvons nous causer les uns aux autres. Si nous nous disputions pour toutes les vétilles de la vie quotidienne, nous n'aurions plus le temps de faire l'amour, de faire les courses, ou de planifier nos prochaines vacances.

- *Si vous vous disputez, soyez corrects.* Ce n'est pas correct de crier, de se traiter de tous les noms et de se faire des menaces. Pas plus que de se taire, et de faire comme si de rien n'était. Revenir sur le passé ou toucher les cordes sensibles de l'autre, c'est porter des coups sous la ceinture. Vous êtes censés discuter, pas vous disputer le titre de champion poids légers. Même lorsque vous êtes en total désaccord, rappelez-vous que vous parlez à quelqu'un à qui vous tenez. D'autant plus qu'en évitant les sarcasmes et les coups de gueule, vous ne serez pas obligés de demander pardon par la suite.

- *Tenez votre compagnon et vos amis dans la lumière.* Si vous êtes une personne pieuse, priez pour les gens qui partagent votre vie. Sinon, envoyez-leur des pensées positives. Visualisez-les en train de se réjouir de résultats positifs et de réaliser leurs rêves.

Je suis consciente, tout comme vous, que ces suggestions ne sont pas des trouvailles toutes neuves provenant d'une toute nouvelle étude. Ce sont des façons d'être en relation qui tiennent du gros bon sens et qui sont devenues beaucoup moins courantes qu'elles ne l'étaient autrefois. Elles peuvent compenser pour une multitude de défauts, même pour ceux qui pourraient être tracés dans la paume de votre main.

Posez un geste

Pendant les 48 prochaines heures, soyez excessivement facile à vivre — avec votre principale relation, si vous fréquentez ou vivez avec quelqu'un, et avec tous les autres. Cela signifie ne pas vouloir avoir raison à tout prix, ou avoir le dernier mot, ou exiger exactement ce que vous voulez. Pendant deux jours, vous écouterez plus que vous ne parlerez et vous efforcerez davantage de comprendre que de faire valoir votre point de vue.

Chapitre 37

COMMENT SE FAIRE DES AMIS ET S'ENTENDRE AVEC TOUT LE MONDE

Si la pression pour vivre une relation idyllique n'est pas encore assez grande, il y a toujours la pression pour avoir des douzaines d'amitiés idylliques. De Lucie à Esther, et de Shirley à Jean-Claude à Marie-Claude, on nous a dit qu'il était absolument nécessaire d'avoir de meilleurs amis. De plus – comme on le voit dans *Sexe à New York* – vous êtes censée faire partie d'une bande de vieux copains tissés serrés, qui se tiennent ensemble et connaissent les tenants et aboutissants des vies compliquées les uns des autres. Mais lorsque vous retournez la lunette et que vous voyez comment vit le vrai monde, c'est rarement aussi limpide.

Tout d'abord, notre société est de plus en plus nomade. Si vous vivez dans une cité éloignée de l'endroit où vous avez grandi ou fait vos études, cela peut prendre du temps à vous créer des amitiés solides. Et si votre emploi ou l'emploi de votre conjoint exige de fréquents déménagements, vous devrez apprendre à demeurer proche de ceux que vous ne voyez pas souvent, tout en apprenant à vous faire rapidement de nouveaux amis. Les transitions qui n'ont rien à voir avec la géographie, changent les amitiés aussi. En vous mariant, il est plus difficile de continuer à voir vos amies célibataires. Lorsque vous avez un bébé, vous voulez passer du temps avec d'autres mamans. (Et vos copines sans enfants ne comprennent pas pourquoi vous ne trouvez pas une gardienne en criant ciseau.) Les personnes divorcées ou veuves n'aiment pas se sentir comme la troisième roue du carrosse au milieu de leurs couples d'amis. Même un changement de carrière peut venir compliquer vos relations avec des personnes avec qui vous aviez du plaisir à parler travail.

Il y a aussi une part de connaissance de soi, ici. Bien que nous soyons une espèce grégaire, certains d'entre nous sont nettement plus grégaires que d'autres. À une extrémité du spectre se situent ceux qui trouvent les gens fascinants, qui ont toujours envie de parler à la personne qui occupe le siège voisin dans un avion, et qui regardent partout dans les concerts et les événements sportifs, en pensant : « J'aimerais tellement entendre les histoires de toutes ces personnes. » À l'autre extrémité se situent ceux qui portent des écouteurs en guise de tampons et qui envoient le message : « Laissez-moi tranquille. »

Les généralisations du genre comptent des exceptions à droite et à gauche, mais une récente recherche suggère que les femmes ont davantage besoin d'amitiés platoniques que les hommes. Des recherches menées à l'université de Californie, à Los Angeles, suggèrent que les femmes réagissent au stress non seulement par le mécanisme de « combat pour combat », mais par une attitude d'aide et de soins – s'occuper des enfants et se tenir avec d'autres femmes. Il y a des femmes, des hommes aussi – qui ont simplement besoin d'avoir plus d'amis que les autres pour se sentir sûres d'elles et équilibrées.

Je suis très sociable, et pourtant, j'ai tendance à attirer des hommes dans ma vie qui sont… le mot ermites serait un peu extrême, alors disons plutôt réservés. Mon mari est très proche de sa famille mais, pour lui, les amis ne sont pas vraiment une priorité. Lorsque mon amie Maggie est venue dîner et essayé de nous convaincre que les New-yorkais ne sont pas, comme nous, les champions de la diversité, elle a demandé à William : « Alors, qui sont tes amis ? » Elle pariait qu'il nommerait une douzaine d'autres mâles professionnels, blancs et anglo-saxons. Il a plutôt répondu : « Je n'ai pas d'amis. Je connais seulement les gens que Victoria invite ici. »

Bon, ce n'était pas tout à fait vrai. En cherchant un peu, il a fini par citer une douzaine de noms. Cependant, seul Carlos est de la région, et Ted vit en Suisse. William m'a demandé plus tard : « Crois-tu que quelque chose cloche chez moi, étant donné que je n'ai pas plus d'amis ? »

J'ai dit : « Voudrais-tu avoir plus d'amis ? » Il a répondu non, ce à quoi j'ai ajouté que j'en avais probablement assez pour deux.

Alors, avant que vous ne jugiez la quantité de vos camarades comme s'il s'agissait d'un concours de popularité au secondaire, assurez-vous que vous êtes satisfaite du nombre de vos amis et de la profondeur de vos relations actuelles. Si vous l'êtes, pas de problème. Si vous désirez des amitiés plus profondes, vous devez être prête à investir dans des amitiés occasionnelles, qui ont le potentiel de devenir de grandes amitiés. Si vous aimez avoir davantage d'amis, il y a des façons de rencontrer des gens – sortez, parlez à des étrangers, prenez des cours, joignez-vous à des organisations – et de faire en sorte que vos rencontres soient plus fécondes, comme le prouvent les dix conseils suivant, de l'animatrice et experte Olivia Fox (www.askolivia.com) :

Dix trucs pour devenir irrésistible

1. *Mettez-vous dans ses chaussures.* Il se sentira complètement compris lorsque vous essaierez de tout voir selon son point de vue.

2. *Soyez vraiment, réellement intéressée à l'autre.* Pour citer Dale Carnegie : « Vous pouvez vous faire plus d'amis en deux mois en vous intéressant vraiment aux autres, que vous ne le feriez en

deux ans en essayant de faire en sorte que les gens s'intéressent à vous. »

3. *Écoutez plus que vous ne parlez.* Plus longtemps vous garderez la lumière sur l'autre, plus il vous trouvera charmante.

4. *Souriez !*

5. *Augmentez votre niveau de contact visuel.* Cela fera circuler plus de *phényléthylamine* (que les scientifiques ont appelée : hormone de l'amour) dans vos veines, augmentant du même coup l'intérêt des deux intéressés.

6. *Synchronisez votre langage corporel sur le sien.* Subtilement (si vous exagérez, cela pourrait faire l'effet contraire), adoptez la même posture, hochement de tête, expressions faciales, et ton de voix semblable à celui de l'homme ou de la femme qui est avec vous. L'autre pensera : « Comme c'est charmant, nous sommes pareils. »

7. *Adoptez l'attitude « Qu'est-ce que je peux faire pour toi ? »*

8. *Soyez positive et enthousiaste.*

9. *Faites en sorte que l'autre personne se sente bien avec elle-même.* Admirez et louangez ce qui vous impressionne vraiment. Pour être crédible, faites-lui des compliments précis.

10. *Cessez de vous en faire avec ce que vous venez de dire ; cessez de souhaiter ne jamais l'avoir dit ou de vous faire du souci pour ce que vous vous apprêtez à dire.* Au bout du compte, les gens ne se souviennent pas de ce qui a été dit, mais plutôt de l'empreinte émotionnelle de la conversation et de comment cela faisait de vous parler.

Ces suggestions sont aussi utiles pour vos relations avec vos amis, votre famille et vos associés en affaires qu'elles le sont pour briser la glace auprès de nouvelles connaissances. Dès que quelqu'un se retrouve dans votre cercle ou dans votre carnet d'adresses, ne le laissez pas languir. Gardez le contact. Des petits courriels personnels (en opposition aux pourriels de toutes sortes et à vos bulletins auxquels ils ne se sont pas inscrits) feront l'affaire, et un vrai mot sur du vrai papier ajoutera une touche de classe. (Lorsque je traverse une période très chargée, je conserve de belles cartes postales déjà timbrées dans mon sac, afin de pouvoir écrire un mot lorsque j'attends quelqu'un avec qui j'ai rendez-vous, ou le train.) Il est bien de noter les anniversaires, mais c'est encore mieux de vous souvenir des gens lorsqu'ils s'y attendent le moins. Vous pouvez envoyer une carte pour l'anniversaire de sobriété d'un ami qui est dans les AA, envoyer un bonbon pour chien afin de célébrer l'adoption d'un chiot, ou offrir un petit cadeau pour lui rappeler « un mois après la rupture et tu es toujours debout ».

Prendre l'habitude de répondre au téléphone mais seulement lorsque vous avez vraiment le temps de parler, vous empêche d'avoir l'air perpétuellement occupée et seulement intéressée aux affaires qui vous concernent personnellement. Des suggestions de sorties inattendues (escalader un escarpement, faire une visite touristique à pied, ou se rencontrer pour le petit déjeuner plutôt que pour l'habituel lunch ou dîner) ajouteront à votre réputation de personne innovatrice et joyeuse. Et, en étant disponible pour vos amis lorsqu'ils ont besoin de vous, vous quitterez la catégorie des amis des beaux jours pour devenir une amie de toutes les saisons.

Bien sûr, quand vous aurez attiré tous ces amis, il faudra garder le contact. Nous sommes une foule complexe, et nous pouvons être exaspérants : nous dégoulinons de croyances et d'affectation, et notre humeur peut aller d'amère à enjouée, en moins de temps qu'il n'en faut à notre entourage pour amorcer le changement. Et pourtant, nous sommes un bon médicament contre la solitude. Si vous voulez garder une amitié bien vivante, fixez vos limites et communiquez-les clairement. C'est trop bête de voir s'effondrer une amitié parce qu'une personne a dépassé la limite dont l'autre était seul à connaître

Chapitre 38

RECEVEZ, MA CHÈRE…

La solitude aime que vous restiez assise chez vous à attendre que le téléphone sonne, et elle ne supporte pas que vous décidiez d'inviter des amis. Pour ne pas le faire, vous avez une longue liste d'excuses : « Je suis trop occupée… Mon appartement est trop petit (ou pas assez beau)… Je ne veux pas dépenser un sou… Mes amis préfèrent sortir… Je devrai faire le ménage après… Mon petit ami n'aime pas les fêtes… Quelqu'un pourrait fumer, se soûler, renverser quelque chose, casser un bibelot, être allergique aux perruches… Je ne sais quoi cuisiner, quoi porter ou même qui inviter… Et si je me donnais tout ce mal et que les gens ne s'amusaient pas ? » C'est assez pour vous empêcher de laisser entrer l'installateur du câble.

Et pourtant, qu'est-ce qui pourrait être plus agréable que de vous entourer des personnes de votre choix ? Le plus souvent, vous côtoyez des collègues, des voisins et des étrangers qui croisent votre chemin tout à fait par hasard. Par contre, lorsque vous invitez des gens chez vous, ce sont normalement ceux avec qui vous aimez passer du temps. C'est le cas, que vous organisiez une vraie fête ou un dîner sympa pour quatre (ou cinq, le chiffre parfait pour un repas social, selon les anciens Grecs, qui croyaient qu'avec cinq convives, la conversation coulait plus facilement et que personne n'était laissé pour compte).

Il y a tellement de façons de rassembler les gens : vins et fromages après le travail, dîner à la fortune du pot le vendredi soir, barbecue dans le parterre les fins de semaine. Vous pouvez planifier une réunion autour d'une émission de télé – inviter des amis à regarder la soirée des Oscars ou le *Super Bowl*, ou encore la finale d'une émission que vous suivez tous assidûment. Vous pouvez vous réunir pour boire à la santé d'un ami qui vient de se fiancer, qui a reçu une promotion ou qui a posé un geste de bravoure méritant d'être souligné. Vous pourriez avoir envie de célébrer des congés que vous n'avez pas l'habitude de souligner : le nouvel an chinois, l'équinoxe ou le solstice qui marquera le début de la nouvelle saison, ou l'anniversaire de quelqu'un de célèbre.

Lorsque Adair était petite, nous avons commencé à célébrer l'anniversaire de Mozart. Cela se passe toujours lors d'une journée maussade de la fin de janvier (le 27), lorsqu'un dîner d'inspiration autrichienne et un gâteau à étages décoré avec une clé de sol et des notes de musique peut nous faire oublier la grisaille de l'hiver. Nous louons le film *Amadeus* et la soirée est au poil. Quelques jours après l'avoir fait une première fois, j'ai entendu ma fille, alors âgée de sept ans, demander à une copine ce qu'elle avait fait pour l'anniversaire de Mozart. J'aimais l'idée que pour elle, une seule célébration avait suffi à inventer une tradition. C'est vraiment tout ce que ça devrait nous prendre à tous.

Mon mentor pour mes réceptions est l'auteure et conteuse Deborah Shouse, qui célèbre des anniversaires comme le 4 mars (alors que vous êtes censée, hum !, continuer à marcher durant tout le reste de l'année, le reste de votre vie). Elle organise aussi très souvent des soirées thématiques, qui sont maintenant renommées dans la région. Lorsque vous vous présentez à une des soirées de Deborah, c'est souvent avec une indication du genre : « Apportez un objet utile ou de valeur, que vous êtes prête à donner. » Elle dispose ensuite ces articles sur la table, un peu comme des articles en solde, mais chics (elle a bien dit « utile ou de valeur ») et sans les étiquettes. Après le dîner, toujours au hasard (Deborah est une hôtesse hors pair qui n'a aucun intérêt pour la cuisine), un à la fois, les invités vont à la table et choisissent un cadeau, en disant au groupe pourquoi il ou elle choisit cet article en particulier. Dans une de ces réunions, j'ai choisi une statue en nacre d'un chat blond. Mon chat Albert, qui était de couleur dorée et que j'aimais à la folie, était mort quelques jours plus tôt. Bien que je ne sois pas très *bimbeloterie*, ce chat m'était destiné. Les autres se sont partagé d'autres objets du même genre.

Si vous n'êtes pas habituée à recevoir des gens chez vous, une bonne manière d'activer vos talents d'hôtesse est de tenir salon. Comme il s'agit d'un croisement entre une fête et une réunion, vous pouvez le prévoir pour le milieu de l'après-midi ou après le dîner, et éviter les affres de servir le repas. L'idée d'un salon est de discuter d'un sujet, d'explorer une question, de réaliser un projet, ou de lire un livre ou un article et d'en discuter. Cela peut être un événement unique – par exemple, réunir quatre ou cinq amis pour fabriquer des cartes de vision (voir chapitre 27) – ou une série d'événements, comme des réunions à toutes les cinq semaines pour discuter des cinq sections de ce livre et des progrès que chacun fait pour sortir de l'obésité, de la pauvreté et de la solitude.

Quand vous serez prête à ajouter un repas à votre répertoire, invitez une personne ou un couple à dîner. Si vous ne voulez pas cuisiner, embauchez un traiteur ou commandez une pizza, tout en respectant votre budget et vos goûts. Développez à partir de là. Personne ne passera un gant blanc sur vos plinthes pour vérifier si vous avez enlevé les poussières, et vous ne trouverez pas une critique du repas dans la chronique gastronomique du lendemain. Ouvrir votre maison aux gens que vous aimez est simplement une manière d'ajouter plus de joie à votre vie, et plus de vie dans votre maison ou votre appartement.

Bien sûr, vos amis pourraient apporter des fleurs, une chandelle ou une bouteille de vin, mais ce qu'ils laisseront vraiment derrière eux, c'est l'énergie du temps partagé. Les agents immobiliers (tout comme les médiums) vous diront que les maisons sont heureuses ou tristes, énergiques ou lasses, suivant les événements qu'on y a tenus au fil des ans. Chaque fois que vous ouvrez votre porte aux gens qui y apportent rire et affection, vous gardez toujours un peu de leur énergie après leur départ, à la fois dans vos souvenirs et dans les ondes du lieu où vous vivez. Ensuite, lorsque vous rentrez du travail dans votre appartement de célibataire, ou dans la maison où vos enfants faisaient tout un boucan, mais depuis, ils ont grandi et ont quitté la maison, il y aura là une légèreté que la solitude évite assidûment. Mais vous aimerez ça et il y a fort à parier que cela vous donnera l'envie d'organiser une autre fête.

Posez un geste

Si vous ne recevez jamais, contentez-vous d'inviter une ou deux autres personnes chez vous. S'il vous arrive de recevoir, fixez une date pour votre prochaine réunion d'amis. Essayez quelque chose qui vous sort de l'ordinaire. Surtout, amusez-vous. Si vous avez du plaisir, il y a fort à parier que vos invités s'amuseront tout autant.

Chapitre 39

IL NE S'AGIT PAS TOUJOURS DE VOUS

On peut dire qu'on en a fini avec la solitude et qu'on saisit la vie à pleines mains dès qu'on se rend compte qu'il n'est pas toujours question de soi. Il peut arriver à 16 ans ou à 60 ans, ce moment où l'on sait sans le moindre doute que la meilleure façon de s'oublier, d'oublier ses soucis et sa solitude, c'est d'embellir la journée de quelqu'un d'autre. Cela ne diminue en rien votre magnificence ou votre besoin de vous bichonner. Cela vous permet seulement d'accepter le paradoxe que votre vie est plus riche quand vous voyez que tout ne tourne pas autour de vous, de votre allure, de vos succès et de vos désirs. C'est quand vous voulez mettre votre temps, votre cœur et vos efforts là où ils peuvent faire un peu de bien.

C'est un fait : quelqu'un en ce monde a besoin de vous. Je ne sais pas si c'est un aîné dans un CHSLD, un enfant en famille nourricière, une famille déracinée par un désastre naturel, ou votre mère qui vous aime vraiment, même si vous ne vous parlez plus. Mais je sais, sans jamais vous avoir rencontrée, que quelqu'un a besoin de votre amour, de votre connaissance de l'algèbre ou de votre agilité à manier le marteau.

Sortir de vous-même et transformer le monde de quelqu'un d'autre, ce peut être un accomplissement majeur – disons six mois de travail dans un pays en développement – ou un geste de bonté momentané, comme de raccompagner des groupes de touristes à leur hôtel, plutôt que de vous contenter de leur indiquer le chemin. (Voici ce qu'a fait mon amie Heather pour un vieil asiatique quasi aveugle, qui baragouinait quelques mots d'anglais. Après quelques essais et pas mal d'erreurs, elle l'a déposé à destination, où on l'a informée que son protégé était un moine tibétain vénéré et qu'elle aurait la chance qu'il pense à elle dans ses prières.)

Le bénévolat est une autre façon de sortir de vous-même et de faire enfin partie de quelque chose de merveilleux. Vous trouverez une liste des organismes qui recherchent des bénévoles dans votre région au CLSC (Centre local de services communautaires), et vous verrez que certains d'entre eux demandent un engagement d'à peine quelques heures par semaine. Certains sites Internet offrent des affectations pour du bénévolat aussi bien outremer qu'aux États-Unis, ainsi que des emplois rémunérés à temps plein. Vous pouvez vous contenter de dire oui à des occasions impromptues de faire le bien.

Qui sont ceux que vous aidez, cela n'a aucune importance. Mais votre aide, elle, en a énormément.

Suivez vos penchants naturels lorsque vous cherchez des manières d'améliorer les choses : une bonne action à la fois. Ma fille Adair a toujours aimé toutes les petites bêtes à quatre pattes, et même lorsqu'elle était enfant, elle secourait les animaux errants et prenait leur défense. Mariée, submergée par la pression de sa carrière d'actrice à New York, travaillant durant le jour et tenant maison, elle s'est rendu compte que même si c'était un tâche de plus à mettre sur sa liste, la promenade qu'elle faisait avec ses deux chiens était souvent un moment fort de sa journée.

« C'est tellement thérapeutique. », dit-elle. « Même si je déteste sortir l'hiver par une journée glaciale, je le fais pour eux. Faire quelque chose uniquement pour quelqu'un d'autre me fait du bien. Et ils ne se préoccupent jamais de mon apparence et de ce que je porte. » Le plaisir qu'elle avait à sortir ses chiens était si grand qu'elle a donné son nom pour devenir promeneuse bénévole pour les chiens orphelins en attente d'un humain bien à eux. Adair a encore des auditions, des cours et des représentations, une hypothèque en partage et une vie à gagner. Mais le temps qu'elle passe avec ses chiens et les orphelins portant leurs gilets « Vous pouvez m'adopter », semble embellir sa journée plutôt que de la gêner. C'est peut-être parce que 60 minutes à se sentir parfaitement vivante est fort différent d'une heure de routine.

Quand vous aurez enfin compris que tout ne tourne pas autour de vous, comprenez également que nous sommes toutes uniques. Certaines personnes sont naturellement portées à faire du bien autour d'elles. Elles s'épanouissent en aidant les autres. Bon nombre deviennent infirmières ou psychothérapeutes, des professions qui leur permettent d'aider les gens, d'aujourd'hui à l'heure de la retraite. D'autres adoptent de nombreux enfants ayant des besoins particuliers, ou ont un tablier à leur nom à la soupe populaire. Si vous trouvez que c'est une façon extraterrestre de vivre, ce n'est tout simplement pas votre voie. Vous pouvez quand même aider, mais d'une manière qui ne vous donne pas l'impression que c'est l'Halloween et que vous vous êtes déguisée en Florence Nightingale.

Donnez ce que vous avez. Enseignez ce que vous savez. Fiez-vous à votre instinct. Lorsque vous lisez ou entendez parler d'une situation qui vous touche particulièrement, donnez suite. Il y a tant de souffrance dans le monde que nous devenons immunisées rien que pour pouvoir continuer à fonctionner. Lorsque le malheur d'une personne ou d'un endroit dépasse cette réaction immunitaire pour vous aller droit au cœur, il y a de bonnes chances que cette cause soit la vôtre. Une cause peut suffire.

Lorsque vous poserez un geste envers quelqu'un qui vous touche profondément, qu'il s'agisse d'un engagement de toute une vie ou d'une journée, vous rencontrerez des gens qui partagent vos gènes spirituels. Ils sont arrivés au même moment et au même endroit que vous, parce que vous vous êtes tous sentis appelés en ce lieu. On ne peut savoir à l'avance où vous rencontrerez quelqu'un qui sera encore dans votre vie après que vos petits-enfants seront devenus grands, mais c'est un endroit qui en vaut bien d'autres.

Entre-temps, rendez-vous utile à chaque fois que vous le pouvez et apportez vos lumières à chaque fois que c'est possible, même pour ceux – et peut-être même particulièrement – qui semblent incapables de vous donner quoi que ce soit en retour. Sherry – ma partenaire dans l'action dont je vous ai parlé plus tôt – a fait cela entre deux stations de métro bondées de monde. Elle a remarqué qu'il y avait du tohu-bohu dans le wagon de tête, alors que les gens s'éloignaient en essayant d'éviter un sans-abri, dont la puanteur estivale était insoutenable. Il était assis seul sur un banc et regardait tristement la foule des gens debout qui s'accrochaient à la courroie de cuir qui pendait du plafond, et il tenait fermement son unique bien sur cette Terre : une boîte de Cheerios entamée.

Comme le train approchait de son arrêt, Sherry lui a offert son sourire le plus sincère et lui a souhaité une bonne journée. Il a dit : « Merci. Vous êtes la première personne qui m'a parlé depuis très longtemps. » Ce moment où leurs regards se sont croisés, Sherry dit qu'elle s'en souviendra longtemps. « J'ai senti que mon cœur avait vraiment communiqué avec le sien. Juste avant cela, j'étais concentrée sur moi et sur mes affaires. Mais à ce moment précis, j'ai été présente à quelqu'un d'autre. C'est moi qui lui ai adressé la parole, mais c'est lui qui m'a fait ce cadeau. »

Posez un geste

Trouvez une manière de faire vraiment du bien dans le monde. Donner de l'argent, c'est bien, mais aujourd'hui, je vous demande de donner un peu de vous-même. On a besoin d'aide autour de vous. Essayez de tenir la porte, d'aider quelqu'un à porter ses paquets, de prendre le temps d'indiquer la direction à ce couple perplexe qui tient une carte de la ville. Vous pouvez aussi vous associer à une œuvre charitable ou faire du bénévolat quelque part. Ce ne sera peut-être pas votre ultime appel philanthropique, mais cela fera l'affaire jusqu'à ce que cet appel se fasse entendre.

Chapitre 40

CHARISME 101

Vous êtes déjà en possession d'une puissante ressource anti-solitude : les gens qui sont dans votre vie en ce moment. Vous le constaterez en pensant à tous ceux qui gravitent dans votre sphère et que vous êtes contente de côtoyer. Notez leurs prénoms et regardez votre liste. Le nombre est sans importance. C'est la qualité qui compte. Vous venez de noter tous les hommes, femmes, enfants et chiens d'arrêt que vous avez attirés dans votre vie. (Dans un sens métaphysique, vous avez même *attiré* vos parents et grands-parents grâce à votre magnétisme au niveau de l'âme.) Félicitations. Vous avez fait du bon travail. Et vous avez illustré la loi de l'attraction… à l'œuvre !

C'est votre magnétisme personnel qui attire les gens et les expériences dans votre monde. Nous savons toutes ce qu'est l'attraction physique : vous voyez un bel étranger dans un autobus ; votre corps se prépare à l'amour physique et votre esprit à une union pour la vie. Mais le magnétisme va beaucoup plus loin. C'est cette première impression qui vous laisse à penser qu'une nouvelle connaissance pourrait devenir un ami, ou que tel candidat pourrait faire un bon chef.

Lorsque le magnétisme personnel est extraordinaire, on parle de charisme. Tiré du grec *kharisma,* qui veut dire grâce, faveur divine, le charisme était vu par les anciens comme un cadeau des dieux. Mais tous ceux qui le désirent peuvent développer les qualités du charisme : vigueur physique, confiance en soi, capacité à inspirer les autres. Ce pourrait être vous, puisque vous avez décidé d'en finir avec l'obésité, la pauvreté et la solitude.

De toute évidence, si vous voulez accomplir de grandes choses – briguer les suffrages à la tête d'un parti, amasser 50 millions de dollars pour aider à vaincre une maladie, animer un *talk show* à la télévision nationale –, vous devrez posséder un charisme énorme : une image d'enfant prodige, des capacités oratoires hors de l'ordinaire, une mémoire presque parfaite des visages, des noms, des faits, et un excellent sens de la repartie. D'accord. Si c'est ce que vous désirez de tout votre cœur, c'est ce que vous devez faire. Joignez les *Toastmasters* et embauchez un entraîneur médiatique. Si vous rêvez plutôt d'une belle vie avec un homme et des tas d'amis qui ne vous laisseront pas tomber, vous pouvez augmenter votre capacité d'attirer ce que vous voulez, avec moins de répétitions et de soirées de travail. Quoi que vous désiriez, votre charisme – votre magnétisme personnel – vous rend attirante. Voici des manières d'augmenter votre charisme, sans égard à qui ou à ce que vous cherchez à attirer :

- *Soyez rayonnante de santé.* Les experts du *feng shui* disent qu'une plante en santé augmente le sentiment de bien-être dans une maison ou dans un bureau. Une personne qui rayonne la santé produit le même effet au centuple. La vitalité physique peut donner du charme sensuel à une personne qui n'est pas particulièrement belle, et l'on se sent mieux rien qu'en côtoyant tant de vigueur. Trouvez cette vitalité grâce à une santé florissante et supportez cette vision en mangeant des aliments dont la force vitale est intacte, en faisant de l'exercice comme si vous le vouliez vraiment, et en traitant votre corps tel un temple, avant même que votre temple n'ait un ventre plat.

- *Débordez d'enthousiasme.* Comme pour le mot charisme, remercions les Grecs pour le mot *enthousiasmos*, qui signifie transport divin. Pour moi, l'enthousiasme, c'est avoir un feu intérieur qui vous permet de rester engagée et passionnée. Tout ce qui permet de conserver un haut niveau d'énergie : dormir suffisamment, sortir dans le monde, prendre part à l'action, rester focalisée sur ce que vous voulez tout en étant reconnaissante de ce que vous avez déjà, tout cela vous aide à rester enthousiaste. Et comme nulle ne peut être enthousiaste en tout temps, sachez vous entourer de gens positifs qui prendront le relais lorsque vous aurez du mal à entretenir le feu.

- *Parlez sincèrement.* Les gens faux sont aussi transparents que la pellicule plastique sur votre sandwich. S'il y a de la conviction derrière vos paroles, ceux qui ont besoin de les entendre vous écouteront.

- *Intéressez-vous à tout.* Lorsqu'ils parlaient de James, le plus jeune de mes gendres, ses frères et sœurs le surnommaient *le canal découverte,* parce que tout l'intéressait. Ça l'intéresse toujours, et c'est une qualité très attachante. Lorsque vous en savez long sur un tas de choses, vous pouvez parler avec n'importe qui et faire en sorte que cette personne se sente à l'aise. L'idée n'est pas de surpasser les concurrents du jeu *Jeopardy* soir après soir, mais d'avoir des champs d'intérêts assez variés pour que les autres n'aient pas l'impression qu'il faudrait être experts dans vos affaires ou vos loisirs pour avoir une conversation fascinante avec vous. Il est aussi plus facile d'avoir de la repartie lorsque votre moteur de recherche interne regorge d'informations.

- *Conservez une attitude optimiste.* Il est facile de se décourager en regardant comment vont les choses, et cela peut bouleverser votre charisme. Vous pourriez avoir besoin de prendre quelques heures ou une journée pour vous concentrer sur un sujet, affronter un démon, ou vous colleter avec un problème coriace. Si tel est le cas, allez quelque part, fermez la porte, concentrez-vous, puis luttez ou affrontez la situation. Quand vous l'aurez fait, même si vous n'avez pas complètement réussi à résoudre votre dilemme, sortez avec la certitude qu'il sera résolu.

- *Devenez la personne que vous voulez être, afin d'attirer la personne (ou les personnes) que vous souhaitez attirer.* C'est censé être clair comme de l'eau de roche, mais on s'y perd tout le temps : nous attirons les personnes et les expériences qui correspondent à ce que nous sommes personnellement. Affirmer : « Je cherche un homme financièrement stable. » peut avoir l'air sage, mais si vous êtes endettée jusqu'aux oreilles et que vous passez tous vos week-ends au casino, vous n'êtes pas celle qu'il recherche. Après une série de relations ratées, une de mes amies a écrit toutes les qualités qu'elle voulait trouver chez un compagnon, puis a entrepris de développer ces qualités elle-même. Cela a pris quelques mois, mais elle a rencontré quelqu'un avec les traits de caractère qu'elle recherchait (il est aussi bel homme, pour ce que ça vaut), et ça fait aujourd'hui six ans qu'ils sont ensemble et heureux.

- *Fixez des frontières claires.* Être aimée, c'est bien ; être traquée l'est moins. Tout en augmentant votre charisme, vous devez renforcer les paramètres qui délimitent votre espace personnel. Un jour, j'ai vu Lauren Bacall au bar Oak de l'hôtel Plaza. Elle avait la prestance d'une grande star de cinéma : d'une exquise beauté, attentive à son compagnon, gracieuse jusqu'au bout des doigts, personne n'aurait osé s'approcher d'elle. Ses frontières étaient aussi réelles que si elles avaient été en béton. Vous pouvez établir les mêmes barrières de protection, en décidant jusqu'où, quand, et à qui vous êtes prête à vous donner. Ce n'est pas de l'égoïsme. C'est l'instinct de conservation.

- *Branchez-vous sur une source de pouvoir qui ne s'épuisera pas.* Le charisme est le pouvoir qui se dégage d'une personne. Nous ne le générons pas, nous le canalisons. Vous vous rappelez la *faveur divine* ?

Les Grecs n'étaient peut-être pas loin de la vérité. Le pouvoir humain, même à son meilleur, est limité. Branchez-le sur l'illimité et il n'y a rien que vous ne puissiez faire.

Posez un geste

Pour commencer, imaginez-vous comme une personne charismatique, une personne qui possède un charme total. Ensuite, choisissez une des étapes qui précèdent afin de développer vos propres qualités charismatiques. Faites cela trois jours de suite, et vous sentirez la différence.

Cinquième partie

S'ACCROCHER À LA VIE DE SES RÊVES

Vous êtes venue sur cette planète pour être remarquable. Vous y arrivez en étant vous-même, en vous servant de vos talents, et en projetant votre lumière.

C'est un grand jour, ce jour où vous savez qu'aussi longtemps que vous continuerez à faire ce que vous faites et à penser comme vous pensez, la personne seule, ronde et fauchée, ainsi que les parties déchirantes du vide qui l'ont invitée dès le départ, peuvent sortir de votre vie à tout jamais. Mais ce n'est pas la fin, c'est le commencement. Éviter ce que vous ne voulez pas n'est qu'une condition préalable. La vie de vos rêves est le cours dans lequel vous vous êtes inscrite.

Vous êtes venue sur cette planète pour être remarquable. Cela ne signifie pas nécessairement que vous devez étirer vos 15 minutes de célébrité jusqu'à 25, ou que vous devez avoir un effet tsunami sur le monde, mais ça pourrait arriver. Les seules limites à ce que vous pouvez accomplir sont les contraintes de temps, d'espace, et les barrières physiologiques. Lorsque nous nous limitons plus que cela – et nous en sommes tous coupables – nous court-circuitons notre destin. C'est votre devoir de sauter par-dessus la clôture. Que vous réussissiez ou non un coup de circuit, là n'est pas la question.

Pour vous accrocher à la vie de vos rêves, il est essentiel, dès le départ, de savoir ce que sont vos rêves. Pour aller de l'avant, vous devrez regarder vos peurs en face, et foncer dedans. Vous devrez devenir claire et limpide quant à qui vous êtes et ce que vous désirez, et mettre en pratique quelques techniques simples mais puissantes, que les gens qui vivent la vie de leurs rêves connaissent déjà. On vous demandera de voir qui vous êtes vraiment et ce sur quoi vous êtes branchée. C'est un processus exigeant et confrontant, et parce que c'est ainsi, je ne m'attendrais pas à ce que cela devienne bientôt une tendance. Mais si vous êtes prête à faire l'effort, vous ne vous débarrasserez pas seulement de la personne seule, ronde et fauchée : vous vivrez l'aventure d'une vie.

Chapitre 41

IL FAUT AVOIR UN RÊVE

À voir comment nous les ignorons, les remettons à plus tard ou les rejetons carrément, il devrait y avoir une société de prévention de cruauté envers les rêves. On dit des choses terribles à leur sujet : « Je voulais aller à Harvard, mais c'était une idée stupide. » Nous dénigrons même ceux de la génération suivante : « Tu ne seras jamais [sur Broadway, dans la LNH, ou sur l'estrade de la semaine de la mode], alors arrête de [chanter, patiner, marcher avec un livre sur la tête]. » Pour traverser tous ces obstacles, les rêves doivent être remarquablement résilients. Et résilients, certains le sont, remarquablement.

La raison pour laquelle nous sommes si durs avec nos rêves, c'est que nous essayons de nous protéger et de protéger ceux que nous aimons de la déception que peut causer un rêve qui ne se matérialise pas. Mais, si nous le poursuivons, le seul fait de l'entreprendre est déjà une réussite. Bien sûr, vous serez blessée si vous n'avez pas le rôle ou l'emploi, mais vous saurez alors que vous avez toujours donné le meilleur de vous-même. Cela met de la texture dans votre vie et vous donne des histoires à raconter à vos petits-enfants.

L'histoire est remplie de sommités qui ont laissé aller un rêve pour s'accrocher à un autre. Audrey Hepburn a été formée pour être ballerine. Bon nombre des entreprises de Milton Hershey ont fait faillite avant qu'il n'arrive avec sa tablette de chocolat à cinq cents. Parce que Levi et Strauss ne vendaient pas suffisamment de tentes aux mineurs, ils se sont tournés vers les vêtements durables, et c'est pour cette raison que vous portez des jeans aujourd'hui.

Même si le rêve qui se réalise n'est pas celui qui vous a permis de démarrer, vous devez maintenant aspirer à celui qui vous est échu. S'il se métamorphose, se modifie ou prend des détours, vous pouvez vous en accommoder, mais le laisser tomber prématurément voudrait dire que vous êtes deux fois perdante : votre rêve mord la poussière, et il n'a pas l'occasion de se transformer en autre chose.

Bien que théoriquement possible, nous faisons rarement des rêves sans queue ni tête. Lorsque je m'adresse à un groupe de femmes, je leur demande si quelqu'un caresse le rêve de devenir championne de gymnastique aux Jeux olympiques. Personne n'a jamais levé la main. À l'évidence, si vous avez plus de 12 ans, ce rêve serait ridicule, et nous ne faisons pas de rêves ridicules. Les rêves que vous caressez en ce moment sont réels, et ils sont fondés. S'ils ne l'étaient pas, vous feriez d'autres rêves.

Ne vous laissez pas décourager par la grandeur de vos rêves. Cela peut vous sembler énorme, seulement parce que c'est celui que vous voulez atteindre. Disons que vous avez décidé de devenir chef de la direction. Il faut reconnaître que pour y arriver, il faudra des efforts, mais pour moi, et pour beaucoup d'autres personnes, cela ressemble moins à un grand rêve qu'à une grande souffrance. Si vous le désirez cependant, et que vous vous faites peur parce que cela semble tellement énorme et tellement désirable, pensez à tous ceux d'entre nous qui n'accepteraient jamais ce poste, quel que soit le salaire. Cela devrait remettre les choses en perspective : vous avez un rêve particulier parce qu'il vous est possible de l'atteindre et d'y exceller. Ceci établi, vous devrez transformer l'idée que vous pourriez être le chef de la direction en écriteau sur votre porte. Cela veut dire travailler au niveau métaphysique et au niveau *mégaphysique*.

Le travail métaphysique est celui que vous faites spirituellement pour aider à créer votre réalité. Nous avons parlé de la méditation (chapitre 9), de l'usage d'un langage positif (chapitre 7), de visualisation et des cartes de vision (chapitre 27). Si vous prenez ce rêve au sérieux, mettez à profit chacun des sens dont vous disposez. Lorsque je rêvais de déménager à New York – et croyez-moi, cela avait toutes les apparences d'un rêve impossible – j'ai entendu la Dr Jean Houston, auteure de

A Passion for the Possible, parler à Kansas City. Elle a fait faire à son auditoire un exercice consistant à réaliser nos rêves à l'aide de tous nos sens. Dans cette expérience, j'ai *entendu* les sirènes et la circulation de Manhattan. J'ai *humé* le parfum sucré des fleurs au marché du coin et la puanteur d'un marché de poissons de *Canal Street*. J'ai *senti* mon bras se lever pour héler un taxi, puis se tendre pour ouvrir la portière. En me glissant dans ce taxi imaginaire, j'ai *sorti* un bagel croquant d'un sac d'épicerie et j'ai *savouré* le goût délicat de cette pâte bouillie. Je n'avais jamais été aussi proche de New York sans changer de fuseau horaire.

Le pouvoir de cet exercice était tel que je l'ai conservé. En plus de cultiver la pensée positive et de regarder chaque jour une carte de vision des gratte-ciel parsemée de points, je me suis mise à écouter la musique des spectacles de Broadway et à manger de vrais bagels ; j'ai aussi fait cet exercice « tu-y-es-déjà », trois ou quatre fois par semaine. En moins d'un an, mon code régional avait changé pour le 212.

Mais il y a l'autre partie : le travail *mégaphysique*. Cela englobe les rigueurs physiques et mentales que vous devez traverser pour donner substance, dimension et une réalité, ici et maintenant, à quelque chose qui était informe. Alors que le travail métaphysique établit les fondations, le travail *mégaphysique* érige la structure. Dans mon exemple de New York, j'ai fait le travail exigé pour avoir un contrat de livre avant de déménager ; j'ai recueilli une longue liste de réseaux de contacts ; et j'ai fait un voyage préalable à la recherche de ce Graal insaisissable, une sous-location abordable. Quel que soit votre rêve, cela va exiger quelques efforts. Il vous faudra peut-être : retourner aux études, vous mettre en forme comme vous ne l'avez jamais été, apprendre l'arabe ou le mandarin, passer 2 416 auditions, ou subir des traitements de fertilité, échouer, et vous retrouver à l'autre bout du monde avec votre bébé dans les bras, cramponnée à votre rêve.

N'ayez pas peur de l'effort. Il n'est pas nécessaire de tout faire aujourd'hui même, mais faites ce que vous pouvez aujourd'hui. Vous aurez parfois l'impression que la vie est injuste. Vous pourriez cumuler deux emplois afin d'obtenir votre diplôme, pendant que le reste du monde semble avoir eu droit à une bourse ou être né de parents nantis. Vous devrez peut-être déménager dans une autre ville, voire dans un pays étranger, pour découvrir, aussitôt installée, que l'endroit est rempli de gens qui veulent exactement la même chose que vous, sauf qu'ils sont nés là et qu'ils savent quelles ficelles il faut tirer. Il se peut que vous deviez surmonter la négativité et la résistance de votre famille et de vos amis, alors que votre voisine jouit du soutien indéfectible de son entourage. Bien sûr, c'est dur à accepter. Mais vous pouvez vous focaliser là-dessus, ou vous efforcer de faire tomber la dernière barrière qui vous sépare de votre rêve.

Ne vous attardez pas aux avantages qu'ont les autres gens. Tout le monde a des avantages, vous aussi. Qu'avez-vous ? De l'argent, de l'instruction, une position sociale ?

Une belle apparence, une bonne santé, un talent exceptionnel ? Des dons linguistiques et de l'entregent ? De la perspicacité et de l'esprit ? Un Ph.D. en débrouillardise ? Il n'en tient qu'à vous d'exploiter vos avantages en les mettant au service de vos rêves. Autrement dit, si votre père possède une entreprise pour laquelle vous désirez travailler, tant mieux pour vous. Sinon, vous avez votre MBA, votre thèse publiée, et votre capacité à vous rappeler mot pour mot ce que tout le monde dit pour le reste de votre vie naturelle. La route sera-t-elle plus facile pour la fille à papa ? Peut-être, peut-être pas. Cela ne vous regarde pas. Vous n'avez qu'à faire ce qu'il faut (travail métaphysique et *mégaphysique*) et apporter le meilleur de vous-même au bureau.

Posez un geste

Celui-ci a trois parties :

1. Écrivez ce qu'est votre rêve. Si vous ne le savez pas encore, écrivez… jusqu'à ce qu'il vous apparaisse.
2. Posez deux gestes, un métaphysique et un *mégaphysique*, pour aller vers votre rêve.
3. Dressez la liste des avantages dont vous disposez en ce moment pour réaliser votre rêve. Relisez-les, et habituez-vous à l'idée de vous en servir.

Chapitre 42

TOTALE ABSENCE DE PEUR

On croit avoir peur d'être seule, ronde et fauchée, et de tout ce qui s'ensuit. Ce n'est pas exactement cela : en fait, on est effrayée, terrifiée, à l'idée de le ressentir. Nous réagissons par des comportements de remplissage (manger, dépenser, nous enticher d'un gars qui nous a dit 20 fois qu'il est gai) pour éviter de nous sentir vide, effrayée, seule ou inquiète. Mais voici l'arnaque : les sentiments – tous les sentiments qui nous tourmentent et nous rongent – sont effrayants mais seulement lorsque nous ne les avons pas encore ressentis. Après cela, ils retombent en poussière et s'envolent. Comprenez alors que vous ne faisiez jamais vraiment face à la pizza, aux chèques de paye et aux petits amis (ou à l'absence de petit ami). Ce n'était qu'une question de sentiments, dont certains sont si vieux qu'ils ne savent même pas que le disco est mort.

Ce qu'il faut pour aller de l'avant, c'est de ne pas bouger, de demeurer présente plutôt que d'essayer d'effacer les sentiments désagréables comme les pourriels non lus. C'est plus effrayant que tout ce que les gens aux prises avec le facteur peur ne pourront jamais inventer : accueillir les sentiments et ne pas les annuler par un comportement de remplissage, quel qu'il soit. Tous les grands l'ont fait : Gautama est resté assis, avec son ignorance, suffisamment longtemps pour se relever en Bouddha (un mot qui se traduit par *l'éveillé*). Jésus a affronté Satan (symbole, selon certains théologiens, d'un ego non maîtrisé) dans le désert et en est ressorti comme le Christ (traduction : *le oint*). Chaque jour, des gens ordinaires s'assoient sans commander à boire, sans manger de gâteau au chocolat, ou sans acheter de chaussures. Et ils s'en retournent libres.

Lorsque les gens vont dans des camps d'entraînement ou des séminaires d'accomplissement de soi, où ils brisent des blocs de bois et marchent sur des charbons brûlants, ils le font dans le but de faire face à leur peur et de la surmonter sans détour. La musique à tue-tête anime le cassage de planche, les tambours shamaniques facilitent la marche sur le feu, et étreindre les gens qui participent au camp avec nous incite à faire confiance aux autres. C'est une expérience dramatique qui devient un souvenir bien vivant, un souvenir que les participants peuvent retrouver, des années plus tard. Une expérience comme celle-ci est un rite d'initiation, et je recommande chaudement que vous preniez part à l'escalade d'une falaise, à la descente des rapides, au saut en chute libre, à la survie en forêt, aux agressions simulées, ou à un scénario semblable, si vous en avez la chance. Toutefois, il y a de nombreuses occasions de faire vos preuves dans la vie quotidienne aussi, même si la musique pourrait davantage ressembler à de la musique d'ascenseur, et s'il est fort probable que vous n'aurez personne à étreindre. La chute libre de la vraie vie se transforme alors en défi encore plus grand, et le fait de vous en sortir indemne : une victoire plus grande encore.

Il y a toutes sortes de choses effrayantes à rencontrer et à surmonter chaque jour. Les pires, interdisant les réelles tragédies et les désastres, sont celles qui sont sur votre liste personnelle : figures d'autorité… parler en public… examen physique annuel… dire quelque chose de stupide… enveloppes d'aspect légal envoyées par les créditeurs, les avocats ou le fisc. Même si quelqu'un d'autre peut ne pas avoir de problème avec ces personnes ou ces situations précises, elles vous font frissonner dans vos bottes à lacets dernier cri. S'il vous était possible de regarder le film de votre vie entière, vous pourriez probablement cibler le moment exact où les circonstances de votre vie sont passées de neutres à pétrifiantes ; toutefois, malgré cette information, vous devriez toujours vous soumettre à votre examen de routine cet après-midi, et ouvrir l'enveloppe dans votre boîte aux lettres ce soir… Le seule manière de sortir de l'une ou l'autre de ces situations – et vous la connaissez déjà – est d'y faire face.

Cela aide à comprendre que la peur, sa jumelle la honte, et leur proche cousine la culpabilité – ces sentiments que nous abhorrons entre tous –, sont des façons standard de fonctionner pour les *homo sapiens*. Vous ne les éradiquerez pas ; alors aussi bien épargner votre salive. La peur qui nous effraie n'est rien d'autre qu'une réaction biochimique. Elle est mesurable. Votre cœur bat plus vite, vos glandes surrénales libèrent de l'adrénaline, votre bouche devient sèche, et peut-être transpirez-vous dans votre gaine. Durant une entrevue d'emploi, vous pourriez avoir le même réflexe de lutte ou de fuite que nos ancêtres de l'âge de pierre, lorsqu'ils se faisaient attaquer par un mastodonte ; mais comme vous ne pouvez frapper la responsable des ressources humaines ou courir très loin dans vos baskets, vous restez là, assise à mijoter dans vos hormones… du stress.

« J'enseigne aux gens à affronter la peur, à la comprendre, à accepter qu'elle est là, et à changer leur relation avec elle. », dit Thom Rutledge, psychothérapeute et auteur de *Embracing Fear*. « Vous devez comprendre que la peur est un tyran qui vit dans votre tête. Elle est inutile, destructrice, névrotique, et vous ne serez pas d'accord avec elle. L'attitude de guérison est celle-ci : « Je te vois, je t'entends, je ne suis pas d'accord avec toi. » Vous ne vous débarrassez pas de la peur, mais vous cesserez d'être contrôlée par elle. » Rutledge suggère la « thérapie des pronoms ». Plutôt que de dire : « J'ai la peur au ventre et je vais tout gâcher. », parlez à la deuxième personne : « La peur te serre le ventre ; tu vas tout gâcher. ». De cette manière, il est clair que c'est la peur qui parle, pas vous, et que vous pouvez répliquer.

Vous pouvez aussi parler à vos amis, vous tourner vers votre foi et siffler dans l'obscurité s'il le faut. Si vous trouvez une technique pour traquer la peur, technique qui fonctionne pour vous, servez-vous-en. Il se peut que vous soyez capable de détruire vos peurs : en petits morceaux, elles sont beaucoup moins intimidantes. Ou encore, vous pourriez jouer le jeu du pire scénario et voir ce qui pourrait arriver de pire. Nous engendrons souvent une somme de peur de vie ou de mort pour un *ce-pourrait-être-une-situation-quelque-peu-désagréable*. Si une peur vous pose problème dans votre vie présente – vous avez peur d'être seule, par exemple, alors vous demeurez dans une relation destructrice – donnez-vous comme priorité d'affronter cette peur. Que ce soit votre mère qui pense qu'il faudrait vous marier ou votre radio locale qui vous met en garde contre le danger que représente le boyau d'arrosage dans votre jardin, vous êtes suffisamment occupée à gérer vos propres peurs. N'en prenez pas d'avantage.

Vous traversez une peur moyenne («Il faut que je parle au patron de mon patron.»), ou une peur monumentale («Je passe en cour vendredi et je pourrais perdre mon appartement.»), de la même manière, réagissez avec fermeté : une étape à la fois! Même lorsque vous êtes effrayée, et qu'il paraisse normal de faire preuve d'une douce pitié envers vous-même, les règles de base ne changent pas. C'est toujours bien d'aller prendre un bon dîner avec quelqu'un qui vous fait rire; c'est toujours mal de vous terrer avec un gros hot-dog chili-fromage et une bonbonnière de chocolats. C'est correct de vous acheter un cadeau que vous pouvez vous payer; ce n'est pas correct d'en acheter un que vous ne pouvez pas vous payer. C'est correct de tenir la main de quelqu'un, et en fait, vous le devez; mais ce n'est pas bien de coucher avec un étranger pour l'unique raison que vous avez peur.

Lorsque vous vous êtes assise avec ces sentiments et que vous avez affronté la peur, vous êtes une personne nouvelle, ou à tout le moins, renouvelée. Plus forte. Plus courageuse. Plus calme. Plus fonceuse. Et plus vivante que jamais.

Posez un geste

Dressez une liste de tout ce qui vous fait peur. Partagez-la avec votre partenaire en action, ou avec une autre personne en qui vous avez confiance. Travaillez à partir du dedans, en demandant à votre Pouvoir supérieur de vous aider à dissiper ces peurs. Ensuite, détruisez votre liste d'une manière théâtrale. Brûlez-la (en faisant attention, bien sûr), déchiquetez-la ou déchirez-la en petits morceaux et jetez-les du haut d'un gratte-ciel ou dans l'eau d'un torrent. Cela ne vous transformera pas en superhéros intrépide, mais si l'intention qui sous-tend ce geste est sincère, cela aidera à désarmer quelques-uns de ces tyrans.

Chapitre 43

FORMEZ VOTRE ÉQUIPE DE RÊVE

La prochaine fois que vous regarderez un film, restez jusqu'à la fin du générique. C'est époustouflant de voir le nombre de personnes qu'il faut pour produire deux heures de divertissement, mais il en est ainsi. Presque tout ce qui existe a été possible grâce à l'effort d'un groupe, et c'est également ainsi que votre rêve pourra se réaliser. J'espère qu'à l'heure présente, vous avez trouvé une partenaire en action : une personne compatible qui a à cœur votre meilleur intérêt, tout autant que le sien propre. Maintenant, relevez la barre et formez votre équipe de rêve.

Le point de départ, votre première équipe de rêve, est un groupe de personnes dévouées, engagées dans leur propre avancement et le soutien d'une vision de réussite mutuelle. Leur devise : « Tu peux faire tout ce que tu décides de faire, et nous t'aiderons à ne pas l'oublier. » On a appelé ce genre de cercle de soutien :

alliance du génie. Comme on dit que deux têtes valent mieux qu'une, quatre ou cinq têtes forment un génie dans lequel le savoir et l'expérience de chaque individu sont multipliés pour former des niveaux exponentiels de savoir-faire, et où les contacts entre chaque individu permettent de diminuer le degré de séparation.

Afin qu'une alliance du génie fasse tout ce qu'elle peut pour chacun de ses membres, chacun doit en faire une priorité. Il est probable que quelques-uns ne le feront pas. Pour cette raison, commencez avec une base assez importante, de sorte que votre groupe puisse perdre un ou deux membres sans que cela compromette son fonctionnement. (Huit est un bon nombre : la moitié pourrait faire l'affaire, et vous auriez encore une équipe.) Sortez vos antennes parmi vos amies et vos collègues pour trouver des gens qui aimeraient faire partie d'une telle alliance. Choisissez soigneusement. C'est de votre rêve dont il est ici question. Voulez-vous un groupe uniquement féminin, ou un groupe mixte ? Est-ce important que tout le monde travaille dans votre entreprise, ou ait de jeunes enfants, ou soit du même âge que vous ? Si vous vous joignez à un groupe déjà existant, ces questions doivent être déjà réglées. Si vous démarrez un groupe, il peut être créé sur mesure, selon vos spécifications. Toutefois, faites attention si vous acceptez le rôle de chef. Toutes les responsabilités devraient être partagées, de sorte que chacun puisse contribuer et en tirer des avantages, à parts égales.

Quand votre groupe sera formé, il devra se rassembler régulièrement en temps réel, et dans un endroit précis – peut-être une fois par semaine pour le petit déjeuner, ou deux fois par mois un soir de semaine, ce qui convient à tous. Lorsque vous vous réunissez, pensez à faire le tour du cercle et à donner à chacun la chance de parler sans interruption pendant un temps déterminé – peut-être trois minutes, ou cinq (demandez à quelqu'un de vérifier le temps de chacun). Après le tour de table initial, laissez une période libre afin que les gens puissent partager l'information et donner des suggestions, tel que prévu. La seule règle établie – et c'est une règle sacro-sainte – c'est que la critique est interdite. C'est correct de dire : « As-tu déjà pensé à regarder les choses sous cet angle ? » Mais c'est inacceptable de dire : « C'est l'idée la plus saugrenue que j'aie entendue de toute ma vie. »

La jalousie tuera une équipe de rêve (et Dieu sait qu'elle a tué sa part de rêves !) L'envie est une émotion diabolique, parce qu'elle dit qu'il n'y en a pas suffisamment pour tous. Cela propose une vision du monde d'un univers mesquin, et si c'est dans un tel univers que vous croyez vivre, c'est là que vous enverrez votre message. Même si tout le monde dans le groupe reçoit une promotion, est élue, se marie, tombe enceinte et est nommée *personne de l'année* avant vous, vous devriez vous réjouir de leur bonheur. Sachez que c'est contagieux et que si vous ne faisiez pas bien les choses en tant que groupe, ces plaisirs ne retomberaient pas sur ses membres. Vos rêves sont sur le point de se réaliser. Pour le moment, il est impératif que vous appreniez à sabrer le champagne pour ceux dont les rêves sont arrivés par train grande vitesse.

Une fois établis les principes de base de votre camaraderie, le groupe appartient à ceux qui en font partie. Le vôtre pourrait étudier des livres d'affaires, de spiritualité ou autres. Vous devez diviser l'année de sorte que chacun des membres du groupe bénéficie de deux bons mois où les efforts majeurs du groupe seront en sa faveur. Vous pourriez inviter un expert pour enseigner à tout le monde à utiliser *Photoshop* ou le *feng shui*. Mais quoi que vous organisiez, si vous êtes ensemble, c'est d'abord et avant tout pour être l'équipe de rêve les uns pour les autres, une équipe que rien ne pourrait empêcher de réaliser le plus cher désir de chaque personne impliquée.

Votre rêve pourrait exiger la participation d'autres personnes importantes, en plus de votre alliance de génie et de votre partenaire en action. Si vos vieilles histoires vous empêchent d'avancer, vous pourriez avoir besoin de voir un thérapeute d'expérience (ou revoir votre thérapeute, si vous en avez déjà un, que vous avez déjà fait cette démarche, mais que vous êtes toujours bloquée). Votre rêve pourrait attendre dans la soute jusqu'à ce que vous preniez des cours dans certains domaines ou que vous perfectionniez certaines de vos aptitudes. Le professeur ou le mentor qui vous aidera à y arriver devient une part de votre équipe de rêve, même si vous ne lui dites jamais que vous avez une telle équipe. Peut-être avez-vous besoin de quelqu'un qui vous encourage, quelqu'un avec qui vous n'êtes pas engagée au plan émotionnel, et dont le travail est de s'assurer que vous allez de là où vous êtes, à là où voulez être, aussi rapidement que possible. Si vous trouvez que c'est une bonne idée, vous songez peut-être à embaucher un entraîneur de vie qui a été formé pour vous aider à soustraire de votre vie tout ce qui ne mène pas à votre rêve, de la même manière que Michel-Ange a soustrait du bloc de pierre tout ce qui n'était pas David.

Lorsque vous pensez à votre vie quotidienne comme étant une partie et une parcelle de la vie remarquable que vous créez, tous ceux qui vous donnent un coup de main reçoivent le statut d'équipe de rêve honoraire. L'individu qui fait vos impôts, parce que les chiffres vous donnent de l'urticaire, et celui qui presse vos chemises, parce que vous avez besoin de ce temps pour vos cours du soir, en font tous deux partie. Lorsque vous reconnaîtrez enfin les rôles cruciaux que jouent une foule de gens pour vous aider à donner vie à vos rêves, vous les apprécierez davantage – et vous savez déjà quelle appréciation vous en retirerez.

Chapitre 44

SOYEZ LUMINEUSE

Nous vivons à une époque et dans un endroit orientés sur l'apparence. Les femmes ont longtemps été jugées sur leur apparence, et les hommes ressentent de plus en plus le même genre de pression. Avoir l'air *hot* (ou, lorsque vous avez passé l'âge de *hot*, être attrayante et avoir l'air plus jeune que ce qui est écrit sur votre permis de conduire) est devenu un cercle à travers lequel nous sommes toutes censées sauter de façon à réussir et à être heureuses. C'est prétentieux et à côté de la plaque. Les personnes qui négligent qui elles sont pour se focaliser sur leur apparence ressemblent à des voitures rutilantes et polies, sans moteur sous leur capot brillant.

Mais ici, la ligne est mince. Même si les médias nous pressent d'en faire trop dans l'arène de la beauté, bien des gens n'en font pas assez – peut-être en réaction à toute la coercition exercée de partout. Bien que vous ayez tous les droits d'avoir l'air de ce que vous avez l'air, la première impression s'imprime, en bien ou en mal. Si vous pouvez illuminer une pièce grâce à la combinaison d'un charmant esprit et d'un mascara efficace, les gens s'en souviendront. Partir d'ici pour aller vers la vie de vos rêves, n'exige pas que vous deviez ressembler à un mannequin ou à une reine de beauté : vous avez seulement à montrer au monde que vous êtes une personne bien mise et soignée. Et lorsque vous éclairez votre apparence en commençant par l'intérieur, vous ne vous ferez plus autant de souci en voyant passer vos anniversaires ou durant les jours de cheveux rebelles.

Il n'y a pas si longtemps, je participais à un grand rassemblement et j'ai remarqué une jeune femme qui était assez jolie, mais dont la *présence* était beaucoup plus frappante. Elle semblait illuminée de l'intérieur, si bien que j'ai eu envie de la connaître et d'écouter la moindre de ses paroles. Plus tard, le même jour, j'ai croisé un homme que je connais et présent lui aussi à cet événement. « As-tu vu cette jeune femme sensationnelle ? », m'a-t-il demandé de son propre chef. « Elle m'a presque donné l'envie d'être hétéro. »

Le fait que nous ayons tous deux réagi de la sorte devant une totale étrangère est une preuve anecdotique que l'affaire de la lumière intérieure n'est pas que poésie ou folklore. C'est le réel fondement de la beauté et de l'attirance. Lorsque vous possédez cela, vous êtes belle, quels que soient vos attraits. Les gens vous voient soudain comme une personne enchanteresse, fascinante.

C'est parce que de telles personnes ont elles aussi une lumière intérieure, même si cela fait des années qu'elles la dissimulent. Lorsque quelqu'une aperçoit cette lumière chez quelqu'une d'autre, elle ressent une chaude reconnaissance, comme ce que vous ressentez lorsque vous êtes dans une ville étrangère et que vous voyez quelqu'un portant un chandail de votre université.

Vous connaissez le dicton éculé qui dit : « En chaque grosse se cache une mince qui essaie de sortir. » ? Eh bien ! dans chaque humain pressé, harcelé et inquiet qui se demande ce qui arriverait si les autres savaient à quel point il est ignorant, il y a cette lumière, un reflet de la grande Lumière qui nous a amenés ici. Robert Browning appelait cette vérité, ce pouvoir qui nous habite : la splendeur emprisonnée. La vôtre a tenté de s'exprimer dès votre premier sourire. Elle brillera de tous ses feux à la moindre occasion. Vous lui donnerez une chance en reconnaissant son existence d'abord, puis, en allant dans le monde bien décidée à laisser la Lumière faire son travail.

Chaque fois que vous exprimez l'amour, chaque fois que vous faites du bien à quelqu'un sans lui en vouloir, vous rayonnez de cette lumière. Chaque fois que quelque chose vous excite, riez fort, ou ressentez ce regain d'optimisme comme si la moindre brise pouvait suffire à vous envoler – c'est la Lumière. Chaque fois que vous savez que les choses vont fonctionner, malgré l'apparence du contraire, ou lorsque vous faites quelque chose que vous ne vouliez pas faire en toute bonne foi et bonne humeur, ou que vous regardez un coucher de soleil ou un érable et que l'expérience vous remue, votre lumière est allumée.

Il y a des gens qui aiment imaginer cette luminescence résidant dans leur corps, dans leur cœur. Vous pouvez imaginer la vôtre lorsque vous méditez et à toute heure du jour, lorsqu'un peu de lumière pourrait aider les choses. Pensez à votre cœur, le centre vital de votre être physique, comme étant aussi le centre de votre être spirituel, tandis que vous habitez ce corps. Tout comme le sang est pompé par votre cœur physique, la lumière coule de votre cœur spirituel, remplissant chaque partie de votre être. Et elle n'est pas confinée à votre corps : elle vous entoure de paix et de protection, de sorte que peu de choses peuvent vous atteindre. Sa portée s'étend à tous ceux que vous rencontrez, apportant à la lumière qui est en chacun un petit coup de pouce.

Plus vous serez proche de votre lumière intérieure, plus vous vous en servirez, plus vous serez belle – et mieux vous prendrez soin de votre être extérieur. Vous paraîtrez étonnante, parce que vous saurez que vous l'êtes déjà ; et non parce que vous espérez que la bonne coupe et la bonne toilette puissent faire de vous la personne que vous estimez, au fond… n'être pas !

Prendre un meilleur soin de votre *moi* extérieur ne veut pas nécessairement dire vous maquiller chaque jour (ou jamais, si le maquillage ne vous dit rien). Cela veut toutefois suggérer faire de votre mieux pour vous préparer à ce que vous apporte cette journée-là, que ce soit faire du jogging ou marcher dans l'allée centrale. Lorsque je me dis que ce n'est pas la peine de faire tant d'efforts – « Je vais au cinéma et il va faire noir. » – je retourne instantanément aux jours où je mangeais pour avoir ma dose, où je n'avais pas un sou, et où rien ne m'intéressait assez. C'est le pire type de déjà vu. Pour rester dans la course, je n'ai pas besoin d'une transformation à 1 000$, à chaque fois que je vois le soleil se lever, mais j'ai bel et bien besoin de maintenir mes soins de base et d'y ajouter quelques efforts, au besoin. Les soins de base diffèrent selon les personnes, allant du lavage des cheveux à l'application d'un écran solaire, à l'entretien régulier de sa teinture, à l'épilation des sourcils, aux enveloppements aux algues ou à l'épilation autour du bikini.

Personne ne ressemble à ces célébrités qui arpentent le tapis rouge, à chaque jour. Elles-mêmes ne ressemblent pas à cela. Mais, si vous laissez briller votre lumière, que vous croyez en vous, et que vous prenez soin de vous durant les jours de grisaille autant que durant les jours de gloire, vous serez prête, lorsque la personne ou l'occasion que vous attendiez se présentera. Et cela pourrait se produire au moment où vous vous y attendrez le moins.

Posez un geste

Au cours des sept prochains jours, illuminez votre apparence intérieure et extérieure. Reconnaissez d'abord votre Lumière intérieure — la substance de votre beauté —, puis présentez à chaque jour votre *moi* physique au monde, comme si, en effet, il abritait cette Lumière. Si vous percevez que vous ne pouvez accomplir cette partie physique sans d'abord retoucher vos racines, sans passer chez le cordonnier et sans recoudre quelques boutons, acquittez-vous de ces tâches préliminaires, aussitôt que possible de manière à pouvoir amorcer cette semaine, où vous vivrez fabuleusement.

Chapitre 45

UNE JOURNÉE PAR SEMAINE : DÉBRANCHEZ ET RÉTABLISSEZ LE CONTACT

Il est logique, si vous travaillez cinq jours par semaine, de garder une des deux journées restantes pour faire les courses, la lessive et vous mettre à jour. Mais le septième jour est l'occasion de décrocher et de rétablir le contact. Dieu lui-même s'est reposé, à tout le moins métaphoriquement, et nous devons en faire autant. Si vous appartenez à une religion qui a des enseignements précis concernant le sabbat, vous ne vous posez pas trop de questions par rapport à ce que vous devez faire ce jour-là. Tous les autres peuvent remplir cette journée-là comme toute autre journée – avec le travail et les détritus du *faire* –, lorsqu'en fait, chacun pourrait profiter de la journée pour se rafraîchir, se ressaisir, et mettre un peu de ponctuation entre la semaine qui se termine et celle qui s'amorce.

Pour vous accrocher à la vie de vos rêves, vous avez besoin de 24 heures par semaine, pour vous et votre esprit, pour l'exploration et le jeu, pour la famille et les amis, et pour toutes les choses importantes pour lesquelles vous n'avez jamais assez de temps dans la *vraie* vie. C'est le jour qui, si vous décidez de vous l'accorder, vous le rendra avec une meilleure santé, plus de clarté, et plus d'énergie durant le reste de la semaine.

Vous ménager une journée est aussi une manière de remettre votre horloge personnelle à l'heure. Non seulement jouirez-vous d'un dimanche ou d'un samedi (ou de n'importe quelle journée convenant à votre horaire) merveilleusement long, mais vous pourriez vous rendre compte que vous êtes moins bousculée par le temps, durant le reste de la semaine. Rappelez-vous lorsque nous avons parlé de payer une quote-part, et de comment les gens qui le font sont persuadés que donner 10 % de leur argent fait en sorte qu'ils en ont davantage ? La journée que vous vous ménagez pour vos poursuites personnelles ou spirituelles fonctionne de la même façon : les gens qui le font estiment qu'ils ont plus de temps à leur disposition.

Ce jour-là, il est utile de vous débrancher des deux influences les plus puissantes autour de vous : l'ordinateur et le téléviseur. Ce n'est pas que ces appareils soient mauvais. Je crois plutôt qu'ils sont remarquables, voire spirituels, dans leur capacité à rejoindre les gens et à vous aider à comprendre vos semblables. D'un point de vue négatif, toutefois, ils focalisent votre attention vers l'extérieur, loin de votre direction intérieure. Pourquoi ne pas en profiter toute la semaine… mais les débrancher pendant toute une journée ? C'est le jour où vous n'avez pas à répondre à vos courriels ou à écouter les bruits de fond. C'est votre jour spécial, lorsque vos soupçons intérieurs et les désirs de votre cœur sont les sites à visiter et les spectacles à voir. Durant votre journée débranchée, vous avez la chance de vous concentrer sur votre propre vie.

L'auteure de Chicago, Amy Gonigam, qui a fait l'expérience de longues périodes débranchées, dit : « Deux fois, j'ai bousillé mon navigateur Internet chez moi. Chaque fois, il a fallu que je le réinstalle, parce que je me suis rendue compte que je ne peux vivre sans cela, mais chaque fois que je l'ai mis au rancart, j'ai vécu une grande sérénité. J'avais d'énormes périodes de temps pour lire et méditer. C'est possible de rester assise, de prétendre vérifier ses courriels et de passer des heures à des trucs sans importance. » La télé peut faire le même effet. C'est un médium extraordinaire lorsque vous regardez quelque chose de touchant et d'important, d'informatif ou de drôle, mais le réflexe de zapper vous enlève votre pouvoir. Lorsque vous débranchez pendant une journée, ce pouvoir vous est rendu, en même temps que des énormes blocs de temps.

En plus de prendre une pause de la technologie, vous pouvez utiliser votre sabbat personnel pour les trois R : repos, récréation, et reconnexion. Reposez-vous en mettant de côté, rien qu'une journée, votre travail régulier, à la fois celui que vous rapportez du bureau et ce qu'on avait l'habitude d'appeler le travail de la ménagère et qui n'était jamais terminé. (Maintenant, les hommes et les femmes sont censés s'en acquitter ensemble, ce qui est mieux, mais cela demeure un travail jamais terminé.) Prendre une journée de repos n'est pas une proclamation de fanatique. À l'évidence, vous devez voir aux soins de base. Si votre patron téléphone, vous voudrez sans doute répondre. Vous pouvez aussi faire le lit et même des crêpes, à moins d'avoir l'impression que cela va à l'encontre de l'idée que vous vous faites d'un moment de repos. Ce pourrait être la journée où vous donnez à vos articulations et à vos muscles un peu de répit, bien que vous puissiez décider d'aller au gymnase avec votre homme, ou de bavarder avec vos meilleures copines, rien que pour le plaisir. La récréation, quoi que soit cette chose qui vous *recrée*, est également tout à fait permise.

Il y a un fort précédent pour équilibrer la semaine de travail avec une journée à jouer sérieusement. Lorsque j'étais une petite fille dans une partie très conservatrice du pays, presque tous les magasins et entreprises étaient fermés le dimanche, et vous ne pouviez acheter un cognac même si c'était pour sauver quelqu'un de l'hypothermie. C'était cependant le plus important jour de la semaine pour les sorties de loisirs : cinémas, théâtres, musées, parcs d'attractions, événements sportifs. Ils sont toujours ouverts. Allez-y.

Finalement, utilisez cette journée pour toucher aux choses que vous expédiez durant la semaine. Vos espoirs et vos rêves, par exemple. La nature. Votre *moi* intérieur. Votre peinture ou votre roman. C'est le jour idéal pour voir vos amis qui ont déménagé en banlieue, ou pour reprendre le fil de la conversation avec votre cousine qui a déménagé à Seattle. C'est le jour où vous pouvez vous joindre à Walt Whitman et dire : « Je me la coule douce, et j'invite mon âme. » et voir cette luxueuse fainéantise comme un grand passe-temps.

Avec une si grande somme de notre temps déjà consacré au travail et à d'autres engagements, il est étonnamment merveilleux d'avoir une journée que nous pouvons organiser à notre gré. Durant mon jour où je décroche et me reconnecte, le dimanche, William et moi nous rendons habituellement à l'église à pied, en traversant Central Park, et nous mangeons dehors, après. Le reste de la journée est unique dans la vastitude de ses choix. Mes seules règles sont de rester (1) débranchée et (2) honnête envers moi-même. (Je suppose que faire de cette journée une journée fantastique est également un genre de règle, mais cela n'en a pas l'air.)

Si vous y réfléchissez, un jour est comme une carte cadeau provenant de *Victoria's Secret*. Vous pouvez vous payer un corsage en dentelle noire qui n'est pas vraiment confortable, mais qui rend votre amoureux très heureux. C'est parfait : cela a rendu quelqu'un heureux. Mais de temps en temps, vous devez changer cette carte pour le pyjama douillet ou le cachemire qui serait si doux sur votre peau. Un jour sur sept, cette carte est pour vous.

Posez un geste

Choisissez une journée de semaine qui convienne à votre horaire et à vos sentiments et faites-en celle que vous vous réservez pour vous débrancher et rétablir le contact. C'est votre jour de repos, pour vous amuser et vous immerger dans les gens et les projets qui vous sont de la plus haute importance. Commencez cette semaine. Répétez l'exercice à tous les sept jours.

Chapitre 46

VIVEZ VOTRE RÊVE MAINTENANT ; VIVEZ VOTRE VIE MAINTENANT

Lorsque vous vivez comme si votre rêve était déjà réalité, vous pouvez le tester, voir s'il est tout ce qu'il doit être. C'est ainsi, de même, que vous encouragez vos parties disparates à s'aligner sur votre rêve, et comment vous convainquez calmement votre entourage de votre sérieux à ce sujet.

Les gens ont tendance à contester cette suggestion. Ils disent : « Mais, quand mon rêve se réalisera, je serai riche [célèbre, en dehors de cette ville, mariée, blonde, n'importe quoi]. Je ne peux vivre ainsi maintenant. » Bien sûr que vous le pouvez. Que feriez-vous si vous étiez riche ? Vous auriez de beaux objets ? Moins de soucis d'argent ? Vous feriez la grande vie ? Vous pouvez le faire dès maintenant en donnant tous les biens non nécessaires, ceux qui ne vous plaisent pas, et en prenant bien soin de ce qui reste. Vous pouvez être responsable de votre argent et remplacer votre inquiétude inutile par un geste utile. Et vous pouvez écrire des mots de remerciement, écouter des arias, et inviter des amis à prendre le thé avant d'avoir votre nom sur la liste *Forbes*.

Utilisez ce processus pour n'importe lequel des rêves que vous caressez. Quels éléments de votre rêve pouvez-vous commencer à vivre, dès aujourd'hui ? Cela vous aidera à attirer votre rêve et vous aurez de meilleures chances de le vivre réellement. Les gagnants de la loterie, dont vous entendez dire qu'ils ont tout flambé en un an, n'ont pas eu la chance de vivre richement avant que la manne ne leur tombe dessus. Ils ne savaient pas comment soutenir leur nouvelle fortune : elle s'est évaporée ! Les histoires regrettables d'enfants stars, d'exploits uniques et de réussites instantanées, partagent souvent ce même thème : ils sont arrivés à destination… sans avoir fait le voyage.

La pratique ne vous rend peut-être pas parfaite, mais rend les choses beaucoup plus possibles qu'elles ne l'auraient été sans elle. Exercez-vous à vivre votre rêve en imaginant que vous êtes déjà où vous voulez être. Dans cet état, à quoi ressemblerait votre journée ? De quoi auriez-vous l'air ? Quel pourcentage de cela pouvez-vous mettre en pratique, maintenant aussi bien que plus tard ? Faites-le. Ce devrait être amusant. Si vous voulez la vie qui vient avec votre rêve, commencez à profiter de certain de ces avantages, en avant-première. Peut-être la personne que vous aimeriez être lit-elle *Le Monde* ou le *Wall Street Journal*. Pourquoi attendre ? Vous pouvez vous en procurer un à tout kiosque à journaux. Votre *moi* futur pourrait avoir beaucoup de temps et d'argent afin d'être affable et généreuse. Soyez affable de votre temps et généreuse avec les ressources dont vous disposez. Si la mère ou la grand-mère que vous espérez devenir passe des heures chaque semaine à jouer avec les enfants et à aider à donner forme à leur vie, devenez une Grande sœur ou une tutrice bénévole. Vous façonnerez des vies déjà existantes.

Et pour l'amour, habillez-vous pour bien incarner ce rôle. Si votre rêve est dans les affaires, votre costume devrait l'être également : sur mesure, discret, flatteur. Si votre rêve est artistique, vous devrez vous habiller en artiste : un rien peut faire l'affaire, mais avec du style ! Si vous voulez vous retrouver chez les gens riches et puissants, vous devrez porter des vêtements qui affichent la qualité, même si la qualité était suspendue sur un cintre dans une boutique de consignation, avant de se retrouver dans votre penderie.

Si la mode vous intimide, c'est probablement à cause d'un manque d'habitude en public. Tout comme vous pouvez vous enrôler dans un programme d'immersion pour apprendre une langue étrangère, vous pouvez vous immerger dans de merveilleux vêtements, en les combinant entre eux. Regardez les émissions de transformation à la télé et feuilletez des livres sur la mode, à la bibliothèque ou en librairie. Ces outils vous fournissent l'abc de la mode. Ils vous aident à trouver votre type et à identifier ce qui vous plaît. Ensuite, commencez à regarder dans les vitrines des meilleures boutiques et dans les pages des magazines. Certaines de ces images seront saugrenues, voire impossibles à porter. Mais vous y trouverez des éléments séparés qui sont sensationnels – peut-être des boutons sculptés, ou la curieuse juxtaposition du velours et du tweed.

Lorsque vous vous regardez dans le miroir et que vous vous êtes habillée pour le rôle, vous voyez une image de la personne que vous souhaitez être. C'est alors plus facile de croire que c'est la personne que vous êtes. Lorsque les autres vous voient dans ce rôle, leurs pensées et opinions sur la personne que vous êtes se nourrissent également de la conscience collective, faisant avancer votre cause dans le processus.

Lorsque vous vous servez de votre imagination pour donner substance à votre rêve, lorsque vous portez les vêtements du rôle et vivez ces morceaux du rêve qui vous sont accessibles, prenez note de vos progrès. Faites une vérification une fois par semaine, toujours le même jour, pour voir ce que vous avez réalisé afin de donner à votre rêve profondeur, et souffle et solidité. Vous voudrez peut-être même garder un carnet de votre rêve où vous inscrirez les gestes que vous avez posés et, lorsque cela sera approprié, les résultats que vous en avez tirés. Quand vous aurez pris le rythme de vivre comme si vos rêves étaient déjà réalisés, ils prendront forme plus rapidement. Vous devrez alors rester à jour avec vos rêves.

Autrement dit, lorsque vous aurez assez d'argent pour, disons, des produits biologiques plutôt que ceux qui ont été vaporisés, ne restez pas bloquée sur le mode pauvreté, à regretter le coût de chaque carotte. Grandissez avec votre prospérité, ou avec ce que vous avez accompli, avec une grâce sans défaut.

Le changement est malaisé, même un bon changement, mais entre aujourd'hui et la vie de vos rêves, vous devrez vous accommoder d'une myriade de changements, tout comme un papillon en devenir s'accommode de ses états successifs, avant d'abandonner son cocon. Vous le ferez avec un flair parfait en vous rappelant la partie inchangée de vous qui était là lorsque vous êtes venue ici, et qui repartira avec vous à l'heure de votre départ. Cet esprit qui est en vous est le stabilisateur qui garde votre *moi* intact, même lorsque la taille de votre robe, votre intitulé de poste, votre statut marital et votre tranche du barème fiscal passent de là où ils sont, à là où vous voulez qu'ils soient. (Ce point d'ancrage spirituel est aussi là pour vous soutenir, advenant que le processus exige que les choses n'échouent avant de se concrétiser.)

Et à travers tout cela, vous avez une double mission : vivre votre rêve dès maintenant, et vivre votre vie dès maintenant. Nous ignorons tout du miracle qui a dû s'opérer pour nous donner cette chance de frimer sur une planète des plus obligeantes. Dans la proximité brumeuse de cette profondeur quasi infinie, il y a une tortue de mer aveugle qui remonte à la surface, une fois à tous les 100 ans seulement. L'histoire nous demande alors d'imaginer un petit anneau de bois – peut-être un arceau brodé – enfoncé loin, très loin dans cette mer titanesque. La probabilité, dit l'histoire, que cette tortue marine aveugle remonte à la surface et traverse cet arceau brodé est égale à la probabilité que vous avez de vivre une vie sur Terre. C'est une chose rare et précieuse. Vous ne voulez pas en manquer une minute – même lorsque les circonstances suggèrent que vivre votre rêve exigerait une légère psychose.

Concevez cette journée de nouveau et faites-vous-en une joie. Peu importe en quoi consiste votre travail, trouvez quelque chose de bien et de positif à en dire. Je connais une jeune actrice qui a occupé, pendant un moment, un emploi exigeant et sous-payé. Lorsqu'on lui en parlait, elle présentait la chose avec humour, comme un défi, en disant : « Je travaille pour un vieux fou dans le bureau le plus sale que vous ayez jamais vu. » Une autre comédienne qui était employée dans un bureau d'avocats disait aux gens : « Je joue la gardienne d'enfants auprès des avocats. » Dans une large mesure, votre travail est ce que vous croyez qu'il est. Même chose pour toutes les autres situations de votre vie. Un passage du Talmud exprime cela ainsi : « Nous ne voyons pas les choses telles qu'elles sont : nous voyons les choses tels que nous sommes. »

Lorsque votre attitude est élevée et votre point de vue optimiste, vous avez l'énergie requise pour plonger dans votre journée. Chaque fois que vous êtes entièrement prise dans une activité, cela peut devenir tout à fait prenant. À cette fin, faites ce qu'il faut pour rendre meilleures que la moyenne autant de minutes de chaque jour qu'il vous est possible. Faites un remue-méninges avec votre partenaire en action en ce qui a trait à la manière d'y arriver. Vos matins d'hiver seraient-ils plus agréables si vous dormiez dans des draps de flanelle douce ? Est-ce que le trajet pour vous rendre au bureau serait moins astreignant si vous faisiez réparer la sono de votre auto ou si vous faisiez du covoiturage avec quelqu'un que vous aimez beaucoup ? Vous serait-il plus facile de vous acquitter de vos tâches si vous arriviez au bureau plus tôt, changiez de service, ou personnalisiez votre petit coin ? La maison serait-elle plus accueillante si vous adoptiez une paire de chats, achetiez des fleurs une fois la semaine, ou optiez pour une femme de ménage ? Le week-end serait-il plus merveilleux si vous faisiez des plans et achetiez des billets de sorte que lorsqu'il finira par appeler, vous puissiez répondre : « Je ne peux pas ce dimanche. Que dirais-tu de la semaine prochaine ? »

Vivre votre rêve et votre vie dès maintenant n'est pas un objectif improbable, comme d'être découverte à un arrêt d'autobus ou de gagner à l'émission *America's Next Top Model*. C'est simplement prendre la vie qui est la vôtre, la dépoussiérer et y appliquer une couche de peinture fraîche, de manière à aimer la vivre. Ainsi, à la fin de votre vie, lorsque parfaitement consciente qu'elle ne vous sera pas rendue, vous vous ressouviendrez de chacune de vos journées, vous saurez que chacune valait les 1 440 minutes que vous y avez investies.

Posez un geste

Vivez votre rêve dès maintenant et vivez votre vie dès maintenant, en faisant une des choses suivantes (ou davantage) :

1. Agissez, même par de tous petits gestes, comme si votre rêve était déjà réalité.
2. Exercez-vous à vivre votre rêve en imaginant ce que votre journée, votre vie et vous-même serez lorsque ce sera signé, scellé, et que votre rêve vous aura été livré.
3. Habillez-vous pour le rôle.
4. Vérifiez hebdomadairement ce que vous avez fait pour concrétiser votre rêve. Gardez un carnet de rêves des gestes que vous avez posés et de tout ce qui en a résulté.
5. Faites un remue-méninges avec votre partenaire en action ou une amie en qui vous avez confiance sur les façons de rehausser divers aspects de votre vie actuelle.

Chapitre 47

IL FAUT PRENDRE PARTI POUR QUELQUE CHOSE

Le mot *valeur* est devenu un terme à la mode, banalisé par les politiciens qui parlent de *nos valeurs* sans nous demander ce qu'elles sont, et qui présument que nous avons tous les mêmes valeurs. Malgré certaines valeurs sur lesquelles s'entendent la majorité de ceux qui forment une société ou une collectivité, les valeurs ne sont pas foncièrement collectives. Elles sont personnelles. Et le fait de connaître les vôtres va vous aider à éviter les affres de la solitude, de l'obésité et de la pauvreté.

« Mes valeurs forment le mot *ditch.* » m'a annoncé mon mari un soir.

« Tes valeurs forment le mot *ditch*. OK. »

« Oui : discrétion, intégrité, tolérance, courtoisie, humilité. » C'était touchant. Quelques jours plus tôt, j'avais participé à un atelier où nous devions définir nos valeurs, et lui et moi en avions longuement discuté. Il avait reconnu ses valeurs presque immédiatement, et il venait de s'apercevoir qu'il pouvait en faire un acronyme pour s'en souvenir facilement. Ses valeurs me semblaient tellement *british,* tellement *bec pincé,* Harrow et Oxford, et pourtant, William a grandi à Liberty, dans le Missouri. Nonobstant cette réalité géographique, ce sont vraiment ses valeurs. Je vois, à la manière dont il vit sa vie, que *ditch* est l'étoile polaire qui guide ses actions dans le monde. L'entendre les réciter m'a fait retomber amoureuse de lui comme au premier jour.

Curieusement, mes valeurs – qui ne forment aucun mot reconnaissable – sont différentes. Il y a la foi. L'individualité. La résilience – se remettre de presque n'importe quoi, afin de continuer à avancer. Je ne vis pas selon ces valeurs la moitié de ce que je pourrais souhaiter, mais ce sont elles qui m'indiquent la voie à suivre. Et même si ma liste ne correspond pas à celle de William, nos valeurs sont compatibles, et nous aussi.

Comme le dit le vieil adage, vous devez prendre parti pour quelque chose, sinon vous tomberez dans n'importe quel piège : seule, ronde et fauchée, par exemple. Vos valeurs sont ce pour quoi vous prenez parti. Certaines d'entre elles vous viennent de vos parents. D'autres sont sans doute à l'opposé de celles de vos parents. Lorsque vous restez proche de vos valeurs, tout en laissant les autres libres d'avoir des valeurs différentes, vous vous renforcez de l'intérieur et découvrez les dons que vous ne croyiez pas posséder.

Ce que les valeurs ont à faire avec le fait de tourner pour de bon le dos à la solitude, à l'obésité et à la pauvreté, est simple : avoir des valeurs, les mettre en pratique, et prendre parti pour ces valeurs, c'est le chemin le plus sûr pour assumer votre pouvoir. Un des messages négatifs récurrents qui tournaient dans ma tête était : « Pour qui te prends-tu ? » Il ne manquait pas de s'insinuer dans ma tête à chaque fois que quelque chose d'incroyable m'arrivait, ou était sur le point de m'arriver, ou pourrait m'arriver. Mon amie Elizabeth m'a conseillé de changer la question pour : « Qui es-tu sûre d'être ? » Quand j'ai pu me la poser, je savais que j'étais une femme qui préconisait la compassion, la communication, la foi, l'individualité et la résilience ; en outre, je n'étais plus seulement une fille de Kansas City, faisant tout son possible pour se frayer un chemin. J'étais une femme de substance, avec du travail à faire et une raison d'être ici.

Voici comment je vois cela : personnellement, vous êtes une personne qui essaie de tirer son épingle du jeu comme tout le monde. Avec vos valeurs, vous tirez votre force de vos convictions et du legs de tous ceux qui, avant vous, ont eux aussi brandi la bannière de la non violence, de l'égalité ou des droits de ceux qui n'en ont pas suffisamment. Avoir des valeurs n'affecte pas votre valeur personnelle, car votre valeur est inhérente à votre être. Votre perception de cette valeur, cependant, peut changer considérablement. De plus, avoir des valeurs permet de cesser de ne penser qu'à son petit moi et d'adopter un point de vue plus large.

Là où cela peut devenir compliqué, c'est lorsque nous croyons que nos valeurs sont les seules qui soient valables et que ceux qui ont d'autres valeurs ont forcément tort. L'équilibre peut être précaire lorsqu'il faut rester fidèle à nos convictions, quoiqu'il en coûte, tout en accordant les mêmes droits aux valeurs des autres.

Il n'y a pas à dire, ce concept est fort complexe. Il est difficile de passer du donnant-donnant, qui est la position initiale de l'ego, à l'adoption de valeurs qui exigent qu'on change de cap pour accéder à quelque chose de plus élevé. Partir de là, et accepter que les autres vivent autrement, adopter différents préceptes moraux, voire adorer un Dieu (apparemment) différent, c'est énorme. Il faut s'astreindre à une profonde réflexion, avoir la capacité de croire de tout son cœur en quelque chose, tout en laissant la porte ouverte à la discussion, à la tolérance et à la possibilité que dans la vastitude de l'Univers, les deux puissent avoir raison. Peut-être même que la question n'a jamais été d'avoir raison.

Il est tout naturel de vouloir obtenir des réponses définitives, mais il arrive parfois qu'il n'y en ait pas. Lorsque c'est le cas, la route la plus sûre à prendre pour aimer au meilleur de vos capacités, vivre aussi pleinement que possible et retourner votre perruque blanche vers l'intérieur, parce que juger tous les autres ne peut rien changer pour le mieux. Il se peut que tout le monde ne soit pas obligé de vivre et de laisser vivre ainsi. Quelqu'un de votre entourage peut être capable d'être rigide et imbu de lui-même, un parfait imbécile, et s'en tirer très bien. Mais si vous voulez vous sortir de l'obésité, de la pauvreté et de la solitude, vous devez suivre un chemin différent. Ce chemin exige d'avoir des valeurs qui vous donnent un objectif, de les vivre au mieux de vos capacités, et de donner aux autres la liberté d'en faire autant.

Posez un geste

Choisissez une de vos valeurs et concentrez-vous pour la vivre aujourd'hui, de tout votre cœur. Ce soir, analysez comment s'est passée votre journée. Vous sentez-vous un peu plus forte que d'habitude ? Avez-vous réussi à vivre votre valeur, sans refuser à vos semblables le droit de vivre les leurs ?

Chapitre 48

CONTINUEZ D'ASSAISONNER LA SOUPE

La soupe est le mets le plus polyvalent qui soit. Elle peut être servie en entrée, en purée ou avec de gros morceaux, chaude ou froide. Vous pouvez l'éclaircir ou l'épaissir, nourrir une foule en y ajoutant des carottes, des pommes de terre et des petits pois ; vous pouvez même transformer la soupe du lundi en ragoût du mardi. Cette polyvalence fait que la soupe nous ressemble beaucoup – nous sommes bien décidées à nous accrocher à la vie de nos rêves et à vivre, sinon *heureuses* jusqu'à la fin de nos jours, *pleinement* jusqu'à la fin de nos jours, et heureuses la plupart du temps.

« Continuer d'ajouter à la soupe » est une humble métaphore de cuisine pour enrichir votre vie avec de la couleur et de la texture, de la substance et des épices. Cela ne vous donne pas seulement la permission d'explorer de nouvelles idées et différentes manières de voir les choses ; cela dit que si vous ne le faites pas, votre vie sera crème de tomates, crème de tomates et crème de tomates… jusqu'à la fin de vos jours, et de surcroît, en conserve.

Pour vous délivrer de cette terre inculte, voici des ingrédients que vous voudrez sans doute ajouter dans la casserole :

- *Continuez toujours d'apprendre.* Continuez d'apprendre même lorsque vous avez quitté les bancs d'école, que vous lisez avec des lunettes double-foyers et que vous obtenez l'escompte pour aînés au YMCA. Un thème qui revient souvent dans les rapports des gens qui ont vécu une expérience de mort imminente, c'est qu'on leur a posé deux questions : « Avez-vous appris à aimer ? » et « Qu'avez-vous appris d'autre ? » Alors, pour la joie de votre vie (et, bon sang, peut-être pour la vie après la vie), apprenez des choses ! Apprenez à connaître les choses et à les faire. Qu'est-ce qui vous intéresse ? Qu'avez-vous refusé d'étudier à l'école, parce que c'était trop difficile ou trop facile, ou simplement parce que cela ne vous intéressait pas ? Prenez ces cours maintenant. Lisez ce livre. Louez ce documentaire.

- *Ajoutez-y quelques voyages.* Il est plus rapide et moins coûteux d'aller ailleurs que les générations précédentes n'auraient pu l'imaginer, et malgré les contrôles de sécurité et la prudence qui impose d'éviter pour l'instant certains coins du monde, les voyages nous forment et nous transforment. Tant que vous n'avez pas mis le pied sur l'autre face du globe, vous ne savez pas qu'elle existe. Dès que vous l'avez fait, vous devenez citoyenne planétaire, et rien de ce qui se passe, où que ce soit dans le monde, ne sera plus jamais complètement étranger à votre vie.

- *Apprenez à connaître les gens.* Parlez aux étrangers. Demandez aux enfants ce qu'ils pensent des choses et demandez aux vieux de vous raconter leur vie. Découvrez comment c'était de grandir à Newcastle ou à New Delhi, ce qu'un Mormon ou un Mennonite croit, comment un Islandais ou un habitant de l'Iowa voit le monde.

- *Mélangez tout.* Vous avez le droit d'essayer différents emplois, différents lieux et différentes manières d'être dans le monde. L'année sabbatique si prisée dans les cercles universitaires, est une tradition qui a besoin d'être étendue loin et à grande échelle. Si vous ne disposez pas d'une année pour explorer quelque chose qui vous fascine depuis toujours, prenez une semaine, une heure, ou le temps dont vous disposez.

- *Conservez de belles images.* Prenez des photographies, avec votre appareil photo ou avec votre cerveau, de tout ce que vous voyez et que vous trouvez particulièrement beau. Ce peut être un panorama de la forêt ou une feuille cramoisie, le visage de votre amoureux ou de votre enfant maculé de confiture et tout souriant. Recherchez ces images. Sortez des sentiers battus pour les dénicher, et quand vous le ferez, consacrez-leur un peu de votre temps. Croquez les petites choses – le bol de fruits sur votre table, le plancher de votre placard, votre bureau avant de partir le soir – aussi belles qu'elles peuvent être dans le monde réel de la vraie vie, où les fruits sont mangés, où les chaussures s'entassent et où les papiers prolifèrent.

- *Recueillez des paroles de sagesse et d'émerveillement.* C'est la soupe à l'alphabet avec un but. Les ingrédients sont les mots, les phrases, les citations, les strophes d'un poème, des répliques de Shakespeare. Écrivez-les. Mémorisez les meilleures citations. Ces mots et les idées qu'ils véhiculent seront vos compagnons et vos professeurs. Parfois, quand vous êtes en proie à un dilemme, Lao-Tseu, Rika Saraï ou Shirley MacLaine auront la réponse. Lorsque vous pouvez la sortir du coffre de votre mémoire, de votre journal ou grâce à votre acharnement, vous avez la réponse aussi.

- *Remplissez vos sens.* Votre corps a besoin de choses douces et bonnes, autant que votre tête et votre âme. Il veut marcher sous la pluie et sauter dans les flaques (les bottes de caoutchouc sont une merveilleuse invention). Il veut glisser dans la boue, humer la senteur d'octobre et goûter à la neige. Il a envie en ce moment d'un long bain ou d'un bon massage, d'un manteau plus chaud ou de lunettes de soleil plus sombres. Écoutez-le et procurez-lui mille et un délices.

- *Remplacez les morceaux manquants.* Il est important de savoir qui vous êtes et d'être celle que vous êtes, de vous ménager du temps pour les choses qui vous allument, et avec les gens qui vous font vous sentir bienvenue et appréciée. Mais encore, vous êtes un être aux multiples facettes, et vous n'avez pas encore découvert certaines de ces facettes. Ainsi, si vous êtes une citadine, partez en camping. Si vous n'avez pas connu vos grands-parents, faites du bénévolat dans un foyer de personnes âgées. Si vous vivez dans votre tête, faites quelque chose de manuel. Chacune de vos incursions sur un territoire inconnu n'aura pas nécessairement une valeur durable, mais chaque pas dans cette direction est une expérience à retenir, et pourrait tout aussi bien vous rapprocher de votre rêve.

- *Ne ratez pas le bateau.* Ou, comme le dit si bien Emerson : « Ne soyez pas trop timide et gêné par vos gestes. Toute la vie est une expérience. » Alors, faites-en l'expérience ! Bien sûr, faites ce que devez, et ce que vous avez à faire pourrait parfois exiger de vous sacrifier et de mettre vos désirs de côté pour l'instant, pour le bien de tous. Mais, dans la grande majorité des cas, si vous voulez vraiment faire quelque chose, trouvez une façon de le réaliser. Autrement, votre vie sera beige et grise, avec peut-être une petite pointe de kaki. Ce pourrait être un pas pour vous sortir de la solitude, de l'obésité et de la pauvreté, mais pas un grand pas. Si vous êtes prête à y mettre les efforts, à reprogrammer vos engagements ou à réarranger le budget afin de pouvoir avoir ceci, faire cela ou aller là – vous méritez la joie et la mémoire.

Ce qui compte lorsque vous ajoutez à la soupe, c'est de toujours faire en sorte d'enrichir votre vie. Plus vous aurez d'expériences à votre tableau, plus votre vie sera intéressante, jusqu'au jour où vous découvrirez que c'est la vie que vous avez toujours voulue, d'aussi loin que vous pouvez vous souvenir.

Posez un geste

Ajouter à la soupe aujourd'hui quelques passe-temps piquants, des talents savoureux ou des expériences exotiques de votre choix.

Chapitre 49

QUAND VOUS NE VOULEZ PAS FAIRE CES TRUCS, VOUS EN AVEZ BESOIN PLUS QUE JAMAIS !

Lorsque vous sentez que vous êtes au sommet du monde – confiante, compétente, attrayante et dynamique – il n'y a rien que vous ne puissiez faire. À d'autres moments, il peut vous sembler impossible de faire le moindre effort, ne serait-ce que de prendre soin de vous. Cela peut arriver lorsque vous êtes hors de votre élément, peut-être dans un emploi ou dans un lieu qui vous donne l'impression qu'un morceau de vous a été laissé derrière, et devrait arriver un de ces jours par la poste. Cela pourrait être aussi que la partie de vous qui ne croit pas que vous méritez ce qu'il y a de meilleur, a convaincu toutes les autres parties de mettre cette hypothèse à l'épreuve. Ou peut-être traversez-vous simplement une mauvaise passe. La léthargie, le manque d'intérêt, et le fait d'avoir le cafard pendant plus d'une journée ou deux, installent une énorme pancarte indiquant un détour, qui dit à la vie de vos rêves de prendre plutôt l'autre direction.

S'il vous arrive de penser que vous traversez une dépression clinique ou des hauts et des bas, qui sont plus hauts et plus bas que ceux des personnes qui vous entourent, il vous faut une aide plus pointue que celle que vous trouverez dans un livre. Cependant, si vous traversez divers petits moments de cafard, vous pouvez les déjouer en vous traitant si bien qu'ils n'auront d'autre choix que de prendre leurs jambes à leur cou... pour aller sévir ailleurs! Même chose pour toutes les fois où vous préféreriez passer devant le conseil de guerre plutôt que de faire votre lit (ou même en sortir). *Quand vous ne voulez pas faire ces trucs, vous en avez besoin plus que jamais!* Cela comprend tout ce que vous avez lu jusqu'ici : la méditation, l'activité physique, les bons aliments en quantité raisonnable, gagner assez d'argent pour éviter le stress et utiliser intelligemment l'argent que vous avez, jouir de moments de solitude, faire de nouvelles rencontres, rester en contact avec les personnes qui sont déjà présentes dans votre vie, et rester focalisée sur votre rêve.

Les jours où vous regardez cette liste et avez l'impression qu'elle vous dit : « Escalade le Kilimandjaro, trouve une cure pour le cancer, et découvre une autre planète. », pensez aux minimums que vous vous engagez à faire, les bons comme les mauvais jours, quoi qu'il arrive. Pour reconnaître vos minimums, examinez les questions de solitude, de poids et de pauvreté. Déterminez lequel des trois a été votre plus gros problème et lequel est le plus susceptible de vous prendre par surprise et de vous causer du tort. En vous basant là-dessus, vos minimums – les pas que vous faites chaque jour, Dieu vous vienne en aide – pourraient être de faire un peu d'activité physique, de veiller à manger de la salade, et de vérifier le tout avec votre partenaire en action. Les minimums de quelqu'une d'autre pourraient être de se laver les cheveux et de se maquiller, de noter toutes ses dépenses, et de poser les gestes qu'il faut à la recherche d'un meilleur emploi. C'est vous qui déterminez vos minimums, parce que vous connaissez votre vie.

Cela ne signifie pas que vous êtes censée vous cacher derrière vos minimums à tout jamais (« Je n'ai jamais besoin de faire de l'exercice ; j'ai seulement des problèmes d'argent. »). Mais les jours où ne rien faire du tout vous apparaît comme une entreprise monumentale, vos minimums sont les rares choses que vous faites absolument, peu importe à quel point tout le reste peut vous sembler écrasant. Voici quelques idées qui devraient vous aider :

- *Achetez un gentil réveille-matin.* La clé est de démarrer. Que vous soyez un boute-en-train du matin ou que les heures avant midi offensent votre sensibilité, faites-vous cadeau d'un réveille-matin qui ne vous fait pas sursauter au premier son. Il y a des horloges qui vous réveillent avec un doux carillon de monastère zen, ou qui éclairent lentement la pièce, ou qui vous permettent de vous réveiller au son de votre musique favorite ou même d'un message préenregistré que vous avez conçu exprès pour vous.

- *Choisissez votre humeur de la journée tandis que vous êtes encore au lit.* Si vous attendez, pour découvrir qu'il pleut, que vos cheveux sont crêpelés, ou qu'un bouton de la grosseur du Delaware a poussé sur votre nez durant la nuit, ces circonstances hors de votre contrôle pourraient influencer votre attitude. Ne leur en donnez pas l'occasion. Dites-vous, avant même que vos pieds ne touchent le plancher, que vous avez une chance inouïe d'avoir cette journée, peu importe comment elle s'amorce.

- *Trouvez les petits détails qui vous permettent d'avancer.* Certains jours, vous faites tout ce que l'on exige de vous, rien que parce qu'on l'exige de vous. D'autres jours, vous avez besoin d'aide. Par exemple, disons que vous devez vous rendre au travail de très bonne heure. Si vous prenez votre café à la maison, il se peut que vous n'ayez aucune envie de partir. Si vous prévoyez plutôt acheter un café en route, vous venez de vous donner une tasse de motivation.

- *Cette fois-ci, ne soyez pas créative.* Lorsque, au mieux, vous êtes d'humeur piteuse, ne recherchez pas d'autres façons intéressantes de vous conduire. Croyez-moi, elles ne seront pas intéressantes. Ces jours-là, accomplissez les tâches que vous vous êtes fixées et réalisez vos minimums, ou un petit peu plus. Levez-vous. Lavez votre visage. Mettez du déodorant. Faites 10 minutes de yoga. Faites manger les poissons. Mangez. Habillez-vous. Faites jouer un CD joyeux dans la voiture. Rendez-vous au bureau et dites : « Bonjour ! » (arrivée là, vous devriez presque croire que c'est une bonne journée).

- *Sortez, tout simplement.* Durant les jours de morosité, vous avez parfois seulement besoin de retrouver votre dynamisme. Vous y arriverez en sortant. Allez prendre le petit déjeuner dehors, allez au gym, allez faire les courses ; l'important n'est pas tellement ce que vous faites, mais de sortir votre corps dans le monde ! Le fait de vous mettre dans le flot de la vie peut vous convaincre qu'effectivement, vous voulez y être.

- *Diviser les tâches en pièces raisonnables.* Sinon, vous pourriez vous sentir dépassée par l'ampleur de la tâche. Essayez de voir séparément toutes les obligations, dans les divers domaines de votre vie. Il peut être approprié, pour une journée trépidante où vous débordez d'énergie, d'inscrire tout ce qu'il y a à faire au bureau, vos tâches ménagères, vos devoirs de mère et d'épouse, vos tâches organisationnelles et bénévoles sur une liste de choses à faire, mais lorsque vous n'êtes pas la parfaite réplique de Mme Blancheville, cela pourrait vous miner le moral.

- *Utilisez judicieusement l'inspiration et la distraction.* L'inspiration – qu'elle vous vienne en lisant quelque chose de stimulant, en regardant une émission où il est question de quelqu'un qui a vaincu l'adversité, ou en feuilletant la dernière brochure de *Pottery Barn* pour vous rappeler combien la vie peut être belle – fait des merveilles lorsque vous avez le cafard, même si ce genre de choses vous lève le cœur en temps normal. De plus, les distractions bien choisies ont leur place. Essayez la musique à tue-tête pour vous distraire en faisant le ménage. Écoutez les jérémiades (ou les ravissements) d'une amie, pour vous distraire des vôtres. Écoutez la chaîne *Voyages* pendant une heure, pour vous distraire de la réalité telle que vous la connaissez.

- *Concentrez-vous sur les autres personnes dans votre vie.* Lorsque vous n'avez pas envie de prendre soin de vous-même, il est fort probable que l'idée de vous occuper des autres ne vous excite pas beaucoup non plus, et pourtant, c'est parfois plus facile de se remettre sur les rails en vous efforçant de faire quelque chose pour quelqu'un d'autre.

- *Accordez-vous une journée personnelle de temps à autre.* Et parce qu'elle est personnelle, vous pouvez en faire ce qui vous chante, comme de vous la couler douce, de songer à la stupidité de votre rêve, et décider que si vous êtes capable d'éviter la solitude, l'obésité et la pauvreté d'un poil, c'est tout ce qu'il vous faut. Parfait. Mais rappelez-vous : c'est une journée personnelle, pas une décennie personnelle.

Parce que la vie est cyclique et que nous le sommes aussi, il y aura des moments où votre énergie traînera la patte et où votre résolution ne sera pas inébranlable. Durant ces périodes, contentez-vous de vous tenir au-dessus du seuil de rentabilité. Faites ce que vous devez faire, ne serait-ce que vos minimums, de manière à savoir que vous ne perdez pas pied. Quand vous aurez accompli cela, il est bon de penser que vous aurez mérité la joie de ce qui suivra... Quand la journée de travail est terminée et que la maison est propre et que vous voulez sortir dîner avec des amis ou rester chez vous et regarder HBO, vous pouvez être sûre que ce que vous avez envie de faire de votre soirée est un dessert bien mérité.

Posez un geste

Établissez clairement ce que sont vos minimums. Qu'est-ce qui doit se produire tous les jours pour vous donner l'impression d'avoir atteint votre seuil de rentabilité ? Soyez réaliste, et faites de vos minimums des absolus. Rappelez-vous que c'est ce que vous avez l'intention d'accomplir, durant ces journées où vous n'avez vraiment aucune envie d'accomplir quoi que ce soit.

Chapitre 50

SI VOUS SAVIEZ QUI VOUS ÊTES VRAIMENT, VOUS SERIEZ ÉBLOUIE

Il y a certainement eu de grands millénaires où survivre était déjà un exploit. Vous ne vivez pas dans un de ces millénaires. Sans vouloir être trop dramatique, votre responsabilité est de recueillir la moindre graine de sagesse, de courage et de force qui est en vous, de la planter, de l'arroser et de la récolter. La croissance personnelle – se battre pour ce que le psychologue Abraham Maslow appelait *auto-actualisation* – a toujours exigé cela. Notre époque intéressante l'exige.

Si vous deviez planter une épingle à chaque point sur un globe terrestre où il y a du danger, de la turbulence ou une menace naissante, il aurait l'air d'un porc-épic sphérique. Qu'est-ce que vous croyez qui arriverait à toute cette turbulence et à cette agitation, si chacun de nous savait qui il est vraiment ? Si chaque individu sur la terre faisait cela, nous assisterions à un changement tel que nous n'en avons jamais vu. Le scientifique français

Pierre Teilhard de Chardin a prédit quelque chose de semblable lorsqu'il a écrit : « Le jour viendra où, après avoir conquis l'espace, les vents, les marées, la gravitation, nous ferons pour Dieu la conquête des énergies de l'amour. Et ce jour-là, pour la seconde fois dans l'histoire du monde, nous aurons découvert le feu. »

Mais que se passerait-il, si seulement un petit nombre d'entre nous, les gens qui ont lu ce livre, faisaient cela ? Si ceux et celles d'entre nous qui en ont fini avec la solitude, l'obésité et la pauvreté et la solitude comprenaient enfin leur vraie identité, et s'engageaient à vivre à la hauteur de la lumière supérieure qui les habite, nous pourrions provoquer une révolution tranquille, un mouvement de changement. Voyez-vous, il y a un point, dans le lutte à la solitude, à l'obésité et à la pauvreté, qui va au-delà de la satisfaction d'agir et du plaisir de vivre libre : quand vous êtes enfin libre, vous avez la liberté d'être remarquable.

Vous avez déjà les bons outils. Tout est bien en place. Les Gandhi, mère Teresa et Martin Luther King de ce monde ne sont pas qualitativement différents de nous. Mais ils vont plus profondément en eux. Comme nous, ils ont peur, mais ils continuent d'avancer. Peu importe que tout le monde leur répète d'être pratiques, de grandir et d'accepter les choses telles qu'elles sont, ils ont le courage de ne pas être pratiques et de changer les choses. Vous pouvez vous joindre à eux. C'est, en fait, votre devoir de vous joindre à eux.

Vous en êtes tout à fait capable. Vous voulez peut-être amasser plus de faits ou prendre plus d'expérience (et assurez-vous que vous en avez bel et bien fini avec la solitude, l'obésité et la pauvreté) avant de vous en prendre à l'équivalent contemporain de Jim Crow ou de l'Empire britannique. Quoi qu'il en soit, vous êtes capable aujourd'hui d'exercer sur le monde un impact durable. Peut-être, aujourd'hui, écrirez-vous seulement une lettre ouverte dans un journal ou aiderez-vous une personne aînée à porter ses sacs d'épicerie, mais vos actions entraîneront un effet domino qui annule ce *seulement*.

C'est un choc énorme lorsque vous atteignez l'âge adulte et réalisez que toutes ces grandes personnes que vous aviez crues au-dessus de tout n'en savent pas plus que vous. Même les professeurs et les présidents ne font que ce qu'ils peuvent pour remettre les morceaux en place. Voici votre devoir : replacez les morceaux dans un meilleur ordre. Faites-le en exploitant ce qu'il y a de plus élevé et de meilleur en vous, même lorsque votre intérêt personnel préférerait vous voir accomplir autre chose.

Il est vrai que pour vous sortir de la solitude, de l'obésité et de la pauvreté, vous devez cultiver l'humilité et voir que vous n'êtes pas le centre de l'Univers. Il est tout aussi vrai que pour vivre une vie remarquable, vous devez reconnaître cet immense pouvoir en vous, et que vous pouvez mettre au service du bien. Si vous saviez qui vous êtes réellement, vous seriez éblouie. Non seulement y a-t-il des atomes dans votre corps qui étaient dans les dinosaures, dans Moïse et dans Marilyn Monroe, mais vous êtes directement en ligne avec la grandeur. Vos idées brillantes (« D'où est-ce que ça vient ? ») et vos justes intuitions (« Comment pouvais-je savoir cela ? ») proviennent de la même source de génie que celle d'Einstein et de Beethoven. S'ils avaient balayé leur excellence du revers de la main, nous n'aurions jamais entendu parler d'eux, non plus.

Chaque individu a accès à ce que je considère des idées divines. Je ne suis pas objective en ce qui a trait à votre accès à ces idées, parce que je sais, à titre de celle qui a aussi connu la solitude, l'obésité et la pauvreté, comment faire face à ce genre de noirceur peut vous préparer à laisser entrer un peu de lumière. Ce n'est pas seulement la solitude, la nourriture et l'argent qui peuvent mettre quelqu'un dans cet état : n'importe quel genre de dépendance, une maladie grave ou une lourde perte donnera le même résultat. Quel que soit ce qui vous a menée là, ressortir de l'autre côté vous laisse entrevoir ce qui était en vous pendant tout ce temps : plus de pouvoir et de lumière que ne pourrait vous en fournir une entreprise de bonne dimension. Curieusement, la chose qui vous a sans doute fait le plus honte, qui vous a fait vous sentir la moins apte à faire quoi que ce soit de spectaculaire, devient le portail menant à la vie à laquelle vous étiez depuis toujours destinée.

Tant que vous n'aurez pas réalisé cela – et réalisé autant de fois que nécessaire – il est facile d'avoir l'impression que vous n'êtes personne. Le monde est grand. Vous passez une bonne partie de votre vie à travailler pour vous élever et à faire affaire avec des supérieurs, qui semblent avoir pris des cours sur la manière de vous faire sentir minable. Cela n'a pas d'importance, si vous êtes la personne qui fait le café plutôt que de prendre les décisions : ne laissez personne vous convaincre que vous n'êtes rien. Dans cet état, vous ne pourriez accéder à votre brillance. Mais vous avez besoin de votre brillance. Nous en avons toutes besoin.

Bien sûr, l'adversité pointera sa sale gueule. Il ne suffit pas de lire ce livre pour être à tout jamais immunisée contre l'attrait du mauvais type d'homme ou du bon genre de pâtisserie, mais vous reconnaîtrez ce qui vous arrive et changerez de direction. Et, même si vous ne changez pas toujours de direction sur-le-champ – bon sang, nous sommes humains – vous ne passerez pas des mois à vous flageller pour ne pas être parfaite. Vous vous servirez de vos erreurs pour bâtir votre propre sagesse, de la même manière que votre corps utilise le soleil sur votre peau pour le transformer en vitamine D. Et vous commencerez à apprendre beaucoup plus vite. Vous ne ferez plus le même genre d'erreurs encore et encore. Vous pouvez être imparfaite de toutes sortes de manières intéressantes – mieux vaut avoir des imperfections bien tournées que de vous encroûter.

Sur le chemin de votre rêve, vous rencontrerez des obstacles. Si le processus était facile, ce ne serait pas un rêve, ce ne serait rien de plus que le prochain point sur votre liste de choses à faire, que vous pourriez cocher avant l'heure du lunch. Un rêve ou un but est par nature semé d'embûches. Il faut croire que même si vous avez un bref moment de désespoir face à un échec apparent, vous vous ressaisirez et irez de l'avant.

Tout ce qui vous est arrivé jusqu'ici fait partie de votre aventure. Vous avez maintenant le choix d'orienter le cours du voyage. Vous avez décidé d'en finir une fois pour toutes avec l'obésité, la pauvreté et la solitude. L'aboutissement de cette décision, c'est que vous poserez tous les gestes nécessaires afin de vivre sainement et sereinement, même si vous préféreriez manger un autre petit gâteau ou acheter quelque gadget électronique attrayant avec l'argent du loyer. Pour vivre sainement et sereinement, vous avez un Pouvoir supérieur et votre pouvoir intérieur, qui n'est autre que le Pouvoir supérieur qui s'est immiscé en vous. Avec tout cela jouant en votre faveur, vous pouvez vivre une vie remarquable. Et vous pouvez faire une différence remarquable.

Posez un geste

Assoyez-vous—aujourd'hui ou demain, quand vous aurez un moment de répit—avec l'idée que vous avez en vous le pouvoir de vivre une vie remarquable. Ce n'est pas une raison pour être imprudente—après tout, ce n'est pas vous qui avez mis là ce pouvoir—mais il est indispensable que vous le reconnaissiez. Vous avez tous les droits de vivre libérée de la solitude, de l'obésité et la pauvreté. Vous avez aussi la responsabilité de vivre la meilleure vie possible. J'avais pensé intituler ce chapitre : « Qui suis-je censée être : le mahatma Gandhi ? » La réponse aurait été : eh bien, en quelque sorte ! Vous êtes certes censée être vous-même, mais aussi un mahatma, une grande âme. C'est déjà en vous. Le geste à poser, à chaque jour de votre vie, c'est de vivre comme si vous saviez cela.

REMERCIEMENTS

J'admire les auteurs dont les remerciements se résument à un délicieux paragraphe où ils nomment leur agent, leur éditeur et toutes les autres personnes importantes. Pour moi, chaque livre est une collaboration, et j'aime nommer tous ceux et celles qui y ont contribué.

Je commence par mon agente et amie, Linda Chester. Si je dis à quel point elle est merveilleuse, d'autres auteurs viendront me voir pour me demander comment il se fait que j'aie eu cette chance. Je l'ignore. Je sais seulement que je suis reconnaissante d'avoir une agente qui croit si fort en moi et qui fait preuve d'une générosité, d'une intelligence, d'une bienveillance et d'une loyauté sans bornes.

Je poursuis avec le personnel génial de HarperOne et HarperCollins Publishers, en particulier mon rédacteur en chef, Gideon Weil, qui a été le premier à voir la thématique « seule, ronde et fauchée » comme un problème intéressant à aborder. Merci pour ton savoir-faire et ton travail acharné ; merci aussi de m'avoir accueillie dans la grande famille HarperCollins.

Comme d'autres intervenants importants, mon mari, William Melton, m'a apporté son soutien inébranlable et sa compréhension inconditionnelle. Il me trouve remarquable, et cela me donne envie de l'être. Mon adorable fille, Adair Moran, qui m'a communiqué ses idées devant de nombreux lattés et m'a grandement encouragée en disant : « Je sais que c'est un livre que tu peux écrire. » Merci pour ton aide et ta patience pendant l'écriture de ce livre et de tous les autres.

Gros mercis à ma talentueuse adjointe, Joya Scott, qui, en s'occupant avec aisance et efficacité de toutes les choses sur lesquelles je butais, m'a permis de me concentrer sur l'écriture. Merci aussi à Gary Jaffe, l'adjoint imperturbable de Linda Chester, au procureur Dennis Dahlymple, et à Whitney Lee, représentants de mes droits à l'étranger, qui verront à la diffusion de ce livre dans le monde entier.

Je remercie ma partenaire dans l'action, Sherry Boone, qui a presque joué le rôle de coauteure, en m'inspirant et en partageant de façon tout à fait désintéressée ses propres expériences et sa sagesse. Olivia Fox, de Spitfire Communications, a été tout aussi déterminante à titre de mentor, et une précieuse ressource. Un merci très spécial à Alima, pour m'avoir guidée dès le début de ce projet et pour m'avoir appuyée jusqu'au bout. Merci à Crystal Leaman, qui m'a aidée à clarifier mon message et à me rappeler le but que j'avais en écrivant ce livre ; à ma partenaire de vision, Randy Ladner ; et aux révérends Paul Tenaglia et Chris Michaels, pour s'être accrochés si fermement à cette vision qu'il fallait que je tienne parole. Et à mes merveilleuses clientes à qui j'ai servi de coach de vie : je travaille pour vous, mais *vous* me faites tellement de bien...

Merci au groupe de discussion de New York – Hsin-Cha Hsu, le Dr Lorna Flamer-Caldera, Alice Marie, Nava Namdar et Sarah Williams, qui m'a permis de focaliser sur mon intérieur au tout début de ce projet. Aux autres dont les suggestions et les encouragements jalonnent ces pages, soit Laura Allen, Hilda Bennett, Barbara Biziou, Patti Breitman, le Dr T. Colin Campbell, la Dr Pauline Canelias, Rosemary Cathcart, Susan Cheever, Elizabeth Cutting, Necia Gamby, John Taylor Gatto, Jan Goldstoff, Amy Gonigam, Dominque Guerin, Donna Henes, Sharmaine Hobbs, le révérend Evan Howard, Kevin Kelly, Jodi Leib, Leslie Levine, Sasha Lodi, Betty Melton, Siân Melton, Cathryn Michon, Nicholas A. Moran, Jerry Mundis, Alysia Reiner, Linda Ruocco, Thom Rutledge, Carol Shiflett, Deboray Shouse, Wendy Spero, Carol Stillman, Letitia Suk, Heather Traber-Fitzgerald, et Jamie Zaffos, ainsi que feu Dr Richard Carlson, qui m'a enseigné à écrire tôt le matin, à privilégier les chapitres courts et les idées simples, et bien sûr, à ne pas m'en faire pour des vétilles.

Aux amis et membres de ma famille, que j'adore – vous vous reconnaîtrez – qui ont pensé à ce livre dans leurs prières, durant sa lente gestation; je prie pour vous aujourd'hui. À Ann Estrada et au reste du personnel du Starbuck du quartier, où j'ai écrit de nombreuses pages de ce livre et du précédent : vous êtes les meilleurs! Et à Karen Morella et au B&B Serendipity à Ocean City, New Jersey, où je me suis retirée pour trouver l'inspiration : ça a fonctionné et… votre croustillant au tofu est à se rouler par terre!

Un merci sincère au groupe d'auteurs du samedi matin, qui m'a permis d'aller de l'avant, aux réunions de 7 h 15 qui m'ont aidée à rester centrée, et à Unity of New York City, où des infusions hebdomadaires d'énergie et d'enthousiasme m'ont aidée à mettre au monde *Seule, ronde et fauchée – plus jamais!*

Finalement, je voudrais vous remercier, chères lectrices et chers lecteurs, d'accorder à ce livre temps et attention. Rien ne me ferait plus plaisir que de penser qu'il vous a touché(e)s et aidé(e)s à vivre une vie plus riche. À la lumière du lectorat de mes précédents ouvrages et du « profil classique » des adeptes de ce genre de livres, il y a 94 % des chances que vous soyez une femme (pour les livres avec des couvertures roses, c'est probablement 98 %). Pour les hommes qui lisent aussi ce livre (en particulier ceux qui m'ont écrit ces dernières années en disant : « Nous sommes là et nous lisons aussi »), je vous vois comme des spécimens rares, fiers et courageux. Bien que je m'adresse à la majorité (soit les femmes), je ne vous ai jamais oubliés, messieurs, et j'ai fait des commentaires sans distinction de sexe chaque fois que c'était possible. Quand j'ai tapé « épilation bikini », au chapitre 44, j'ai pensé : « Oh, bon sang ! Les hommes vont rentrer sous terre. » Mais de toute évidence, vous avez fait face à la musique !

BIBLIOGRAPHIE

La liste ci-dessous comprend les livres dont il est fait mention dans *Seule, ronde et fauchée – plus jamais !*, ainsi que d'autres ouvrages – certains récents et certains classiques du domaine – qui, à mon avis, peuvent vous aider à reléguer au passé la personne seule, ronde et fauchée, et à vivre une vie remarquable. Cette liste n'est pas exhaustive, mais j'ai lu chacun de ces livres jusqu'au bout et je vous les recommande chaudement.

BAILEY, Covert. *The New Fit or Fat*. Boston Houghton Mifflin. 1991. Depuis leur tout début dans les années 1970, les livres et la philosophie du *Fit* or *Fat* ont expliqué en quoi consiste le vrai problème de l'obésité et démontré comment le bon type d'activité physique peut aider à le résoudre. Bailey a pris sa retraite, mais vous trouverez des renseignements sur son travail sur le site Web de sa collègue Ronda Gates, au www.rondagates.com*

* En anglais seulement.

BEAK, Sera. *The Red Book. A Deliciously Unorthodox Approach to Igniting Your Inner Spark.* Jessey-Bass Publishers. Hoboken, N.J. 2006. (www.serabeak.com*). Voici un livre tout à fait révolutionnaire sur la spiritualité des femmes étant dans la vingtaine. L'auteure est elle-même une jeune femme futée et élégante, qui détient une maîtrise en théologie de Harvard, qui a tourné avec les derviches en Turquie, qui a fait du bénévolat dans un refuge de Mère Teresa pour les mourants de Calcutta, et qui a aussi eu une audience avec le Dalaï Lama le jour de son vingt et unième anniversaire.

BERHERNDT, Greg et Liz TUCCILLO. *Laisse tomber, il ne te mérite pas.* Albin Michel, 2005. Dans ce best-seller, deux anciens auteurs de *Sex and the City* aident des femmes à renoncer à des relations sans issue et à trouver quelqu'un qui pense vraiment à elles.

BERTHOLD-BOND, Annie. *Clean and Green : The Complete Guide to Nontoxic and Environmentally Safe Housekeeping.* Ceres Press. Woodstock, N.Y. 1994. (www.betterbasics.com*). J'ai mentionné ce livre dans le chapitre « Mettez votre argent là où est votre moralité ». J'ai utilisé ses recettes d'entretien ménager pendant des années, et maintenant, je déteste moins ranger la maison qu'avant que je ne commence à le faire de manière créative !

* En anglais seulement.

BOLEN, Jean Shinoda, M.D. *Les femmes, avenir de la Terre. Rassembler les femmes et sauver la planète.* Éd. Jouvence. 2007. (Coll. : Le cercle de vie). (www.jeanbden.com*). Si vous voulez vous réunir avec d'autres femmes pour apporter un changement pour vous et pour le monde entier, ce petit livre contient tout ce que vous devez savoir.

CAMPBELL, T. Colin, et Thomas M. CAMPBELL II. *Le rapport Campbell.* Montréal, Éd. Ariane, 2008. (www.thechinastudy.com*). Les résultats de l'étude sur la nutrition que le *New York Times* a surnommé « le Grand Prix de l'épidémiologie ». Conclusion : un régime végétarien composé d'aliments entiers est le chemin le plus sûr vers un corps mince et une vie saine.

CHAMBERS, Veronica. *The Joy of Doing Things Badly : A Girl's Guide to Love, Life, and Foolish Bravery.* New York. Broadway Books. 2006. (www.veronicachambers.com*). Tandis que la perfection est partout à l'ordre du jour, Chambers suggère que la volonté de lâcher prise augmente la joie de vivre. Un livre que l'on s'échange entre copines, qui parle de travail, d'amitié, de réussite, d'échec et de ce que l'auteure a appris de Julia Child.

CHEEVER, Susan. *American Bloomsbury : Louisa May Alcott, Ralph Waldo Emerson, Margaret Fuller, Nathaniel Hawthorne, and Henry David Thoreau : Their Lives, Their*

* En anglais seulement.

Loves, Their Work. New York. Simon&Schuster. 2006. Fournit des renseignements juteux sur les recherches d'Emerson et de ses étonnants collègues.

CHOPRA, Deepak, M.D. *Santé parfaite. Guérir, rajeunir et vivre heureux avec la médecine indienne.* France. J'ai lu. 2008. (www.chopar.com*). J'ai lu et relu ce livre de nombreuses fois. Faire ce qu'il dit m'aide à demeurer en santé et à manger et vivre d'une manière facile et satisfaisante.

CRITSER, Greg. *Fat Land. How Americans Became the Fattest People in the World.* Boston. Houghton Mifflin/ Mariner. 2003. Un exposé journalistique passionnant sur les facteurs menant à l'épidémie d'obésité.

DADDONA, Cynthia. *Diary of a Modern-Day Goddess.* Deerfield Beach, Fl. HCI Books. 2000. (www.moderndaygoddess.com*). Un guide amusant et nécessaire, qui vaut son pesant d'or, et vous aide à bien prendre soin de vous-même, corps et âme.

DENNIS, Patrick. *Tante Mame : une escapade irrévérencieuse.* New York. Broadway Books. 2001. C'est le charmant conte de 1955 qui a inspiré le film que j'ai recommandé dans *Fill Your Life, Then Fill Your Plate.* Si vous recherchez un mentor pour apprendre à bien vivre, Mame est là pour vous.

* En anglais seulement.

DOMINGUEZ, Joe, et Vicki ROBINS. *Votre vie ou votre argent*. Éd. Logiques. 1997. (www.newroadmap.org*). Ce fut le premier livre à m'éclairer sur le fait que l'argent et la vie ne sont pas censés être en contradiction, que la liberté financière est effectivement possible, et que, au bout du compte, l'indépendance financière et la citoyenneté planétaire responsable sont compatibles.

DUNNAN, Nancy. *How to Invest $50 to $5,000 : The Small Investor's Step-by Step, Dollar-by-Dollar Plan for Low-Risk, High-Value Investing*. New York. HarperCollins. 2003. (www.nancydunnan.com*). Un guide qui n'a absolument rien d'intimidant pour l'investisseur novice (ou nerveux).

EMERSON, Ralph Waldo. *Essais*. New York. Harper Perennial. (www.transcendentalist.com*). « L'âme suprême » est un merveilleux regard sur le concept de Dieu, pour ceux qui sont en désaccord avec les définitions traditionnelles, et les essais d'Emerson « La prudence » et « L'amitié » offrent de sages conseils aux personnes fauchées et seules.

AMIS DE PÈLERIN DE PAIX. *Pèlerin de Paix : sa vie et son œuvre dans ses propres mots*. (www.peacepilgrim.com*). Pèlerin de Paix fut une mystique moderne qui a dit des choses comme : « Vivez à la hauteur de la lumière que vous avez et vous recevrez plus de lumière. » J'ai relu ce

* En anglais seulement.

livre très souvent, tout comme son recueil de pensées pour 365 jours, *Peace Pilgrim's Wisdon : A Very Simple Guide,* publié par Cheryl CANFIELD (Santa Fe, N.M. Ocean Tree Books. 1996.)

GATTO, John Taylor. *Dumbing Us Down : The Hidden Curriculum of Compulsory Schooling.* Gabriola Island, B.C. New Society Publishers. 2005. Ce livre m'a initiée aux vues fascinantes de cet éducateur franc-tireur qui fut nommé enseignant de l'année de l'État de New York, et dont je reprends les idées au troisième chapitre.

GROUT, Pam. *God Doesn't Have Bad Hair Days : Ten Spiritual Experiments That Will Bring More Abundance, Joy, and Love to Your Life.* Philadelphia. Running Press. 2005. (www.pamgrout.com*). Grout demande aux lecteurs de tester la théorie de Dieu avec des expériences comme « Godlets R Us » et « The Sally Field Principle : The Dude Likes You. He Really Likes You. »

HAY, Louise L. *Oui je peux.* Éditions AdA. 2004. (www.louisehay.com*). Il y a tellement longtemps que l'on se sert des affirmations, qu'il est facile de dire, *Oui, je peux,* de la part de la femme qui est en grande partie responsable d'avoir mis les affirmations à l'ordre du jour, est une approche nouvelle et rafraîchissante de cet outil utile pour attirer l'amour, l'estime de soi, un nouvel emploi et toutes sortes de bonnes choses. Ce livre

* En anglais seulement.

s'accompagne d'un CD, et vous y trouverez des calendriers et autres petits cadeaux.

HOUSTON, Jean, Ph.D. *A Passion for the Possible : A Guide to Realizing Your True Potentiel.* San Francisco. Harper SanFrancisco. 1998. (www.jeanhouston.org*). Un guide pour comprendre les quatre aspects du *soi* – sensoriel/physique, psychologique, mythique/symbolique, et spirituel – à l'aide d'exercices et de méditation. C'est un peu grâce à ce que Houston m'a inspiré si, lorsque je lève les yeux de mon ordinateur, je vois l'édifice Chrysler.

ILIBAGIZA, Immaculée. *Miraculée. Dans l'enfer du génocide rwandais, elle trouve la lumière.* J'ai lu. 2007. (www.lefttotell.com*). Ce livre n'est pas un livre de croissance personnelle ; c'est un livre de guérison personnelle, en plus d'un livre de guérison planétaire. L'auteure a pu se sortir d'horreurs inimaginables grâce au pouvoir du pardon. Je conseille *Miraculée* à bon nombre de mes clientes de coaching. Aucune ne m'a dit que ce livre n'avait pas contribué à changer sa vie.

KRAMER, Sarah et Tanya BARNARD. *Vous avez dit Vegan ? Irrésistibles recettes végétariennes.* Éd. Les Malins. (www.govegan.net*). Plus qu'un livre de recettes (il contient même des conseils de beauté), ce guide frais et irrévérencieux, ayant une sensibilité post-punk, a été écrit par deux jeunes adeptes de l'alimentation verte. Il

* En anglais seulement.

regorge de recettes délectables présentées dans un style insolent. Sa suite, *The Garden of Vegan : How It All Vegan Again* (Vancouver, B.C. Arsenal Pulp Press. 2003), pousse la tradition un peu plus loin.

KRISHNAMURTI, J. *Aux pieds du maître.* Éd. Adyar (14e édition). 1996. Un minuscule classique du très jeune Krishnamurti et la source de la citation qui dit que votre corps est « le cheval que vous montez ». Pour en savoir plus sur Krishnamurti et ses enseignements, consulter la *Fondation Krishnamurti d'Amérique,* à l'adresse www.kfa.org*

MICHAELS, Chris. *Your Soul's Assignment*. Kansas City, Mo. Awakening World Enterprises. 2003.(www.yoursouls assignments.com*). Chris Michaels est un de mes maîtres spirituels, et ce livre vous donne sa recette, dans laquelle tous les coups sont permis pour justifier votre présence ici.

MICHON, Cathryn. *The Grrl Genius Guide to Sex (with Other People) : A Self-Help Novel.* New York. St. Martin's Press. 2004. (www.grrlgenius.com*). Leçons de relations d'une personne qui s'est retrouvée dans les tranchées et qui s'en est sortie avec humour (Michon est humoriste et scénariste) ; le livre présente une fin *très* heureuse. Ce « roman de croissance personnelle » propose des trucs sous forme de coffrets et de cartes (par exemple « les

* En anglais seulement.

inconvénients d'être belle »). Le premier livre de Michon est tout aussi génial : *The Grrl Genius Guide to Life : A Twelve-Step Program on How to Become a Grrl Genius, According to Me!* (New York. HarperCollins. 2001).

MORAN, Victoria. *Creating a Charmed Life : Sensible, Spiritual Secrets Every Busy Woman Should Know.* San Francisco. HarperSanFrancisco. 1999. (www.victoria moran.com). Quand vous en aurez fini avec la personne seule, ronde et fauchée, vous pourrez vivre une vie enchanteresse. Les 75 essais brefs de ce livre vous enseigneront tout, allant de la façon de saisir une belle occasion à la mise en pratique du principe de vacances, afin de vivre chaque jour comme si vous étiez en vacances.

__________. *Fit From Within : 101 Simple Secrets to Change Your Body and Your Life.* New York. Contemporary Books/ McGraw-Hill. 2003. Livre audio. Toronto. SimplyAudio. 2006. (www.simplyaudio.com*). Ce n'est pas par cupidité que je recommande deux de mes livres, mais je crois sincèrement que les deux pourraient vous aider. Celui-ci vous explique en détail comment perdre vos kilos en trop et maintenir indéfiniment votre poids, sans vous priver ou vous réincarner dans un autre corps.

MUNDIS, Jerrold. *How to Get Out of Debt, Stay Out of Debt, and Live Prosperously.* New York. Bantam. 1988. (www.mundismoney.com*). Je ne crois pas me tromper

* En anglais seulement.

en disant que, si je n'avais jamais lu ce livre, je serais sans doute toujours fauchée. Partant de techniques et de principes avérés de Debtors Anonymous, ce livre est un protecteur.

NEWKIRK, Ingrid. *The Compassionate Cook : Please Don't Eat the Animals.* New York. Warner Books. 1993. (www.goveg.com). Des recettes faciles, sans viande, de la fondatrice de PETA. Je me sers de ce livre de recettes tous les jours.

RIPPE, David, et Jared ROSEN. *The Flip : Turn Your World Around !* Charlottesville, Va. Hampton Roads Publishing. 2006. (www.theflip.net*). Un livre où il est question de retourner le monde de la peur et de la compétition à l'envers, afin de voir un monde à l'endroit dans des domaines comme la santé, l'alimentation, les relations et les affaires mondiales. Contient des suggestions pratiques et un grand nombre de statistiques fascinantes, comme les 3000 messages publicitaires auxquels nous sommes exposés quotidiennement.

RUTLEDGE, Thom. *Embracing Fear and Finding the Courage to Live Your Life*. San Francisco. HarperSanFrancisco. 2002. (www.thomrutledge.com*). T. Rutledge, psychothérapeute, suggère de surmonter la peur en faisant face, en l'explorant, en l'acceptant et en y réagissant, pour ainsi se défaire de son emprise.

* En anglais seulement.

SCHAEFER, Jenni, avec Thom RUTLEDGE. *Life Without Ed : How One Woman Declared Independence from Her Eating Desorder and How You Can Too.* New York. McGraw-Hill. 2004. (www.jennischaefer.com*). L'histoire d'une femme et d'un guide extrêmement utile si votre relation avec l'obésité vous a menée à l'anorexie, à la boulimie, aux régimes compulsifs ou à l'activité physique excessive.

SHINN, Florence Scovel. *The Game of Life and How to play it.* Marina del Rey, Californie. DeVorss & Co. 1925. (www.florencescovelshinn.com*). Il a été étiqueté « classique de la prospérité », mais c'est plutôt un classique métaphysique : pratique, utile, et aussi pertinent aujourd'hui qu'il l'était en 1925, malgré des références désuètes d'époque. Si vous aimez ce livre autant que je l'aime, vous voudrez vous procurer *The Writings of Florence Scovel Shinn*, qui contient tous les écrits de Shinn.

SMITH, Huston. *The Religions of Man.* San Francisco : HarperSanFrancisco. 1991. (www.hustonsmith.net). Parmi les livres qui étaient obligatoires à l'université, c'est le seul que je lis et chéris encore aujourd'hui. Bien que la spiritualité et la religion puissent être intimement liées ou à des années lumières de distance, le fait de me familiariser avec les principes de base des grandes religions m'aide à remplir certaines cases vides de ma propre spiritualité. À ce point de l'histoire, je crois également

* En anglais seulement.

qu'il est indispensable d'avoir au moins une compréhension rudimentaire de la façon dont les peuples voient la vie et la foi ; ce livre l'illustre clairement et avec une passion contagieuse.

SPERO, Wendy. *Microthrills : True Stories from a Life of Small Highs.* New York. Hudson Street Press. 2006. (www.wendyspero.com*). Vous pensez en avoir arraché ? Vous n'avez pas eu de mère, thérapeute du sexe, capable d'entrer dans la chambre où vous aviez invité votre petit ami en vous disant de continuer. Wendy Spero est une jeune comédienne, et sa lecture de la version audio de cet essai vous fera mourir de rire.

STAHL, Louann. *A Most Surprising Song : Exploring the Mystical Experience.* Unity Village, Mo. Unity Books. 1992. Une explication facile à lire de l'expérience mythique, et quelques-unes des personnes fascinantes qui l'ont vécue. J'ai relu ce livre régulièrement et m'y suis souvent référée. Je m'explique mal qu'il n'ait pas été réimprimé, mais vous le trouverez dans les bibliothèques et dans les librairies de livres usagés, réels et en ligne.

STANNY, Barbara. *Overcoming Underearning : Overcome Your Money Fears and Earn What You Deserve.* New York. HarperCollins. 2005. (www.barbarastanny.com*). Stanny expose les cinq étapes menant à l'indépendance financière : dire la vérité, prendre une décision, faire des

* En anglais seulement.

efforts, créer une communauté d'intérêts et respecter et apprécier l'argent.

WALTERS, J. Donald. *Money Magnetism : How to Attract What You Need When You Need It.* Nevada City, Californie. Crystal Clarity Publishers. 2000. C'est le livre que je lisais quand le gars dans le métro m'a tendu un dollar en disant : « Ce truc fonctionne vraiment. »

ZUKAV, Gary. *Le siège de l'âme. Au-delà des cinq sens.* Éd. Guy Trédaniel. 2000. (www.zukav.com*). Un guide éclectique pour une spiritualité sérieuse, incluant des chapitres sur les dépendances et les relations.

Pour joindre l'auteure, inscrivez-vous à son *e-zine* gratuit* « The Charmed Monday Minute », informez-vous sur ses services de coach de vie, ou réservez ses services pour parler devant votre organisation, visitez son site Web : www.victoriamoran.com.

* En anglais seulement.

www.AdA-inc.com
info@AdA-inc.com